D0513692

Vous pouvez vivre éternellement sur une terre qui deviendra un paradis

Les éditeurs de ce livre espèrent
que vous figurerez parmi ceux
à propos desquels la Bible dit:
“Les justes posséderont la terre,
et sur elle ils résideront pour toujours.”
— Psaume 37:29.

Vous pouvez vivre éternellement
sur une terre qui deviendra un paradis

Publié en anglais en 1982
Publié en français en 1982

par les

WATCHTOWER BIBLE AND TRACT SOCIETY
OF NEW YORK, INC.

INTERNATIONAL BIBLE STUDENTS ASSOCIATION

Brooklyn, New York, U.S.A.

Première édition anglaise 5 000 000 d’exemplaires

You can Live Forever in Paradise on Earth
French

Made in the United States of America
Imprimé aux Etats-Unis d’Amérique

Sauf indication, les références bibliques renvoient
aux *Saintes Ecritures — Traduction du monde nouveau.*

Table des matières

Chapitres	Pages	

Chapitre 1

La vie éternelle — ce n'est pas un rêve

LE BONHEUR, sur la terre? Cela paraît impossible, même pour peu de temps. La maladie, la vieillesse, la faim et la criminalité s'y opposent souvent. Peut-être pensez-vous qu'il est illusoire d'espérer vivre toujours dans un paradis terrestre, et que c'est perdre son temps que d'en parler, car ce n'est qu'un rêve.

[2] Nul doute que la plupart des gens seront de votre avis. Mais alors, pourquoi affirmons-nous que *vous pouvez vivre éternellement sur une terre qui deviendra un paradis,* que ce n'est pas un rêve?

POURQUOI NOUS Y CROYONS

[3] Nous y croyons parce que la Puissance suprême, le Dieu Tout-Puissant, a préparé la terre de manière à combler tous les besoins de ses habitants. Elle était parfaite. Il a aussi créé l'homme et la femme parfaits pour qu'ils jouissent pleinement et éternellement de la vie sur terre. — Psaume 115:16.

[4] Les scientifiques savent depuis longtemps que notre corps se régénère. Selon les besoins, ses cellules sont remplacées ou réparées grâce à un processus extraordinaire qui semble devoir toujours se perpétuer. Pourtant, il cesse un jour, et l'homme vieillit. Les savants ne s'expliquent pas ce phénomène. Selon eux, dans des conditions idéales, l'homme pourrait vivre indéfiniment. — Psaume 139:14.

1, 2. Pourquoi a-t-on du mal à croire que les hommes peuvent vivre éternellement heureux sur la terre?

3. Qu'est-ce qui montre que Dieu désire que les hommes vivent heureux sur la terre?

4. D'après les scientifiques, qu'est-ce qui montre que le corps humain a été fait pour vivre toujours?

[5] Le dessein de Dieu est-il vraiment que les hommes vivent toujours et heureux sur la terre? Si oui, la vie éternelle n'est pas un rêve, mais une réalité future. Qu'en dit la Bible, le Livre qui renferme les desseins divins? Parlant de Dieu, "qui a formé la terre et qui l'a faite", elle dit: "Lui, celui qui l'a solidement établie, qui ne l'a pas créée pour rien, *qui l'a formée pour être habitée."* — Esaïe 45:18.

[6] La terre vous paraît-elle peuplée comme Dieu l'avait prévu? Certes, notre planète est presque entièrement habitée, mais ses habitants forment-ils une grande famille unie et heureuse, comme le désirait le Créateur? Le monde est aujourd'hui divisé et ravagé par la haine, la criminalité et la guerre. Des millions de gens ont faim et sont malades. D'autres se débattent contre les problèmes de logement, de travail ou d'argent. Tout cela n'honore pas Dieu qui, manifestement, n'envisageait pas ainsi le peuplement de la terre.

[7] Dieu plaça l'homme et la femme qu'il avait créés dans un paradis, afin qu'ils y vivent éternellement heureux et qu'ils l'étendent à tout le globe. Il leur dit en effet: "Soyez féconds, et devenez nombreux, et remplissez la terre, et soumettez-la." (Genèse 1:28). Selon le dessein de Dieu, la terre entière finirait par être assujettie à une grande famille humaine juste, unie, en paix et heureuse.

---

5. Que dit la Bible sur le dessein de Dieu relatif à la terre?
6. a) Quelles conditions existent actuellement sur la terre? b) Est-ce là ce que Dieu désirait?
7. Quel était le dessein de Dieu pour la terre quand il créa le premier couple humain?

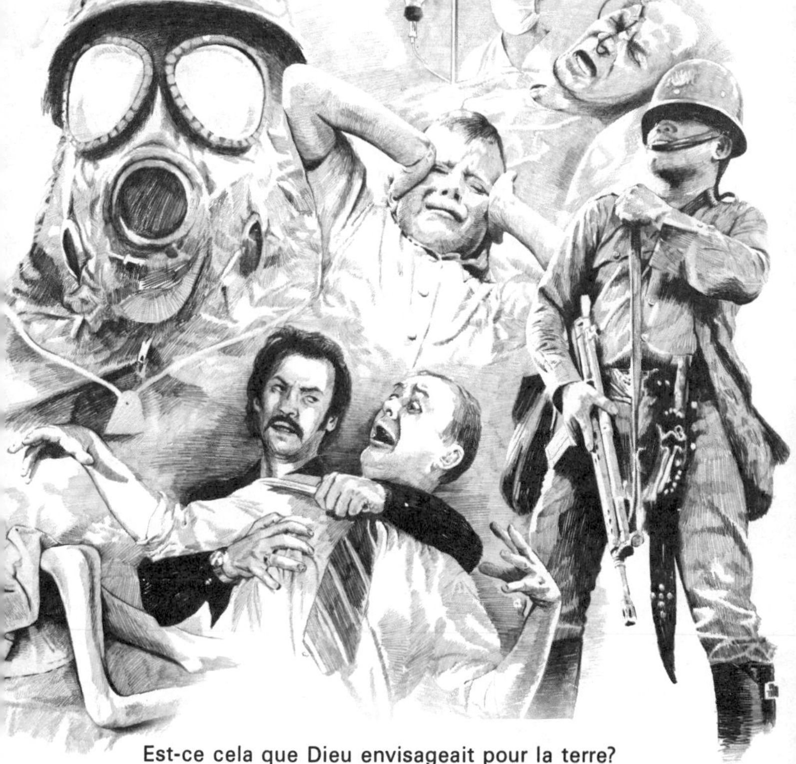

Est-ce cela que Dieu envisageait pour la terre?

[8] Malgré la désobéissance du premier couple, qui se montra ainsi indigne de la vie éternelle, Dieu ne changea pas son dessein. Il le réalisera à coup sûr (Esaïe 55:11). La Bible dit: “Les justes posséderont la terre, et sur elle *ils résideront pour toujours.*” (Psaume 37:29). Elle rappelle souvent les dispositions prises par Dieu pour donner la vie éternelle à ceux qui le servent. — Jean 3:14-16, 36; Esaïe 25:8; Révélation 21:3, 4.

---

8. Pourquoi pouvons-nous être sûrs que le dessein de Dieu n’a pas changé malgré la désobéissance du premier couple?

NOUS DESIRONS VIVRE — MAIS OU?

[9] Quel bonheur que Dieu ait pour dessein que nous vivions éternellement! Imaginez que vous ayez à choisir le jour de votre mort. Ce serait au-dessus de vos forces, n'est-ce pas? Vous ne voulez pas mourir, comme d'ailleurs tout individu normal et en bonne santé. Dieu a doté l'homme du désir de vivre. La Bible dit qu'il a mis "dans [son] cœur la pensée de l'éternité". (Ecclésiaste 3:11, *Segond.*) Qu'est-ce à dire? Que normalement les hommes souhaitent vivre toujours, sans jamais voir la mort. C'est pourquoi ils ont de tout temps cherché le moyen de rester jeunes.

[10] Où l'homme désire-t-il vivre éternellement? Sur la terre, comme il en a l'habitude. N'a-t-il pas été fait pour la terre, et la terre pour lui (Genèse 2:8, 9, 15)? La Bible dit: "Il [Dieu] a fondé la terre sur ses lieux fixes; elle ne chancellera pas jusqu'à des temps indéfinis, ou à jamais." (Psaume 104:5). La planète ayant été créée pour toujours, les humains devraient, eux aussi, pouvoir vivre à jamais. Un Dieu d'amour n'aurait pas mis en eux le désir de vivre éternellement sans leur donner le moyen de le satisfaire. — I Jean 4:8; Psaume 133:3.

QUELLE VIE SOUHAITEZ-VOUS?

[11] Voyez la page suivante. Quelle vie ces gens mènent-ils? Aimeriez-vous être à leur place? Oui, bien sûr. Ils sont jeunes et en pleine santé. Si l'on vous disait qu'ils vivent ainsi depuis des millénaires, le croiriez-vous? Selon la Bible, les vieillards redeviendront jeunes et les malades bien portants; les boiteux, les aveugles, les sourds et les muets guériront. Quand il était sur la terre, Jésus Christ n'a-t-il pas rendu miraculeusement la santé à des malades? Il montra ainsi que tous ceux qui vivront à cette époque proche et bénie

---

9. a) Que désirent normalement les hommes? b) Quand la Bible dit que 'Dieu a mis dans le cœur de l'homme la pensée de l'éternité', que faut-il entendre par là?
10. a) Où l'homme désire-t-il naturellement vivre? b) Pourquoi pouvons-nous être sûrs que Dieu rendra possible la vie éternelle sur la terre?
11. Que dit la Bible pour montrer que les hommes pourront vivre éternellement et en parfaite santé?

retrouveront une santé parfaite. — Job 33:25; Esaïe 33:24; 35:5, 6; Matthieu 15:30, 31.

[12] Voyez ce magnifique jardin. C'est le paradis promis par Christ; il est semblable à celui que le premier couple perdit en désobéissant (Luc 23:43). La paix et l'unité y règnent. Des gens de toutes races — Noirs, Blancs, Jaunes — ne forment qu'une seule famille. Même les animaux sont en paix. Regardez l'enfant qui joue avec le lion. Il n'y a aucune raison

12. Quelles conditions voyons-nous sur ces images?

d'avoir peur. Le Créateur déclare: "Le léopard se couchera avec le chevreau, et le veau, et le jeune lion à crinière, et l'animal bien nourri, tous ensemble; et un petit garçon sera leur conducteur. (...) Et même le lion mangera de la paille comme le taureau. Et le nourrisson jouera sur le trou du cobra." — Esaïe 11:6-9.

[13] Dans le paradis que Dieu prévoit pour eux, les hommes auront tout pour être heureux. La terre

13. Qu'est-ce qu'on ne verra plus sur terre quand le dessein de Dieu aura été réalisé?

produira du fruit en abondance. Plus personne n'aura faim (Psaumes 72:16; 67:6). La guerre, le crime, la violence, la haine et l'égoïsme appartiendront au passé. Ils auront disparu à jamais (Psaumes 46:8, 9; 37:9-11). Croyez-vous cela possible?

[14] Voyons, si vous le pouviez, ne mettriez-vous pas fin à tout ce qui rend les hommes malheureux? N'établiriez-vous pas les conditions auxquelles ils aspirent de tout leur cœur? Certainement. Eh bien, notre Père céleste, qui est amour, comblera nos besoins et nos désirs, car Psaume 145:16 dit de lui: "Tu ouvres ta main et tu rassasies le désir de toute chose vivante." Mais quand?

DES BENEDICTIONS POUR BIENTOT

[15] Pour que la terre reçoive ces bénédictions, Dieu a promis de faire disparaître la méchanceté et les méchants, tout en protégeant ceux qui le servent. La Bible dit: "Le monde passe et son désir aussi, mais celui qui fait la volonté de Dieu demeure pour toujours." (I Jean 2:17). Quel changement ce sera! La fin du monde ne signifiera pas la fin de la terre, mais plutôt la disparition des méchants, comme au déluge du temps de Noé. Quant aux serviteurs de Dieu, ils survivront. Alors, sur une terre purifiée, ils seront délivrés de tous leurs oppresseurs. — Matthieu 24:3, 37-39; Proverbes 2:21, 22.

[16] "Mais, dira-t-on, tout va de mal en pis. Quelle assurance avons-nous qu'un tel changement est proche?" Jésus Christ annonça des événements que ses futurs disciples devraient guetter afin de discerner le temps fixé par Dieu pour mettre fin au présent monde. Il dit que les derniers jours de l'actuel système se caractériseraient notamment par de grandes guerres, des famines, des tremblements de terre, un accroissement du mépris de la loi et le manque d'amour (Matthieu 24:3-12).

---

14. Qu'est-ce qui vous fait croire que Dieu mettra fin aux souffrances?
15. Qu'est-ce que la fin du monde signifiera a) pour la terre? b) pour les méchants? c) pour ceux qui font la volonté de Dieu?
16. Quels événements ont été annoncés pour les "derniers jours"?

Il y aurait aussi "l'angoisse des nations, désemparées". (Luc 21:25.) La Bible ajoute: "Dans les derniers jours des temps décisifs et durs seront là." (II Timothée 3:1-5). Ne vivons-nous pas ces événements?

[17] Bon nombre d'observateurs disent qu'un bouleversement se prépare. Ainsi, le rédacteur du *Herald* de Miami (U.S.A.) écrivit: "Un esprit tant soit peu logique peut rapprocher les événements dramatiques des dernières années et constater que le monde est à un tournant historique (...). La vie des hommes sera bouleversée à jamais." Dans le même ordre d'idée, Lewis Mumford, écrivain américain, déclara: "La civilisation est sur le déclin. Cela ne fait aucun doute (...). Jadis, le déclin d'une civilisation était un phénomène relativement isolé. (...) Mais aujourd'hui, en raison de l'interdépendance des nations due au modernisme (...), le déclin d'une civilisation entraîne le déclin de la planète."

[18] Les conditions présentes montrent que nous vivons l'époque qui verra la destruction du système mondial tout entier. Très bientôt, Dieu va débarrasser la terre de ceux qui la saccagent (Révélation 11:18). Il va éliminer les gouvernements actuels pour que son gouvernement juste domine toute la terre. C'est pour ce gouvernement-là ou Royaume que Jésus apprit à ses disciples à prier. — Daniel 2:44; Matthieu 6:9, 10.

[19] Aimeriez-vous vivre à toujours sur la terre dominée par Dieu? Alors, acquérez sans tarder la connaissance exacte de Dieu, de ses desseins et de ses exigences. Voici ce que Jésus dit dans une prière à Dieu: "Ceci signifie la vie éternelle: qu'ils apprennent à te connaître, toi, le seul vrai Dieu, et celui que tu as envoyé, Jésus Christ." (Jean 17:3). La vie éternelle est possible; ce n'est pas un rêve! Mais pour y goûter, il nous faut connaître l'ennemi qui cherche à nous priver de cette bénédiction.

---

17. Quelles remarques font certaines personnes réfléchies au sujet des conditions actuelles?
18. a) Que montrent les conditions mondiales concernant l'avenir? b) Qu'est-ce qui remplacera les gouvernements actuels?
19. Que devons-nous faire si nous désirons vivre éternellement?

Chapitre 2

L'ennemi de la vie éternelle

LE BONHEUR, sur la terre? Tout le monde ou presque y aspire. Mais pourquoi tant de gens sont-ils malheureux? Qu'est-ce qui ne va pas? Puisque la majorité des humains veut la paix, pourquoi les nations se font-elles la guerre et les hommes se haïssent-ils? Existe-t-il une puissance invisible qui domine les nations et les pousse au mal?

[2] La cruauté des hommes nous amène à poser de telles questions. Songez aux gaz de combat qui asphyxient et brûlent, aux bombes atomiques ou au napalm, aux lance-flammes, aux camps de concentration, au massacre de millions d'innocents, comme au Cambodge ces dernières années. Toutes ces horreurs sont-elles le fait du hasard? Certes, l'homme peut commettre des atrocités, mais en raison de la cruauté de ses actes on peut se demander s'il n'est pas poussé par une puissance mauvaise invisible.

[3] Inutile de nous perdre en conjectures. La Bible montre clairement qu'un être intelligent, puissant et invisible dirige les hommes et les nations. Jésus en parle comme du "chef de ce monde". (Jean 12:31; 14:30; 16:11.) Qui est-il?

[4] Afin de l'identifier, reportons-nous au début du ministère de Jésus sur la terre. Après son baptême, Jésus alla dans le désert où il fut tenté par une créature invisible appelée Satan le Diable. Voici comment la Bible décrit cette tentation: "Le Diable l'emmena encore sur une montagne extraordinairement

---

1. Puisque le bonheur et la paix font souvent défaut, quelles questions se posent?
2. En raison de quels crimes beaucoup se demandent-ils si les hommes ne sont pas dominés par une puissance méchante et invisible?
3. Que dit la Bible concernant la domination du monde?
4. Qu'est-ce que le Diable montra à Jésus, et quelle offre lui fit-il?

haute et, lui montrant tous les royaumes du monde et leur gloire, il lui dit: 'Je te donnerai toutes ces choses si tu te prosternes et accomplis devant moi un acte d'adoration.' " — Matthieu 4:8, 9.

[5] Rendez-vous compte! Le Diable offrait à Jésus *"tous les royaumes du monde"*. Lui appartenaient-ils vraiment? Bien sûr, sinon comment aurait-il pu les lui offrir? D'ailleurs, Jésus ne nia pas qu'ils étaient la propriété de Satan, ce qu'il aurait fait si tel n'avait pas été le cas. Satan est donc bel et bien le chef invisible des nations. La Bible dit nettement: "Le monde entier gît au pouvoir du méchant." (I Jean 5:19). En fait, elle appelle Satan

5. a) Qu'est-ce qui montre que le Diable possède tous les gouvernements du monde? b) Selon la Bible, qui est "le dieu de ce système de choses"?

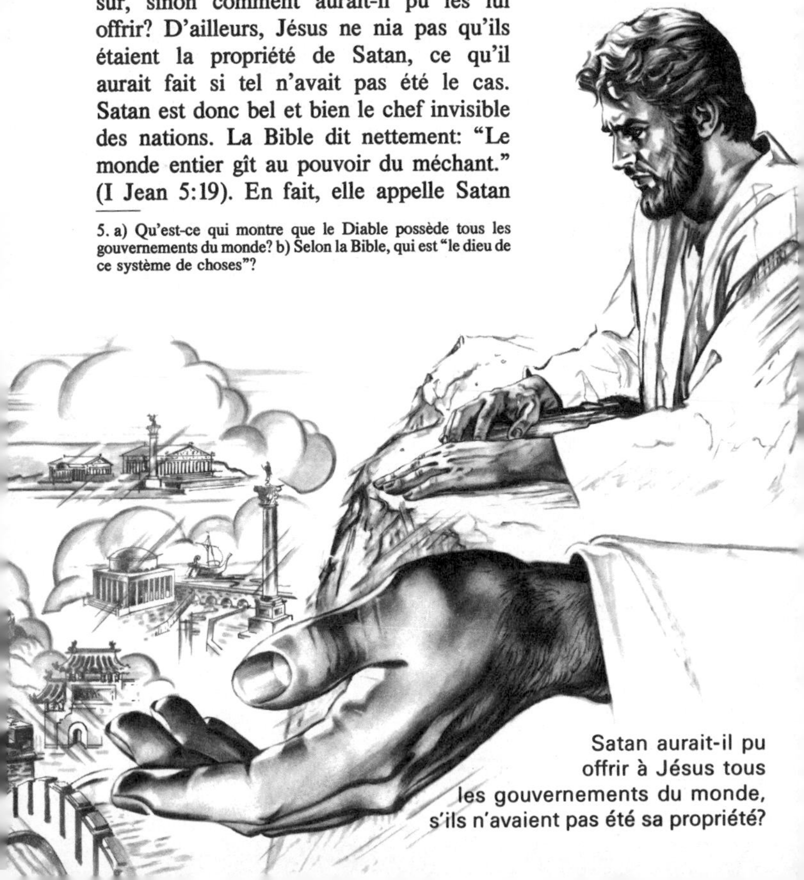

Satan aurait-il pu offrir à Jésus tous les gouvernements du monde, s'ils n'avaient pas été sa propriété?

“le dieu de ce système de choses”. — II Corinthiens 4:4.

[6] Voilà qui nous aide à comprendre pourquoi Jésus déclara: “Mon royaume ne fait pas partie de ce monde” (Jean 18:36), mais aussi pourquoi les nations se haïssent et cherchent à se détruire, alors que tout individu normal aspire à la paix. Oui, “Satan (...) égare la terre habitée tout entière”. (Révélation 12:9.) Il aimerait nous égarer aussi afin que nous ne recevions pas de Dieu la vie éternelle. Il nous faut donc lutter pour résister à sa mauvaise influence (Ephésiens 6:12). Nous devons connaître Satan et ses méthodes pour nous défendre contre lui.

QUI EST LE DIABLE?

[7] Satan le Diable est une personne réelle, et non pas le mal qui existe en tout homme, comme le croient certains. Les humains ne peuvent évidemment pas le voir, pas plus qu’ils ne peuvent voir Dieu. L’un et l’autre sont des esprits, des formes de vie supérieures et invisibles. — Jean 4:24.

[8] “Mais si Dieu est amour, diront certains, pourquoi a-t-il fait le Diable?” (I Jean 4:8). Dieu ne l’a pas créé. “Pourtant, si Dieu a tout créé, dira-t-on encore, il a *forcément* créé le Diable. Qui d’autre l’aurait fait? D’où vient-il?”

[9] La Bible explique que Dieu a créé de très nombreux esprits semblables à lui. Elle les appelle “anges” ou “fils de Dieu”. (Job 38:7; Psaume 104:4; Hébreux 1:7, 13, 14.) Dieu les créa tous parfaits; aucun n’était un diable (ce qui signifie “calomniateur”) ou un satan (“opposant”).

[10] Le jour vint où l’un de ces fils spirituels de Dieu se fit lui-même *Diable* en mentant effrontément ou en calomniant, et il

---

6. a) Grâce à ces renseignements sur la domination de Satan, que comprenons-nous? b) Satan voudrait nous amener à quoi faire, et comment devons-nous réagir?

7. Pourquoi ne peut-on pas voir le Diable?

8. Pourquoi beaucoup croient-ils que Dieu a créé le Diable?

9. a) Quel genre de personnes les anges sont-ils? b) Que signifient les mots “diable” et “satan”?

10. a) Qui a fait le Diable? b) Comment un homme droit peut-il se faire lui-même malfaiteur?

Ce voleur n'est pas né ainsi;
de même, le Diable n'a pas été créé "diable".

se fit *Satan* en s'opposant à Dieu. Il n'avait pas été créé ainsi; il le devint plus tard. Prenons un exemple: On ne naît pas voleur. On peut être issu d'une excellente famille, avoir des parents, des frères et des sœurs honnêtes, et pourtant devenir voleur, si on se laisse séduire par l'argent. Comment, donc, l'un des fils spirituels de Dieu se fit-il lui-même Satan le Diable?

[11] Cet ange était présent lorsque Dieu créa la terre puis Adam et Eve (Job 38:4, 7). Il a donc entendu Dieu leur ordonner d'avoir des enfants (Genèse 1:27, 28). Il savait qu'avec le temps la terre serait pleine d'humains justes qui adoreraient Dieu. Tel était le dessein du Créateur. Mais cet ange, qui était fier de sa beauté et de son intelligence, voulut recevoir l'adoration qui allait être vouée à Dieu (Ezéchiel 28:13-15; Matthieu 4:10). Au lieu de rejeter ce mauvais désir, il y arrêta sa pensée, ce qui l'incita à agir pour qu'on lui accordât l'honneur et l'importance qu'il convoitait. Que fit-il? — Jacques 1:14, 15.

---

11. a) Quel dessein de Dieu l'ange rebelle connaissait-il? b) Que convoitait-il, et qu'en vint-il à faire?

[12] L'ange rebelle se servit d'un simple serpent pour parler à Eve, à la manière d'un ventriloque qui sait donner l'impression qu'un pantin à côté de lui est en train de parler. En réalité, c'est l'ange rebelle, "le serpent originel" selon la Bible, qui s'adressa à Eve (Révélation 12:9). Il prétendit que Dieu lui avait menti et la privait de la connaissance qui lui était due (Genèse 3:1-5). Par cet odieux mensonge, il se fit diable. Il devint aussi un opposant à Dieu, un satan. On ne peut donc se représenter le Diable comme une créature cornue, qui, armée d'une fourche, surveille un lieu de tourments souterrain. Il s'agit plutôt d'un ange très puissant, mais méchant.

LA CAUSE DES MALHEURS DU MONDE

[13] Par ce mensonge, le Diable arriva à ses fins. Eve le crut et désobéit à Dieu, puis elle poussa son mari à violer à son tour la loi divine (Genèse 3:6). En fait, le Diable prétendait que les humains peuvent se gouverner eux-mêmes en se passant de Dieu. Il se vantait aussi d'être capable de détourner de Dieu tous les futurs descendants d'Adam et Eve.

[14] Certes, Dieu aurait pu détruire Satan sur-le-champ. Mais cela n'aurait pas réglé les questions qu'il avait soulevées, lesquelles auraient pu troubler les anges qui observaient la situation. Dieu lui laissa donc le temps de prouver ses prétentions. Quels en furent les résultats?

[15] Le temps a démontré que les hommes sont incapables de se diriger avec succès sans l'aide de Dieu. Leurs tentatives ont totalement échoué. Les humains ont terriblement souffert sous la domination des gouvernements, lesquels, nous dit la Bible, sont manœuvrés par Satan. Il s'est aussi avéré que

---

12. a) Comment cet ange parla-t-il à Eve, et que lui dit-il? b) Comment devint-il Satan le Diable? c) Quelle idée fausse se fait-on souvent du Diable?

13. a) Quelle fut la réaction d'Eve? b) Que prétendit le Diable?

14. Pourquoi Dieu ne détruisit-il pas Satan sur-le-champ?

15, 16. a) Qu'est-ce que le temps a démontré au sujet des prétentions du Diable? b) Quel événement est maintenant proche?

La guerre dans le ciel prit fin lorsque Satan et les démons furent précipités sur la terre. Nous en subissons les effets.

Satan est incapable de détourner tous les humains du culte de Dieu. Il y a toujours eu des hommes fidèles à la domination divine. Par exemple, Satan tenta en vain d'amener Job à cesser de servir Dieu. — Job 1:6-12.

[16] Les prétentions de Satan s'étant révélées fausses, il mérite bien d'être détruit pour avoir fomenté une rébellion contre Dieu. Heureusement, nous sommes arrivés au temps où Dieu va mettre fin à sa domination. Décrivant la première phase de cette destruction, la Bible parle d'une importante bataille qui se livre dans les cieux, à l'insu des humains. Nous lisons:

[17] "Une guerre a éclaté dans le ciel: Michel [Jésus ressuscité] et ses anges ont lutté contre le dragon, et le dragon et ses anges ont lutté, mais il n'a pas été le plus fort, et il ne s'est plus trouvé de place pour eux dans le ciel. Il a donc été précipité le grand dragon, le serpent originel, celui qui est appelé Diable et Satan, celui qui égare la terre habitée tout entière; il a été précipité sur la terre, et ses anges ont été précipités avec lui. 'C'est pourquoi réjouissez-vous, cieux, et vous qui y résidez! Malheur à la terre et à la mer, car le Diable est des-

17. a) Comment la Bible décrit-elle la guerre dans le ciel? b) Quelles en furent les conséquences au ciel et sur la terre?

cendu vers vous, ayant une grande colère, sachant qu'il a une courte période de temps.'" — Révélation 12:7-9, 12.

[18] Quand cela se passa-t-il? Tout indique que ce fut à l'époque de la Première Guerre mondiale, qui commença en 1914. Comme le montre la Révélation, Satan fut alors chassé des cieux, ce qui signifie que nous vivons depuis dans la "courte période de temps" qui lui reste, dans les "derniers jours" du monde satanique. L'accroissement du mépris de la loi, l'angoisse, les guerres, les disettes, les maladies, etc., en sont la preuve. — Matthieu 24:3-12; Luc 21:26; II Timothée 3:1-5.

[19] Sachant que cette "courte période de temps" touche à sa fin, Satan s'acharne à détourner les hommes de Dieu. Son désir est d'en entraîner le plus possible dans la destruction. C'est fort à propos que la Bible le décrit comme un lion rugissant qui cherche à dévorer quelqu'un (I Pierre 5:8, 9). Pour lui échapper, il nous faut savoir comment il attaque et égare les humains. — II Corinthiens 2:11.

COMMENT SATAN EGARE LES HOMMES

[20] N'allez pas croire qu'il est facile de discerner les méthodes utilisées par Satan pour amener les gens à le suivre. C'est un maître trompeur. Si habiles ont été ses méthodes que beaucoup aujourd'hui ne croient même pas à son existence. Pour eux, le mal et la méchanceté sont choses normales qui existeront toujours. Satan agit à la manière des grands malfaiteurs qui se cachent derrière une façade d'honorabilité. La Bible dit: "Satan lui-même se transforme continuellement en ange de lumière." (II Corinthiens 11:14). Ainsi, ses machinations paraissent souvent inoffensives, et parfois même utiles.

---

18. a) Quand cette guerre céleste eut-elle lieu? b) Que se passe-t-il sur la terre depuis que Satan y a été "précipité"?

19. a) Qu'est-ce que Satan s'acharne à faire maintenant? b) Qu'est-il sage de faire?

20. a) Satan a-t-il réussi dans ses attaques? b) Pourquoi devons-nous nous attendre à ce que ses machinations paraissent inoffensives, voire même utiles?

[21] N'oubliez pas que Satan se présenta à Eve en ami. Avec ruse, il l'amena à faire ce qu'elle crut être pour son bien (Genèse 3:4-6). Il en va de même aujourd'hui. Par exemple, avec l'aide de ses agents humains, Satan encourage sournoisement les hommes à faire passer les intérêts des gouvernements avant leur service pour Dieu. Cela a engendré le nationalisme, cause de guerres effroyables. Ces dernières années, Satan a incité les hommes à former des projets et des institutions pour la paix et la sécurité, comme l'Organisation des Nations unies. Mais le monde connaît-il la paix? Loin de là! Cette organisation a plutôt détourné les hommes de l'instrument divin de paix: le Royaume de Christ, le "Prince de paix". — Esaïe 9:6; Matthieu 6:9, 10.

[22] Pour obtenir la vie éternelle, il nous faut connaître Dieu, son Fils-Roi et son Royaume (Jean 17:3). Soyez certain de ceci: Satan ne veut pas que vous acquériez cette connaissance et il fera tout pour vous en empêcher. Comment? En vous suscitant de l'opposition, sous forme de moqueries, par exemple. La Bible dit: "Tous ceux qui veulent vivre avec piété dans l'union avec Christ Jésus seront eux aussi persécutés." — II Timothée 3:12.

[23] Il se peut que votre étude des Ecritures déplaise à certains de vos parents ou amis. Jésus Christ déclara: "Oui, les ennemis de l'homme seront ceux de sa propre maison. Celui qui a plus d'affection pour son père ou pour sa mère que pour moi n'est pas digne de moi; et celui qui a plus d'affection pour son fils ou pour sa fille que pour moi n'est pas digne de moi." (Matthieu 10:36, 37). Des parents essaieront peut-être sincèrement de vous décourager, parce qu'ils ignorent les vérités merveilleuses de la Bible. Mais si vous renoncez à l'étude de la Parole de Dieu à cause de leur opposition, que pensera Dieu de vous? Et comment pourrez-

---

21. Quel est l'un des moyens utilisés par Satan?
22. A l'acquisition de quelle connaissance Satan s'oppose-t-il?
23. a) Comment Satan peut-il même se servir de parents et d'amis pour nous décourager? b) Pourquoi ne devriez-vous jamais céder à l'opposition?

On s'opposera peut-être à ce que vous continuiez à étudier la Bible.

vous aider ces parents ou amis à comprendre que la connaissance exacte de la Bible est vitale? Par contre, si vous demeurez dans les choses que vous apprenez, cela finira peut-être par les inciter à étudier eux-mêmes la vérité.

[24] Satan peut aussi vous pousser à commettre des actes impurs qui déplaisent à Dieu (I Corinthiens 6:9-11), ou bien vous faire croire que vous êtes trop occupé pour étudier la Bible. Mais, tout bien réfléchi, qu'y a-t-il de plus important que cette étude? Que rien ne vous empêche d'acquérir cette connaissance qui peut vous mener à la vie éternelle dans le paradis sur la terre!

[25] Selon la Bible, si 'vous vous opposez au Diable', "il fuira loin de vous". (Jacques 4:7.) Est-ce à dire qu'il renoncera et cessera de vous causer des ennuis? Non, il cherchera toujours à vous amener à faire sa volonté, mais si vous continuez de vous opposer à lui, il ne réussira jamais à vous détourner de Dieu. Empressez-vous donc d'acquérir la précieuse connaissance de la Bible et mettez-la en pratique. Cela est capital pour ne pas tomber dans l'un des pièges de Satan: la fausse religion.

---

24. a) Comment essaie-t-il encore d'empêcher les gens d'acquérir la connaissance qui procure la vie? b) Selon vous, est-il vraiment important d'étudier la Parole de Dieu?
25. Si nous continuons à nous opposer au Diable, que sera-t-il incapable de faire?

Chapitre 3

Votre religion a vraiment de l'importance

"TOUTES les religions sont bonnes, dit-on souvent. Ce sont des chemins différents qui mènent au même endroit." Si Dieu les approuve toutes, votre choix n'a pas grande importance. Mais est-ce bien le cas?

[2] Lorsque Jésus Christ était sur terre, les Pharisiens avaient établi une forme de culte qu'ils croyaient approuvée par Dieu. Pourtant, ce sont eux qui cherchèrent à tuer Jésus! Aussi leur dit-il: "Vous faites, vous, les œuvres de votre père." Et eux de répondre: "Nous avons un seul Père, Dieu." — Jean 8:41.

[3] Dieu était-il vraiment leur Père? Acceptait-il leur culte? Non! Certes, les Pharisiens possédaient les Ecritures et

1. Quel est le point de vue de certains sur la religion?
2. a) Quelle fut l'attitude des Pharisiens envers Jésus? b) Qui prétendaient-ils avoir pour père?
3. Qu'a dit Jésus à propos du père des Pharisiens?

Les chefs religieux qui tentèrent de tuer Jésus servaient-ils Dieu?

pensaient les observer, mais ils s'étaient laissé abuser par le Diable. Aussi Jésus ajouta-t-il: "Vous venez, vous, de votre père, le Diable, et vous voulez accomplir les désirs de votre père. Ce fut un homicide quand il commença, et il n'a pas persisté dans la vérité, (...) il est menteur et le père du mensonge." — Jean 8:44.

[4] La religion des Pharisiens était fausse. Elle servait les intérêts du Diable. C'est pourquoi, loin de la juger bonne, Jésus la condamna. Il dit aux Pharisiens: "Vous fermez le royaume des cieux devant les hommes; car vous n'y entrez pas vous-mêmes, et ceux qui sont en train d'entrer, vous ne leur permettez pas d'entrer." (Matthieu 23:13). Jésus les qualifia d'hypocrites et de serpents venimeux, ajoutant qu'à cause de leur mauvaise conduite, ils allaient à la destruction. — Matthieu 23:25-33.

[5] Ainsi, Jésus Christ n'enseigna pas que les religions sont des chemins différents menant au salut. Dans son Sermon sur la montagne, il dit: "Entrez par la porte étroite; car large et spacieuse est la route qui mène à la destruction, et nombreux sont ceux qui entrent par elle; mais étroite est la porte et resserrée la route qui mène à la vie, et peu nombreux sont ceux qui la trouvent." (Matthieu 7:13, 14). N'adorant pas Dieu de la bonne manière, la plupart des gens

---

4. Comment Jésus jugea-t-il la religion des Pharisiens?
5. Comment Jésus montra-t-il que les religions ne sont pas simplement des chemins qui mènent au même endroit?

suivent la route de la destruction. Bien peu sont sur le chemin de la vie.

[6] L'attitude de Dieu envers les Israélites montre qu'il faut lui rendre le culte qu'il approuve. Il les exhorta à se tenir à l'écart de la fausse religion des peuples voisins (Deutéronome 7:25), qui sacrifiaient leurs enfants à leurs dieux et se

Selon Jésus, la majorité des gens sont sur la route de la destruction. Bien peu suivent le chemin étroit de la vie.

livraient à des pratiques sexuelles immorales, dont l'homosexualité (Lévitique 18:20-30). Dieu leur ordonna de rejeter cette conduite. Quand ils désobéirent et adorèrent d'autres dieux, il les punit (Josué 24:20; Esaïe 63:10). Leur religion avait donc une grande importance.

LA FAUSSE RELIGION AUJOURD'HUI

[7] Et les centaines de religions qui existent aujourd'hui? Vous conviendrez que bien des choses faites en leur nom déplaisent à Dieu. Lors des deux guerres mondiales, dont se souviennent des millions de gens, la religion encourageait les fidèles des deux camps à s'entre-tuer. “Tuez les Allemands... tuez-les donc!”, s'écriait l'évêque de Londres, tandis que l'archevêque de Cologne disait aux Allemands: “Nous vous

---

6. Que nous enseigne la religion d'Israël?

7, 8. a) Quelle attitude la religion adopta-t-elle durant les guerres mondiales? b) Selon vous, que doit penser Dieu de l'attitude de la religion pendant la guerre?

ordonnons, au nom de Dieu, de vous battre jusqu'à la dernière goutte de sang pour l'honneur et la gloire du pays."

[8] Catholiques et protestants se sont ainsi entre-tués avec l'approbation du clergé. Le pasteur Harry Emerson Fosdick avoua: "Même dans nos églises, nous avons levé nos étendards. (...) De la même bouche sont sorties des louanges au Prince de la paix et des exhortations à la guerre." A votre avis, que pense Dieu d'une religion qui prétend lui obéir, mais qui exalte la guerre?

[9] Des millions de gens se sont détournés de Dieu et du Christ à cause des crimes commis en leur nom par les religions. Ils rendent Dieu responsable des croisades sanglantes, qui opposèrent catholiques et musulmans, et des guerres entre hindous et musulmans et entre catholiques et protestants. Ils rappellent le massacre des Juifs, au nom du Christ, et la cruelle Inquisition catholique. Or, bien qu'ils affirment avoir Dieu pour Père, les chefs religieux responsables de ces crimes ne sont-ils pas les enfants du Diable, au même titre que les Pharisiens condamnés par le Christ? Puisque Satan est le dieu de ce monde, ne faut-il pas s'attendre à ce qu'il domine aussi les religions? — II Corinthiens 4:4; Révélation 12:9.

[10] Vous désapprouvez sans doute beaucoup de choses faites au nom de la religion. Vous connaissez sûrement des gens qui, bien qu'ayant une vie immorale, sont respectés dans leur Eglise. Il s'agit peut-être même de chefs religieux. Certains d'entre eux affirment que l'homosexualité et les relations sexuelles hors du mariage ne sont pas un mal. Savez-vous que la Bible ne dit pas cela? En fait, Dieu punit de mort Israël parce qu'il s'était livré à de telles pratiques. Il détruisit Sodome et Gomorrhe pour la même raison (Jude 7). Bientôt il frappera la fausse religion d'aujourd'hui. La Bible la représente sous les traits d'une prostituée à cause de ses

---

9. a) Comment réagissent beaucoup de gens devant les crimes commis par les adeptes des religions? b) Quand la religion cherche à faire partie du monde, que faut-il en conclure?
10. Citez certaines des choses faites au nom de la religion et que vous désapprouvez.

"Publiquement ils déclarent connaître Dieu, mais ils le renient par leurs œuvres." — Tite 1:16.

relations impures avec les "rois de la terre". — Révélation 17:1, 2, 16.

LE CULTE QUE DIEU APPROUVE

[11] Puisque Dieu n'approuve pas toutes les religions, il convient de se demander: "Le culte que je rends à Dieu lui plaît-il?" Comment le savoir? C'est à Dieu, et non à l'homme, d'en juger. Pour lui plaire, notre culte doit avoir ses racines dans la Parole divine de vérité. Nous devrions partager le sentiment du rédacteur biblique qui a dit: "Que Dieu soit reconnu véridique, tout homme fût-il reconnu menteur." — Romains 3:3, 4.

[12] Tel n'était pas l'avis des Pharisiens. Ils suivirent leurs propres doctrines et traditions plutôt que la Parole de Dieu. Avec quels résultats? Jésus leur dit: "Vous avez rendu inopérante la parole de Dieu à cause de votre tradition. Hypocrites! Esaïe a prophétisé avec justesse sur votre compte,

---

11. A quelle condition notre culte peut-il plaire à Dieu?
12. Pourquoi Jésus dit-il que Dieu désapprouvait le culte des Pharisiens?

quand il a dit: ‘Ce peuple m’honore des lèvres, mais son cœur est fort éloigné de moi. C’est en vain qu’ils continuent à me rendre un culte, car ils enseignent pour doctrines des commandements d’hommes.’” (Matthieu 15:1-9; Esaïe 29:13). Si donc nous voulons plaire à Dieu, nous devons nous assurer que nos croyances s’accordent avec la Bible.

[13] Il ne suffit pas de prétendre croire au Christ et de faire ce qui *nous semble* bon. Il faut absolument apprendre ce qu’est la volonté *de Dieu.* Jésus l’a souligné par ces paroles: “Ce ne sont pas tous ceux qui me disent: ‘Seigneur, Seigneur’, qui entreront dans le royaume des cieux, *mais celui qui fait la volonté de mon Père qui est dans les cieux.”* — Matthieu 7:21.

[14] Même les bonnes actions que nous pensons faire au nom du Christ n’auraient aucune valeur si nous n’accomplissions pas la volonté divine. Nous ressemblerions à ceux dont Jésus dit ensuite: “Beaucoup me diront en ce jour-là: ‘Seigneur, Seigneur, n’avons-nous pas prophétisé en ton nom, et expulsé

13. Selon Jésus, que faut-il faire pour être approuvé par Dieu?
14. Pourquoi Jésus pourrait-il nous considérer comme des “hommes qui méprisent la loi”, quand bien même nous ferions de “bonnes actions”?

Paul, témoin de la mise à mort d’Etienne, lapidé à la suite de désaccords religieux.

des démons en ton nom, et fait de nombreuses œuvres de puissance en ton nom?' Et pourtant à eux je confesserai alors: Je ne vous ai jamais connus! Eloignez-vous de moi, vous qui agissez en hommes qui méprisent la loi." (Matthieu 7:22, 23). Ainsi, nous pouvons faire ce que *nous croyons* être bien, et même être loués et remerciés pour cela, mais si nous ne faisons pas le bien *selon Dieu,* Jésus nous regardera comme des "hommes qui méprisent la loi".

[15] Puisque beaucoup de religions ne font pas la volonté de Dieu, il ne suffit pas de supposer que les enseignements de notre religion sont en harmonie avec la Parole de Dieu. Le simple fait qu'une religion utilise la Bible ne prouve pas que ses enseignements et ses coutumes sont fondés sur elle. Il importe de voir ce qu'il en est par nous-mêmes. Certains habitants de Bérée furent loués pour avoir vérifié dans les Ecritures que Paul, qui venait de leur prêcher la Parole, leur avait bien dit la vérité (Actes 17:10, 11). La religion que Dieu approuve doit être à tous égards conforme à la Bible; elle ne doit pas en accepter certaines parties et en rejeter d'autres. — II Timothée 3:16.

LA SINCERITE NE SUFFIT PAS

[16] "Mais, dira-t-on, si quelqu'un est sincère dans ses croyances, Dieu ne va-t-il pas l'approuver, même si sa religion est fausse?" Jésus a bien dit qu'il rejettera les "hommes qui méprisent la loi", même s'ils croient faire ce qui est juste (Matthieu 7:22, 23). La sincérité seule ne suffit donc pas pour être approuvé par Dieu. Un jour, Jésus dit à ses disciples: "L'heure vient où quiconque vous tuera s'imaginera avoir servi Dieu par un service sacré." (Jean 16:2). Ceux qui ont tué des chrétiens croyaient peut-être sincèrement servir Dieu, mais ils étaient dans l'erreur. Dieu désapprouvait leurs actions.

---

15. Pourquoi est-il sage d'imiter les Béréens?
16. Qu'a dit Jésus pour montrer qu'il ne suffit pas d'être sincère pour plaire à Dieu?

[17] Avant d'être chrétien, l'apôtre Paul participa au meurtre d'Etienne et chercha à tuer d'autres disciples (Actes 8:1; 9:1, 2). Il expliqua: "Je persécutais outre mesure la congrégation de Dieu et la dévastais, et (...) je faisais de plus grands progrès dans le judaïsme que beaucoup de ceux de mon âge et de ma race, car j'étais bien plus zélé pour les traditions de mes pères." (Galates 1:13, 14). La sincérité de Paul n'empêchait pas sa religion d'être mauvaise.

[18] Paul pratiquait alors la religion juive qui avait rejeté Jésus et que Dieu rejeta ensuite (Actes 2:36, 40; Proverbes 14:12). Pour être approuvé par Dieu, il dut donc changer de religion. Il écrivit aussi au sujet de Juifs qui avaient du "zèle pour Dieu", qui étaient sincères, mais désapprouvés par Dieu, car leur religion ne reposait pas sur la connaissance exacte des desseins divins. — Romains 10:2, 3.

[19] Toutes les doctrines religieuses ne peuvent être vraies. De deux choses l'une: ou les humains ont une âme qui survit à la mort du corps, ou ils n'en ont pas; ou la terre durera éternellement, ou elle disparaîtra; ou Dieu supprimera la méchanceté, ou il la laissera subsister. Lorsque deux croyances se contredisent, l'une d'elles est obligatoirement fausse. Croire sincèrement une chose et la pratiquer n'en fait pas une vérité si elle est erronée.

[20] Quelle devrait être votre réaction si l'on vous prouve que vos croyances sont fausses? Imaginez que vous ayez à vous rendre pour la première fois quelque part en voiture. Vous avez bien une carte routière, mais vous ne l'avez pas consultée. Quelqu'un vous a indiqué l'itinéraire et vous pensez pouvoir lui faire confiance. Supposons qu'il se soit trompé. Qu'allez-vous faire si l'on vous montre sur votre carte que vous êtes dans la mauvaise direction? L'orgueil ou

17. Qu'a fait Paul en toute sincérité avant de devenir chrétien?
18. a) Quelle était la religion de Paul quand il persécutait les chrétiens? b) Pourquoi Paul et d'autres ont-ils dû changer de religion?
19. Qu'est-ce qui montre que la vérité n'admet pas les doctrines religieuses contradictoires?
20. En matière de religion, comment peut-on suivre la bonne "carte routière"?

Si vous êtes dans
la mauvaise direction,
l'orgueil ou
l'obstination vous
empêcheront-ils
de l'admettre?

l'obstination vous empêcheront-ils de l'admettre? Si donc vous apprenez, grâce à la Bible, que votre religion n'est pas bonne, soyez prêt à changer. Quittez la grand-route de la destruction et empruntez le chemin étroit de la vie.

IL FAUT FAIRE LA VOLONTE DE DIEU

[21] Il importe de connaître les vérités bibliques; or, cette connaissance est vaine si vous n'*adorez* pas Dieu en vérité (Jean 4:24). Ceci compte: *pratiquer* la vérité et *faire* la volonté de Dieu. “La foi sans les œuvres est morte”, dit la Bible (Jacques 2:26). Pour plaire à Dieu, votre religion doit non seulement être en parfait accord avec la Bible, mais aussi influencer votre vie. Si donc vous apprenez que vos actions déplaisent à Dieu, serez-vous prêt à changer?

[22] Si vous faites la volonté de Dieu, vous en retirerez des bienfaits maintenant et dans l'avenir. La pratique du vrai culte vous rendra meilleur. Elle développera en vous des qualités qui vous différencieront des humains en général, parce que vous ferez le bien. Et d'autres bénédictions vous attendent: le bonheur, une santé parfaite et la vie éternelle dans le paradis promis par Dieu (II Pierre 3:13). Incontestablement, votre religion a beaucoup d'importance!

---

21. a) Outre la connaissance de la vérité, qu'est-ce qui est nécessaire? b) Que ferez-vous si vous apprenez que Dieu n'approuve pas certaines de vos actions?
22. Quels bienfaits pouvons-nous retirer maintenant et dans l'avenir en pratiquant la vraie religion?

Chapitre 4

Qui est Dieu?

LES hommes adorent de nombreux dieux. Le shintoïsme, le bouddhisme, l'hindouisme et les religions tribales en comptent des millions. Aux jours des apôtres, on adorait des dieux comme Zeus et Hermès (Actes 14:11, 12). Si la Bible admet qu'"il y a beaucoup de 'dieux'", elle dit aussi que "pour nous il n'y a qu'*un seul* Dieu, le Père, de qui sont toutes choses". (I Corinthiens 8:5, 6.) Mais que répondriez-vous si l'on vous demandait: "Qui est ce Dieu?"

---

1. a) Quels dieux les hommes ont-ils adorés? b) Quelle distinction la Bible fait-elle entre "dieux" et "Dieu"?

Si une maison a un constructeur..

2 Beaucoup disent: “C’est le Seigneur” ou: “C’est un Esprit dans le ciel.” Un dictionnaire le définit comme “l’Etre suprême”. Quand on leur demande son nom, les uns répondent: “Jésus”, les autres: “Dieu n’est pas une personne, mais une puissance omniprésente.” Certains doutent même de son existence. Peut-on être sûr qu’il existe?

DIEU EXISTE VRAIMENT

3 Vous est-il jamais arrivé d’admirer un bel édifice et de vous demander qui l’a construit? Si l’on vous dit qu’il s’est fait tout seul, le croirez-vous? Non, bien sûr. Comme le dit un rédacteur de la Bible, “toute maison (...) est construite par quelqu’un”. Alors, pourquoi ne pas accepter sa conclusion logique: “Celui qui a construit toutes choses, c’est Dieu.” — Hébreux 3:4.

4 Pensez à l’univers, avec ses milliards d’étoiles. Elles se déplacent selon des lois qui les maintiennent en parfaite relation les unes avec les autres. “Qui a créé ces choses?” L’Ecriture répond: “C’est Celui qui fait sortir leur armée

’univers, qui est bien plus complexe, doit, lui aussi, en avoir un.

d’après le nombre, et qui les appelle toutes par leur nom.” (Esaïe 40:26). Il serait insensé de prétendre que les

---

2. Quels points de vue différents les hommes ont-ils au sujet de Dieu?
3. Comment une maison vient-elle à l’existence?
4. Comment les étoiles sont-elles venues à l’existence?

milliards d'étoiles se sont faites elles-mêmes, et que, sans aucune direction, elles ont formé les grands systèmes stellaires qui se meuvent dans un ordre extraordinaire. — Psaume 14:1.

[5] Cet univers merveilleusement organisé ne s'est pas fait tout seul. Il a fallu un Créateur intelligent et très puissant (Psaume 19:1, 2). Un industriel, à qui l'on demanda pourquoi il croyait en Dieu, répondit qu'il faut deux jours pour qu'une ouvrière apprenne à assembler les 17 éléments d'un hachoir à viande. "Je ne suis qu'un coutelier, dit-il, mais je sais qu'on aura beau secouer dans un bac ces 17 éléments pendant les 17 millions d'années à venir, on n'obtiendra jamais un hachoir." L'univers, avec toutes les formes de vie terrestre, est bien plus complexe qu'un hachoir. S'il faut un ouvrier habile pour réaliser cet instrument, il a fallu un Dieu Tout-Puissant pour créer toutes choses. Pourquoi ne pas lui rendre hommage? — Révélation 4:11; Actes 14:15-17; 17:24-26.

DIEU EST-IL UNE PERSONNE REELLE?

[6] Beaucoup de ceux qui disent croire en Dieu ne pensent pas qu'il est une personne réelle. L'est-il? Une intelligence suppose une capacité de réflexion, capacité dont nous sommes dotés. Qui dit réflexion dit cerveau, lequel fait partie d'un corps. De même, l'intelligence suprême qui est à l'origine de toute la création appartient au Dieu Tout-Puissant. A-t-il un corps physique? Non, son corps est spirituel. Les esprits ont un corps, selon ce que dit la Bible: "S'il y a un corps physique, il y a aussi un corps spirituel." — I Corinthiens 15:44; Jean 4:24.

[7] Puisque Dieu est une personne, il doit résider quelque part. La Bible révèle que les cieux sont "le *lieu* fixe de [son] habitation". (I Rois 8:43.) Elle dit aussi que "Christ est entré

---

5. a) Quelles chances y a-t-il que diverses pièces s'assemblent toutes seules pour former un hachoir? b) Qu'est-ce que cela prouve concernant l'univers?

6. Comment savons-nous que Dieu est une personne réelle?

7. a) Comment savons-nous que Dieu réside quelque part? b) Qu'est-ce qui montre qu'il a un corps?

(...) dans le ciel même, afin de paraître maintenant pour nous *devant la personne de Dieu"*. (Hébreux 9:24.) Les humains qui auront en récompense la vie au ciel avec Dieu recevront un corps spirituel. Ils verront Dieu et seront comme lui (I Jean 3:2). Cela montre aussi que Dieu est une personne et qu'il a un corps.

[8] "Mais, dira-t-on, si Dieu a une demeure dans le ciel, comment peut-il voir ce qui se passe en tous lieux? Comment sa force peut-elle s'exercer dans tout l'univers?" (II Chroniques 16:9). Le fait que Dieu est une personne ne limite en rien sa puissance, ni le respect que nous lui devons (I Chroniques 29:11-13). Pour mieux comprendre, prenons l'exemple d'une centrale électrique.

[9] Une centrale est située à proximité d'une ville, mais elle alimente en électricité toute une région. Pareillement, Dieu est dans les cieux (Esaïe 57:15; Psaume 123:1), mais son esprit saint ou force agissante et invisible s'exerce dans tout l'univers. Grâce à cet esprit, il a créé les cieux, la terre et toute vie (Psaume 33:6; Genèse 1:2; Psaume 104: 30). Dieu n'avait pas besoin d'être présent en personne; il pouvait envoyer son esprit, même très loin, pour exécuter sa volonté. Quel Dieu merveilleux! — Jérémie 10:12; Daniel 4:35.

QUEL GENRE DE PERSONNE EST-IL?

[10] Dieu est-il le genre de personne que l'on aime davantage à mesure qu'on le connaît mieux? "Peut-être, direz-vous, mais puisqu'il est invisible, comment le connaître?" (Jean 1:18). La Bible dit: "Ses qualités invisibles se voient distinctement depuis la création du monde, car elles sont perçues par l'intelligence grâce aux choses qui ont été faites, oui, sa puissance éternelle et sa divinité." (Romains 1:20). Donc, si nous observons la création, nous connaîtrons mieux Dieu.

8, 9. a) Comment l'exemple d'une centrale électrique montre-t-il l'étendue de la puissance de Dieu? b) Qu'est-ce que l'esprit de Dieu, et que peut-il faire?
10. Quel est l'un des moyens de connaître Dieu?

[11] Comme nous l'avons déjà dit, un simple coup d'œil aux cieux étoilés nous convaincra certainement de la puissance infinie de Dieu (Psaume 8:3, 4; Esaïe 40:26). Et la terre? Dieu l'a placée de telle manière qu'elle reçoive du soleil exactement la quantité de chaleur et de lumière nécessaire. Pensez au cycle de l'eau. La pluie arrose la terre et grossit les fleuves, qui se jettent dans la mer. Sous l'action du soleil, l'eau des mers devient vapeur et retombe en pluie sur la terre (Ecclésiaste 1:7). Dieu a ainsi créé d'innombrables cycles pour procurer la nourriture, l'abri et tout ce qui est nécessaire aux hommes et aux animaux. Que nous révèlent sur Dieu ces cycles étonnants? Qu'il est grand en sagesse et en générosité, et qu'il veille sur ses créatures. — Proverbes 3:19, 20; Psaume 104:13-15, 24, 25.

[12] Considérez votre corps. Il n'a manifestement pas été conçu uniquement pour *vivre,* mais surtout pour *jouir de la vie* (Psaume 139:14). Avec nos yeux, nous admirons l'harmonie des couleurs. Grâce au goût et à l'odorat, nos repas sont un délice. Certes, ces sens ne sont pas indispensables à la vie; néanmoins, ils nous ont été donnés par un Dieu prévenant, généreux et plein d'amour. — Genèse 2:9; I Jean 4:8.

[13] La manière d'agir de Dieu à l'égard des hommes révèle aussi sa personnalité. Il a un sens profond de la justice. Il ne favorise aucune race (Actes 10:34, 35). Il est bon et miséricordieux. Parlant de son attitude envers Israël qu'il libéra de l'esclavage en Egypte, la Bible dit: "Il était clément; (...) il se souvenait qu'ils étaient chair." Cependant, les Israélites désobéirent souvent, ce qui attristait Dieu. Nous lisons: "Ils le *peinèrent* (...) et ils *attristèrent* le Saint d'Israël." (Psaumes 78:38-41; 103:8, 13, 14). En revanche, Dieu se réjouit lorsque ses serviteurs obéissent à

---

11. Qu'apprenons-nous sur Dieu grâce aux choses qu'il a faites?
12. Qu'apprenons-nous sur Dieu en considérant notre corps?
13. Qu'apprenons-nous sur Dieu par sa manière d'agir envers les hommes?

ses lois (Proverbes 27:11). Quand ils sont maltraités par leurs ennemis, il dit: "Celui qui vous touche touche à la prunelle de mon œil." (Zacharie 2:8). Comment ne pas aimer un Dieu qui a tant d'affection pour les humains insignifiants que nous sommes, quelle que soit notre race? — Esaïe 40:22; Jean 3:16.

EST-CE JESUS OU UNE TRINITE?

[14] Qui est ce Dieu extraordinaire? Jésus, disent certains. La trinité, pensent d'autres, alors que ce mot ne figure même pas dans la Bible. La trinité est le dogme du Dieu unique en trois personnes: "Le Père, le Fils et le Saint-Esprit." De nombreuses religions enseignent cette doctrine tout en admettant que c'est un "mystère". Cette conception de Dieu est-elle juste?

[15] Jésus a-t-il dit qu'il était Dieu? Non, jamais. La Bible l'appelle plutôt le "Fils de Dieu". Il dit lui-même: "Le Père est plus grand que moi." (Jean 10:34-36; 14:28). Il expliqua aussi que certaines choses n'étaient connues ni de lui ni des anges, mais de Dieu seul (Marc 13:32). Un jour, il pria Dieu ainsi: "Que ce ne soit pas *ma volonté* qui se fasse, mais *la tienne!*" (Luc 22:42). Si Jésus avait été le Dieu Tout-Puissant, se serait-il adressé une prière? De fait, après sa mort, l'Ecriture dit: "Ce Jésus, Dieu l'a ressuscité." (Actes 2: 32). Il est clair que le Dieu

uisque Jésus pria Dieu pour lui demander ue Sa volonté se fasse et non la sienne, ieu et Jésus sont deux personnes distinctes.

14. Définissez la doctrine de la trinité.
15. Comment la Bible montre-t-elle que Dieu et Jésus sont deux personnes distinctes et non égales?

Tout-Puissant et Jésus sont deux personnes distinctes. Même après sa mort, sa résurrection et son ascension au ciel, Jésus n'était toujours pas l'égal de son Père. — I Corinthiens 11:3; 15:28.

[16] "Pourtant, la Bible ne qualifie-t-elle pas Jésus de dieu?" En effet, mais Satan aussi est appelé dieu (II Corinthiens 4:4). Jean 1:1, où Jésus est appelé "la Parole" [ou "le Verbe"], se lit ainsi dans certaines versions: "Le Verbe était avec Dieu et le Verbe était Dieu." Notez qu'au verset 2 il est dit que le Verbe "était au commencement *avec* Dieu". Et si les hommes ont vu Jésus, "nul n'a jamais vu Dieu". (V. 18; *Bible de Jérusalem.*) Il y a donc des versions qui rendent correctement le verset 1 en traduisant: "Le Verbe était auprès de Dieu, et le Verbe était un être divin", ou "était dieu"; donc la Parole était un être puissant semblable à Dieu (*Bible du Centenaire*). Il est clair que Jésus n'était pas le Dieu Tout-Puissant, car il appela son Père "mon Dieu" et "le seul vrai Dieu". — Jean 20:17; 17:3.

[17] Quant au "Saint-Esprit" ou troisième personne de la trinité, nous avons déjà vu qu'il ne s'agit pas d'une personne, mais de la force agissante de Dieu. Jean le Baptiste dit que tout comme il avait baptisé d'eau, Jésus, lui, baptiserait d'esprit saint. L'esprit saint, pas plus que l'eau, n'est une personne (Matthieu 3:11). Les paroles de Jean se réalisèrent quand, après la mort et la résurrection de Jésus, l'esprit saint fut répandu sur les disciples réunis à Jérusalem. La Bible dit: "Tous se trouvèrent remplis d'esprit saint." (Actes 2:4). Furent-ils "remplis" d'une personne? Non, mais de la force active de Dieu.

16. Bien que Jésus soit appelé "dieu", qu'est-ce qui indique qu'il n'est pas le Dieu Tout-Puissant?
17. Comment l'effusion de l'esprit saint sur les disciples de Jésus montre-t-elle qu'il ne peut s'agir d'une personne?

Comment l'esprit saint aurait-il pu être une personne, puisque 120 disciples à la fois en furent remplis?

Tout montre donc que la trinité n'est pas un enseignement biblique. En fait, bien avant la venue de Jésus sur la terre, on adorait des triades de divinités en Egypte et à Babylone.

LE NOM DE DIEU

[18] Tous ceux que vous connaissez portent un nom. Dieu aussi a un nom qui lui est propre. “Mais, diront certains, ne s'appelle-t-il pas ‘Dieu’?” Non, “Dieu” n'est qu'un titre, comme “président”, “roi” ou “juge”. Son nom apparaît environ 7 000 fois dans la Bible. Par exemple, dans la *Bible de*

18. a) “Dieu” est-il le nom personnel du Tout-Puissant? b) Quel est donc son nom? c) Dans quel passage trouvons-nous ce nom dans la Bible catholique de *Crampon?*

Crampon (1905) nous lisons en Psaume 83:19: “Qu’ils sachent que ton nom, que toi seul, Jéhovah, tu es le Très-Haut sur toute la terre!” On retrouve également ce nom dans la plupart des versions en Révélation (Apocalypse) 19:1-6, dans l’expression “Alléluia”, qui signifie “louez Jah”, forme abrégée de Jéhovah.

[19] D’aucuns sont étonnés d’apprendre que le nom de Dieu figure dans la Bible, parce que leur version l’emploie rarement ou pas du tout. En général, il est remplacé par “l’Eternel” ou “SEIGNEUR” et “DIEU” en capitales pour le distinguer des noms communs “Seigneur” et “Dieu”. — Voyez Psaume 110:1, *Traduction Œcuménique de la Bible*.

[20] “Mais, dira-t-on, pourquoi le nom de Dieu ne figure-t-il pas là où il apparaissait dans le texte original? Pourquoi l’a-t-on remplacé par l’Eternel et SEIGNEUR?” Dans sa préface, l’*American Standard Version* explique pourquoi elle utilise Jéhovah et pourquoi ce nom a été ôté du texte. Nous lisons: “Après un examen serieux, les réviseurs américains ont conclu à l’unanimité que la superstition juive, pour qui le nom de Dieu était trop sacré pour être prononcé, ne devait plus l’emporter dans la version anglaise, ni dans aucune autre traduction. (...) Ce nom propre, avec toutes ses implications sacrées, figure main-

19. Pourquoi certains sont-ils surpris de trouver le nom de Dieu dans leur Bible?

20. a) Pourquoi ce nom a-t-il rarement été utilisé? b) Doit-il en être ainsi?

2 Dieu parla à Moïse, en disant : “ Je suis Jéhovah. 3 Je suis apparu à Abraham, à Isaac et à Jacob comme Dieu tout-puissant, mais sous mon nom de Jéhovah je ne me suis pas fait connaître à eux. 4 Non seulement j’ai établi mon alliance avec eux pour leur donner le pays de Chanaan, le pays de leurs pèlerinages, où ils ont séjourné en étrangers; 5 mais encore j’ai entendu le gémissement des en-

Exode 6:3

Psaume 83:19

16 Ainsi poursuis-les de ta tempête,
Epouvante-les de ton ouragan.
17 Couvre leurs faces d’ignominie,
Afin qu’ils cherchent ton nom, Jéhovah.
18 Qu’ils soient à jamais dans la confusion et l’épouvante,
Dans la honte et dans la ruine!
19 Qu’ils sachent que ton nom, que toi seul, Jéhovah,
Tu es le Très-Haut sur toute la terre!

Quatre endroits où le nom de Dieu apparaît dans la *Bible Crampon* (1904–1905).

1 Et tu diras en ce jour-là : Je vous loue, Jéhovah; car vous étiez irrité, votre colère s’est détournée et vous me consolez. 2 Voici que Dieu est ma délivrance; j’ai confiance, et je ne crains rien, car Jéhovah, Jéhovah est ma force et l’objet de mes louanges; il a été mon salut. — 3 Vous puiserez des eaux avec joie aux sources du salut, 4 et vous direz en ce jour-là :

Isaïe 12:2

Isaïe 26:4

2 Ouvrez les portes, laissez entrer la nation juste, qui garde la vérité. 3 Au cœur constant vous assurez la paix, la paix, parce qu’il se confie en vous. 4 Confiez-vous en Jéhovah à jamais; car Jéhovah est le rocher des siècles. 5 Il a humilié ceux qui habitaient les hauteurs; il a abaissé la ville superbe, il l’a abaissée jusqu’à terre, et lui a fait toucher la poussière. 6 Elle est foulée aux pieds, sous les pieds des

tenant à la place qui lui revient de droit dans le texte sacré." Ces traducteurs ont estimé que la suppression du nom de Dieu était injustifiée, et ils ont rétabli le nom dans le texte.

[21] Cependant, certains objectent que "Jéhovah" n'est pas vraiment le nom de Dieu. Par exemple, la Bible catholique (anglaise) de *Douay*, qui n'utilise pas le nom de Dieu, porte cette note sur Exode 6:3: "Certains biblistes modernes ont formé le nom *Jéhovah*. (...) La vraie prononciation du nom, tel qu'il apparaît dans le texte hébreu, s'est perdue faute d'avoir été utilisée pendant des siècles."

[22] Comme le mentionne cette Bible catholique, le nom de Dieu apparaît bien dans l'hébreu, langue dans laquelle ont été écrits les 39 premiers livres des Ecritures, sous la forme des quatre lettres hébraïques YHWH. Dans les temps anciens, l'hébreu s'écrivait sans voyelles, telles que les lettres a, e, i, o, u, qui nous aident à bien prononcer les mots. Malheureusement, nous ignorons quelles voyelles les Hébreux utilisaient avec les consonnes YHWH.

[23] Pour mieux comprendre le problème, prenons le mot "boulevard". Supposons qu'on ait commencé à l'écrire "bd" et qu'avec le temps on ait cessé de le prononcer. Comment mille ans plus tard la personne qui le verra écrit "bd" le prononcera-t-elle? Ne l'ayant jamais entendu prononcer et ne sachant pas quelles voyelles étaient utilisées, elle ne sera pas certaine de sa prononciation. Il en va de même du nom de Dieu. On ne sait pas quelle était sa prononciation exacte, même si certains biblistes penchent pour "Yahweh". Or, "Jéhovah" est la forme utilisée depuis des siècles et la plus largement répandue.

---

21. Que dit la Bible catholique de *Douay* au sujet de ce nom?

22. a) Sous quelle forme le nom de Dieu apparaît-il en hébreu? b) Pourquoi sa prononciation originale pose-t-elle un problème?

23. Comment l'orthographe "bd" pour "boulevard" nous aide-t-elle à comprendre le problème de la prononciation du nom divin?

[24] Faut-il employer le nom de Dieu, même si l'on n'en connaît pas la prononciation originale? Nous utilisons bien les noms d'autres personnages de la Bible, sans les prononcer comme en hébreu. Par exemple, le nom Jésus se dit "Yesh'ua" en hébreu. Pareillement, il convient d'utiliser le nom de Dieu révélé dans la Bible, que nous le prononcions "Yahweh", "Jéhovah" ou de toute autre manière propre à notre langue. Ce qui est mal, c'est de *s'abstenir* d'utiliser ce nom. Pourquoi? Parce qu'on ne peut alors s'identifier aux hommes dont Dieu fait "un peuple pour son nom". (Actes 15:14.) Nous devons non seulement connaître le nom de Dieu, mais aussi l'honorer et le louer devant nos semblables, à l'exemple de Jésus. — Matthieu 6:9; Jean 17:6, 26.

UN DIEU QUI A UN DESSEIN

[25] Bien que nous ayons du mal à le concevoir, Jéhovah n'a ni commencement ni fin. Il est le "Roi d'éternité". (Psaume 90:2; I Timothée 1:17.) Avant de commencer à créer, Jéhovah était seul dans l'univers. Il n'éprouvait cependant aucun sentiment de solitude, car il est complet et se suffit à lui-même. C'est son amour qui le poussa à créer, pour que d'autres jouissent de la vie. Il créa d'abord des esprits semblables à lui. Avant même de préparer la terre pour les humains, il avait constitué une grande organisation de fils spirituels. Son dessein était qu'ils soient heureux de vivre et de le servir. — Job 38:4, 7.

[26] Une fois la terre aménagée, Jéhovah plaça Adam et Eve dans une région dont il avait déjà fait un paradis. Son dessein était qu'ils aient des enfants qui lui obéissent et l'adorent, et qui étendent le paradis à toute la terre (Genèse 1:27, 28). Cependant, comme nous l'avons appris, ce dessein fut contrecarré quand Adam et Eve désobéirent à Dieu. Mais il se

---

24. a) Pourquoi convient-il d'utiliser le nom de Dieu, même si nous n'en connaissons pas la prononciation exacte? b) Pourquoi, selon Actes 15:14, est-il important d'utiliser le nom de Dieu?

25. a) Qu'est-ce que nous pouvons avoir du mal à comprendre au sujet de Dieu? b) Qu'est-ce qui poussa Jéhovah à créer?

26. Pourquoi sommes-nous sûrs que le dessein de Dieu concernant la terre se réalisera?

réalisera, sinon Dieu serait mis en échec. Une telle chose est impensable! “Tout ce qui fait mes délices, je le ferai, dit-il. Oui, je l’ai prononcé, et je le ferai survenir.” — Esaïe 46: 10, 11.

[27] Comment trouver votre place dans le dessein de Dieu? Sûrement pas en agissant à votre guise, sans vous soucier de sa volonté, comme l’ont fait Satan, Adam et Eve. Ils connaissaient la volonté divine, mais ils ne la firent pas. Dieu les tint pour responsables. Et nous, avons-nous des comptes à lui rendre? Oui, car il est la Source de notre vie. Notre vie dépend de lui (Psaume 36:9; Matthieu 5:45). Donc, dans quelle mesure vivons-nous en accord avec son dessein? Il nous faut y songer sérieusement, car notre espérance de vie éternelle en dépend.

COMMENT ADORER JEHOVAH

[28] La manière dont nous adorons Dieu a de l’importance. Il nous faut l’adorer comme il le veut, même si cela n’est pas conforme à ce qu’on nous a appris. Il en est qui se servent d’images, qu’ils disent ne pas vénérer, mais qui, selon eux, les aident à adorer Dieu du fait qu’on peut les voir et les toucher. Mais Dieu veut-il que nous l’adorions ainsi?

---

27. a) Pourquoi avons-nous des comptes à rendre à Dieu? b) A quelle question devons-nous réfléchir sérieusement?
28. De quoi certains se servent-ils pour adorer Dieu?

[29] Non, et c'est la raison pour laquelle Moïse dit aux Israélites que Dieu ne s'était jamais montré à eux de façon visible (Deutéronome 4:15-19). Voici ce que dit l'un des Dix Commandements, selon une version catholique: "Tu ne te feras aucune image sculptée, rien qui ressemble à ce qui est dans les cieux (...) ou sur la terre (...). Tu ne te prosterneras pas devant ces images ni ne les serviras." (Exode 20:4, 5, *Bible de Jérusalem*). Seul Jéhovah doit être adoré. En maints endroits, la Bible condamne l'adoration d'images, de personnes ou d'objets quelconques. — Esaïe 44:14-20; 46:6, 7; Psaume 115:4-8.

[30] Bien entendu, Jésus ne se servit jamais d'images. "Dieu est esprit, dit-il, et ceux qui l'adorent doivent l'adorer avec l'esprit et la vérité." (Jean 4:24). Ses premiers disciples suivirent son conseil en n'utilisant aucune image dans leur culte. L'apôtre Paul écrivit: "Nous marchons par la foi, non par la vue." (II Corinthiens 5:7). Et l'apôtre Jean donna cet avertissement: "Gardez-vous des idoles." (I Jean 5:21). Examinez votre maison pour vous assurer que vous suivez ce conseil. — Deutéronome 7:25.

[31] On se procurera assurément un bonheur véritable en adorant Jéhovah selon sa volonté (Jérémie 14:22). D'après la Bible, ses exigences sont pour notre bien-être éternel. Parfois, en raison de notre connaissance et de notre expérience limitées, nous ne comprendrons peut-être pas bien pourquoi telle loi de Dieu est si importante, ou comment elle peut nous rendre heureux. Mais, convaincus que Dieu en sait beaucoup plus que nous, nous lui obéirons de tout cœur (Psaume 19: 7-11). Efforçons-nous de toujours mieux connaître Jéhovah et acceptons cette invitation: "Oh! entrez, adorons et prosternons-nous! Agenouillons-nous devant Jéhovah, notre Auteur. Car il est notre Dieu, et nous sommes le peuple de son pâturage et les brebis de sa main." — Psaume 95:6, 7.

---

29. Comment la Bible montre-t-elle qu'il est mal d'utiliser des images pour adorer Dieu?

30. a) Quelles paroles de Jésus et des apôtres montrent qu'il ne convient pas d'employer des images? b) Selon Deutéronome 7:25, que faut-il faire des images?

31. a) Même si nous ne comprenons pas la raison d'être d'une certaine loi divine, qu'est-ce qui nous poussera à l'observer? b) Que devons-nous nous efforcer de faire, et quelle invitation accepterons-nous?

Chapitre 5

La Bible vient-elle vraiment de Dieu?

JEHOVAH nous a-t-il renseignés sur sa personne? Nous a-t-il révélé ce qu'il a fait et ce qu'il se propose de faire? Un père qui aime ses enfants leur apprend beaucoup de choses. Or, nous avons vu que Jéhovah est un Père plein d'amour.

[2] Mais comment Jéhovah pourrait-il instruire les hommes en tout temps et en tout lieu? Un excellent moyen consisterait à faire écrire un livre et à le rendre accessible à tous. La Bible est-elle le Livre de Dieu? Comment le savoir?

LA BIBLE — UN LIVRE UNIQUE

[3] Si la Bible vient vraiment de Dieu, elle ne doit ressembler à aucun autre livre. Est-ce le cas? Oui, à plus d'un titre. D'abord, elle est très ancienne. Comment pourrait-il en être autrement de la Parole que Dieu adresse à toute l'humanité? La rédaction de la Bible en hébreu débuta il y a quelque 3 500 ans, et sa traduction, il y a plus de 2 200 ans. Aujourd'hui, chacun ou presque peut la lire dans sa langue.

[4] Aucun autre livre ne peut rivaliser avec la Bible pour ce qui est de sa diffusion. Un livre est un "best-seller" quand il est tiré à quelques *milliers* d'exemplaires seulement. Or, chaque année, des *millions* de Bibles sont imprimées! Il en existe déjà des *milliards* d'exemplaires. Même dans les régions lointaines et isolées de la terre, on trouve la Bible.

---

1. Pourquoi est-il raisonnable de s'attendre à ce que Dieu nous renseigne sur sa personne?
2. a) Par quel excellent moyen Jéhovah nous parle-t-il de lui? b) Quelles questions cela soulève-t-il?
3. Sous quel rapport la Bible est-elle un livre extraordinaire?
4. Comparez le tirage de la Bible à celui d'autres livres.

N'est-ce pas chose normale pour un livre qui vient de Dieu?

[5] La grande diffusion de la Bible est d'autant plus étonnante que ses ennemis ont cherché à la détruire. Mais ne fallait-il pas s'attendre à ce que le Livre de Dieu subisse les attaques des agents du Diable? Jadis, il était courant de brûler des Bibles, et l'on punissait souvent de mort les lecteurs de ce livre.

[6] Ne s'attend-on pas à ce que le Livre de Dieu réponde aux grandes questions que nous nous posons? “D'où vient la vie? Pourquoi sommes-nous sur terre? Quel est l'avenir de l'homme?” Les réponses données viennent de Jéhovah. Un rédacteur biblique dit: “C'est l'esprit de Jéhovah qui a parlé par moi, et sa parole a été sur ma langue.” (II Samuel 23:2). Et un autre: “Toute Ecriture est inspirée de Dieu.” (II Timothée 3:16). Puisque la Bible affirme être la Parole de Dieu, ne serait-il pas sage d'en examiner le contenu?

COMMENT LA BIBLE A ETE ECRITE

[7] “Mais, direz-vous, comment la Bible peut-elle venir de Dieu alors qu'elle a été écrite par des hommes?” Oui, 40 hommes l'ont rédigée, à l'exception des Dix Commandements, écrits par Dieu sur des tables de pierre sous l'action de son esprit saint (Exode 31:18). Mais leurs écrits n'en sont pas moins la Parole de Dieu. La Bible explique: *“C'est portés par de l'esprit saint que des hommes ont parlé de la part de Dieu.”* (II Pierre 1:21). Comme lorsqu'il créa les cieux, la terre et toute chose vivante, Dieu se servit de son puissant esprit saint pour diriger la rédaction de la Bible.

[8] La Bible n'a donc qu'un seul Auteur, Jéhovah Dieu. Il

---

5. Quels efforts ont été faits pour détruire la Bible?
6. a) A quelles questions importantes la Bible répond-elle? b) De qui ses rédacteurs prétendaient-ils tenir leurs informations?
7. a) Qui écrivit la Bible? b) Pourquoi peut-on dire néanmoins que c'est la Parole de Dieu?
8, 9. Quels exemples nous aident à comprendre comment Dieu a fait écrire la Bible?

utilisa des rédacteurs humains à la manière d'un patron qui dicte une lettre à sa secrétaire. Celle-ci rédige la lettre, mais c'est la pensée du patron qui est exprimée. Pareillement, la Bible est le *Livre de Dieu,* et non celui des hommes qui l'ont écrite.

Dieu utilisa des hommes pour écrire la Bible à la manière d'un homme d'affaires qui dicte une lettre à sa secrétaire.

[9] Puisque Dieu a créé le cerveau, il n'a eu aucun mal à imprimer son message dans l'esprit de ses serviteurs. De nos jours, ne peut-on pas recevoir des messages lointains par le moyen de la radio et de la télévision? Le son et les images nous parviennent selon des lois physiques établies par Dieu. On comprend donc aisément que depuis sa résidence céleste, Dieu a pu inciter des hommes à écrire ce que l'humanité devait savoir.

[10] Il en est résulté un livre merveilleux. En fait, la Bible est un recueil de 66 petits livres. Le mot grec *biblia,* d'où vient son nom, signifie "petits livres". Ces livres ou lettres ont été écrits de 1513 avant notre ère à 98 de notre ère, soit sur 1600 ans; mais comme ils n'ont qu'un seul Auteur, ils sont en parfaite harmonie. Ils ont le même thème: Jéhovah rétablira des conditions justes grâce à son Royaume. Le premier livre, la Genèse, révèle comment le paradis a été perdu à cause de la rébellion contre Dieu, et le dernier, la

---

10. a) De combien de livres la Bible se compose-t-elle, et sur combien de temps a-t-elle été écrite? b) Quel est son thème principal?

Révélation, explique comment la terre redeviendra un paradis sous la domination de Dieu. — Genèse 3:19, 23; Révélation 12:10; 21:3, 4.

[11] Les 39 premiers livres de la Bible furent principalement écrits en hébreu, sauf quelques passages en araméen, et les 27 derniers en grec, langue communément parlée au temps de Jésus et des premiers chrétiens. Ces deux parties de la Bible sont fort justement appelées “Ecritures hébraïques” et “Ecritures grecques”. Toutes deux sont en harmonie; la preuve, c’est que les Ecritures grecques citent plus de 365 fois les Ecritures hébraïques et s’y réfèrent 375 fois environ.

Des chefs religieux ont lutté pour cacher la Bible au commun peuple, allant jusqu’à brûler au bûcher ceux qui la possédaient.

LA BIBLE ACCESSIBLE A TOUS

[12] Si les seuls écrits originaux étaient disponibles, comment la Parole divine pourrait-elle être lue par tous? Jéhovah fit donc faire des copies des écrits originaux hébreux (Deutéronome 17:18). Esdras, par exemple, fut “un habile copiste pour ce qui est de la loi de Moïse, qu’avait donnée Jéhovah, le

---

11. a) Dans quelles langues la Bible a-t-elle été écrite? b) Quelles sont les deux grandes parties de la Bible, mais qu’est-ce qui prouve leur harmonie?
12. Pourquoi Jéhovah fit-il faire des copies de la Bible?

Dieu d'Israël". (Esdras 7:6.) On fit également des milliers de copies des Ecritures grecques.

[13] Lisez-vous l'hébreu ou le grec? Non? Alors vous ne pouvez lire les premières copies manuscrites de la Bible, dont certaines existent encore aujourd'hui. Quelqu'un a par conséquent dû *traduire* la Bible dans votre langue. Ce travail a permis à un grand nombre de personnes de lire la Parole divine. Ainsi, 300 ans environ avant Jésus, le grec devint la langue parlée par la plupart des gens. En 280 avant notre ère, on commença donc à traduire les Ecritures hébraïques en grec. Cette traduction a pour nom la "Septante".

[14] Plus tard, lorsque beaucoup parlèrent le latin, on traduisit la Bible dans cette langue. Des siècles passèrent et on abandonna le latin au profit d'autres langues, comme l'arabe, le français, l'espagnol, le portugais, l'italien, l'allemand et l'anglais. Le clergé catholique lutta alors pour empêcher que la Bible soit traduite dans la langue du peuple. Il a même brûlé au bûcher ceux qui possédaient la Bible, parce que ce Livre dénonçait leurs faux enseignements et leurs mauvaises pratiques. Mais il échoua, et les Ecritures furent largement diffusées en de nombreuses langues. Aujourd'hui, elles sont disponibles, en entier ou en partie, en plus de 1 700 langues.

[15] Au fil des années, on produisit différentes versions de la Bible dans une même langue. Ainsi, rien qu'en français, il existe des dizaines de traductions. Pourquoi une seule ne suffit-elle pas? Parce que les langues évoluent constamment. Ainsi, une comparaison entre les anciennes et les nouvelles traductions ne révèle que des modifications de style. La même pensée est presque toujours exprimée, mais les traductions récentes sont plus compréhensibles. Réjouissons-

---

13. a) Que fallait-il pour que la plupart des humains puissent lire la Bible? b) Quand commença-t-on à traduire la Bible?
14. a) Pourquoi des ecclésiastiques s'opposèrent-ils à la traduction de la Bible? b) Qu'est-ce qui prouve qu'ils ont échoué?
15. Pourquoi est-il bien de posséder des traductions récentes?

nous donc de ce que les nouvelles traductions de la Bible soient écrites dans une langue courante et facile à comprendre.

LA BIBLE A-T-ELLE CHANGE?

[16] “Mais, direz-vous, quelle assurance avons-nous que nos Bibles renferment bien le message que les rédacteurs ont reçu de Dieu?” A force de copier et de recopier les Ecritures au cours des siècles, des fautes ont dû être commises. En effet, mais elles ont été découvertes et corrigées dans nos versions modernes. Ainsi, le texte d’aujourd’hui est bien celui que les rédacteurs ont écrit à l’origine. Quelle preuve en avons-nous?

[17] Entre 1947 et 1955, on a découvert les rouleaux dits de la mer Morte, parmi lesquels il y avait des copies de livres des Ecritures hébraïques. Ils datent de 100 à 200 ans *avant* la naissance de Jésus. L’un d’eux est une copie du livre d’Esaïe. Avant cette découverte, le plus ancien texte hébreu d’Esaïe datait d’environ 1 000 ans *après* Jésus Christ. Or, quand on compara ces deux copies, on ne découvrit que des différences mineures, la plupart d’entre elles concernant l’orthographe. Ainsi, les copies faites sur un millier d’années n’ont pas vraiment changé le texte.

Rouleau d’Esaïe, mer Morte.

[18] On possède aujourd’hui plus de 1 700 copies anciennes des

16. Pourquoi certains pensent-ils que le texte de la Bible a changé?
17. Quelle preuve a-t-on que le texte de la Bible n’a pas changé?
18. a) Comment a-t-on corrigé les fautes de copistes? b) Que peut-on dire de l’exactitude des Ecritures grecques?

Ecritures hébraïques. Grâce à une comparaison minutieuse de ces copies, on est en mesure de déceler et de corriger toute faute de copiste. Il existe également des milliers de manuscrits très anciens des Ecritures grecques, dont certains remontent presque au temps de Jésus et de ses apôtres. Ainsi, Sir Frederic Kenyon a pu dire: "Les dernières raisons permettant de laisser subsister un doute sur l'intégrité du texte qui nous est parvenu s'en trouvent désormais dissipées." — *The Bible and Archaeology,* pages 288, 289.

[19] Mais n'allez pas croire qu'on n'a pas tenté de changer la Parole de Dieu. Citons l'exemple de I Jean 5:7. Dans la *Bible de Glaire,* il se lit ainsi: "Ils sont trois qui rendent témoignage dans le ciel: le Père, le Verbe, et l'Esprit-Saint; et ces trois sont une seule chose." Or, aucun des manuscrits les plus anciens ne contient ces mots. Ils furent ajoutés pour appuyer la doctrine de la trinité. Comme il est évident que ces mots ne font pas partie de la Parole de Dieu, ils ne figurent pas dans les versions récentes.

[20] Donc, quiconque dit que la Bible ne contient pas le texte original nie les faits. Jéhovah a veillé à la préservation de sa Parole, pour que le texte ne soit affecté ni par les fautes de copistes ni par les additions. L'Ecriture renferme elle-même la promesse que Dieu préserverait la pureté de sa Parole jusqu'à nos jours. — Psaume 12:6, 7; Daniel 12:4; I Pierre 1:24, 25; Révélation 22:18, 19.

LA BIBLE EST-ELLE VERIDIQUE?

[21] Dans une prière adressée à Dieu, Jésus déclara: "Ta parole est vérité." (Jean 17:17). Mais en est-il bien ainsi? La Bible se révèle-t-elle véridique quand on l'examine avec soin?

19. a) Citez un exemple de tentative visant à changer le texte de la Bible. b) Comment savons-nous que les mots ajoutés en I Jean 5:7 ne font pas partie de la Bible?
20. Pourquoi pouvons-nous être sûrs que le texte biblique est resté le même?
21. Comment Jésus considérait-il la Parole de Dieu?

Son exactitude étonne souvent les historiens. La Bible donne des noms et des détails précis qui peuvent être confirmés.

[22] Regardez les figures et les inscriptions portées sur ce mur de Karnak, en Egypte; elles parlent de la victoire du pharaon Schischac sur Juda sous le règne de Roboam, fils de Salomon, il y a presque 3 000 ans. La Bible rapporte le même événement. — I Rois 14:25, 26.

Mur du temple de Karnak.

[23] La stèle de Mésa, dont l'original se trouve au musée du Louvre, à Paris, relate la rébellion du roi moabite Mésa contre Israël. Ce fait est également rapporté dans la Bible. — II Rois 1:1; 3:4-27.

[24] A l'extrême droite, vous voyez l'étang de Siloam et l'entrée d'un tunnel de 533 mètres, à Jérusalem, tunnel que de nombreux touristes ont traversé. Voilà une autre preuve de la véracité de la Bible! Comment cela? Eh bien, le Saint Livre explique que le roi Ezéchias fit creuser ce tunnel il y a plus de 2 500 ans pour protéger l'approvisionnement en eau de la ville contre les envahisseurs. — II Rois 20:20; II Chroniques 32:2-4, 30.

[25] Au British Museum, on peut voir la Chronique de Nabonide, représentée à droite. Elle décrit la chute de Babylone, tout comme la Bible (Daniel 5:30, 31). Mais celle-ci précise que Belschazzar était roi de Babylone, alors que la Chronique de Nabonide ne mentionne même pas ce nom. En fait, il fut un temps où toutes les inscriptions anciennes

22-25. Citez des exemples qui montrent que les faits historiques rapportés dans la Bible sont exacts.

indiquaient que Nabonide avait été le dernier roi de Babylone. Cela amena les détracteurs de la Bible à dire que Belschazzar n'avait jamais existé. Or, on a trouvé récemment des inscriptions qui montrent que Belschazzar était le fils de Nabonide et qu'il régna à Babylone avec son père. Non, les preuves de la véracité de la Bible ne manquent pas!

[26] Mais la Bible n'est pas seulement un livre d'Histoire vrai. *Tout* ce qu'elle dit est véridique, même lorsqu'elle aborde des questions scientifiques. En voici deux

26. Quels exemples prouvent que la Bible est scientifiquement exacte?

Stèle de Mésa.

Chronique de Nabonide.

Entrée du tunnel d'Ezéchias, étang de Siloam.

exemples: Dans l'Antiquité, on croyait généralement que la terre reposait sur un fondement visible, tel qu'un géant. Or la Bible, en parfait accord avec les faits scientifiques, dit que 'la terre est suspendue sur le néant'. (Job 26:7.) Jadis, on croyait aussi que la terre était plate, mais selon la Bible, Dieu "habite au-dessus du *cercle* de la terre". — Esaïe 40:22.

[27] Mais la plus belle preuve que la Bible vient de Dieu est son exactitude prophétique. Aucun livre humain n'a jamais prédit avec exactitude le déroulement de l'Histoire. La Bible l'a fait. Elle renferme d'authentiques prophéties. Quelques-unes des plus remarquables concernent la venue du Fils de Dieu sur la terre. Des siècles à l'avance, les Ecritures hébraïques ont annoncé que le Messie promis naîtrait à Bethléhem, d'une vierge, qu'il serait trahi pour 30 pièces d'argent et compté parmi les pécheurs, qu'aucun de ses os ne serait brisé, qu'on tirerait au sort ses vêtements et bien d'autres détails encore. — Michée 5:2; Matthieu 2:3-9; Esaïe 7:14; Matthieu 1:22, 23; Zacharie 11:12, 13; Matthieu 27:3-5; Esaïe 53:12; Luc 22:37, 52; 23:32, 33; Psaume 34:20; Jean 19:36; Psaume 22:18; Matthieu 27:35.

[28] Comme nous l'avons dit au premier chapitre, la Bible annonce aussi que le présent système touche à sa fin et qu'il sera remplacé par un nouvel ordre juste (Matthieu 24:3-14; II Pierre 3:7, 13). Peut-on croire à cette prophétie non encore réalisée? Si quelqu'un vous a dit la vérité cent fois et que vous ne l'ayez jamais pris en défaut, allez-vous tout à coup douter de lui? Ce serait insensé. Pareillement, nous n'avons aucune raison de douter des promesses de Dieu consignées dans la Bible; on peut faire confiance à sa Parole (Tite 1:2). Si vous continuez à étudier la Bible, vous serez plus que jamais convaincu qu'elle vient de Dieu.

---

27. a) Quelle est la plus belle preuve de l'origine divine de la Bible? b) Quels faits concernant le Fils de Dieu les Ecritures hébraïques ont-elles annoncés?

28. a) Pourquoi pouvons-nous être sûrs que les prophéties bibliques non encore accomplies se réaliseront à coup sûr? b) De quoi la poursuite de l'étude de la Bible nous convaincra-t-elle?

Chapitre 6

Jésus Christ – l'envoyé de Dieu?

QUI aujourd'hui ne connaît pas Jésus Christ? Comme aucun autre homme, il a influencé l'Histoire. En fait, le calendrier utilisé dans la plupart des pays est basé sur l'année présumée de sa naissance. Selon *The World Book Encyclopedia,* "les dates antérieures à cette année-là sont dites *avant Christ,* et celles qui lui sont postérieures, *anno Domini* (en l'année de notre Seigneur)".

[2] Jésus n'est pas un être imaginaire. Il a vraiment existé en tant qu'homme. "Dans les temps anciens, même les adversaires du christianisme n'ont jamais douté [de l'existence réelle] de Jésus." (*Encyclopædia Britannica*). Qui était donc Jésus? Etait-il vraiment l'envoyé de Dieu? Pourquoi est-il si célèbre?

SON EXISTENCE ANTERIEURE

[3] Contrairement aux autres hommes, Jésus naquit d'une vierge nommée Marie. Voici ce qu'un ange dit à propos de cet enfant: "Celui-ci sera grand, et on l'appellera Fils du Très-Haut." (Luc 1:28-33; Matthieu 1:20-25). Mais comment un enfant pouvait-il naître d'une vierge? Par le moyen de l'esprit saint de Dieu. Des cieux, Jéhovah transféra la vie de son puissant Fils spirituel dans le sein de Marie. C'était un miracle! A coup sûr, Celui qui avait doté Eve de facultés reproductrices pouvait féconder une femme sans le concours d'un père humain. La Bible dit: "Quand est venu l'achèvement du temps, Dieu a envoyé son Fils, né d'une femme." — Galates 4:4.

1, 2. a) Quelle preuve avons-nous que Jésus Christ a vraiment existé? b) Quelles questions se posent à son sujet?

3. a) D'après les paroles de l'ange, au fils de qui Marie allait-elle donner naissance? b) Comment la vierge Marie a-t-elle pu enfanter Jésus?

[4] Avant sa naissance humaine, Jésus était un esprit puissant dans les cieux. Tout comme Dieu, il avait un corps spirituel invisible à l'homme (Jean 4:24). Il occupait une position élevée dont il a souvent parlé. Un jour, il pria en disant: "Père, glorifie-moi auprès de toi de la gloire que j'avais auprès de toi avant que le monde fût." (Jean 17:5). Il dit aussi à ses auditeurs: "Vous êtes des régions d'en bas; moi, je suis des régions d'en haut." "Et si vous voyiez le Fils de l'homme monter là où il était auparavant?" "Avant qu'Abraham soit venu à l'existence, j'étais." — Jean 8:23; 6:62; 8:58; 3:13; 6:51.

[5] Avant sa venue sur terre, Jésus avait pour nom la *Parole*. Ce titre indique qu'il servait dans les cieux en qualité de porte-parole de Dieu. Il est aussi appelé le "Premier-né" de Dieu et son 'Fils unique'. (Jean 1:14; 3:16; Hébreux 1:6.) Cela signifie qu'il fut créé avant tous les autres fils spirituels de Dieu et qu'il est le seul fils créé directement par Dieu. Selon la Bible, ce Fils "premier-né" collabora avec Jéhovah à la création de toutes les autres choses (Colossiens 1:15, 16). Ainsi, quand Dieu dit: *"Faisons* l'homme à notre image", il s'adressait

---

4. a) Quelle était la vie de Jésus avant sa naissance humaine? b) Que dit Jésus pour montrer qu'il vivait auparavant dans les cieux?

5. a) Pourquoi Jésus a-t-il été appelé la "Parole", le "Premier-né" et le 'Fils unique'? b) A quelle œuvre Jésus travailla-t-il avec Dieu?

Jésus laissa son métier de charpentier pour se faire baptiser et devenir l'oint de Jéhovah.

à ce Fils. Oui, celui-là même qui vint sur terre et naquit d'une femme avait participé à toute la création! Il vivait déjà auprès de son Père depuis un nombre d'années inconnu. — Genèse 1:26; Proverbes 8:22, 30; Jean 1:3.

SA VIE SUR LA TERRE

[6] Marie avait été promise en mariage à Joseph. Or, quand il apprit qu'elle était enceinte, il crut qu'elle avait eu des relations intimes avec un homme et il renonça à l'épouser. Mais Jéhovah lui dit que l'enfant avait été conçu grâce à Son esprit saint; Joseph prit donc Marie pour femme (Matthieu 1:18-20, 24, 25). Puis, tandis qu'ils étaient à Bethléhem, Jésus naquit (Luc 2:1-7; Michée 5:2). Jésus n'était encore qu'un petit enfant quand Hérode chercha à le tuer. Mais Jéhovah avertit Joseph afin qu'il emmenât sa famille en Egypte. Après la mort d'Hérode, Joseph et Marie revinrent avec Jésus à Nazareth, en Galilée. C'est là que grandit Jésus. — Matthieu 2:13-15, 19-23.

[7] A l'âge de douze ans, Jésus se rendit avec sa famille à Jérusalem pour célébrer une fête spéciale: la Pâque. Là, il passa trois jours dans le temple où il écouta et interrogea les enseignants. Tous étaient surpris de ses connaissances (Luc 2:41-52). A Nazareth où il grandit, Jésus apprit le métier de charpentier, sans doute auprès de Joseph, son père adoptif, qui exerçait lui-même cette profession. — Marc 6:3; Matthieu 13:55.

[8] A l'âge de trente ans, Jésus donna une autre orientation à sa vie. Il alla vers Jean le Baptiste pour être baptisé ou immergé dans le Jourdain. La Bible rapporte: "Après avoir été baptisé, Jésus remonta aussitôt de l'eau; et voici que les cieux s'ouvrirent, et il vit l'esprit de Dieu descendre comme une colombe et venir sur lui. Et voici que, des cieux, une voix disait: 'Celui-ci est mon Fils, le bien-aimé, que j'ai agréé.'"

6. a) Quels événements se produisirent peu de temps avant et après la naissance de Jésus? b) Où naquit Jésus et où grandit-il?
7. a) Qu'arriva-t-il quand Jésus eut 12 ans? b) Quel métier apprit-il?
8. Qu'arriva-t-il quand Jésus eut 30 ans?

(Matthieu 3:16, 17). Jean ne pouvait plus douter que Jésus fût l'envoyé de Dieu.

[9] En répandant son esprit sur Jésus, Jéhovah l'oignait ou l'établissait comme roi de son futur Royaume. Ainsi oint de l'esprit, Jésus devint le "Messie" ou "Christ", mot qui signifie en hébreu comme en grec "Oint". Il devint en fait Jésus *Christ* ou Jésus l'*Oint*. Voilà pourquoi l'apôtre Pierre parla de "Jésus qui était de Nazareth, comment Dieu l'a oint d'esprit saint et de puissance". (Actes 10:38.) Egalement, par son baptême Jésus se présentait à Dieu pour accomplir l'œuvre pour laquelle celui-ci l'avait envoyé sur terre. Quelle était cette œuvre importante?

LES RAISONS DE SA VENUE SUR TERRE

[10] Donnant la raison de sa venue sur terre, Jésus dit à Pilate: "Je suis né pour ceci, et je suis venu dans le monde pour ceci: pour rendre témoignage à la vérité." (Jean 18:37). Quelles vérités particulières devait-il faire connaître? D'abord, des vérités relatives à son Père céleste. Il apprit à ses disciples à prier pour la sanctification du nom de son Père (Matthieu 6:9). Et il pria ainsi: "J'ai manifesté ton nom aux hommes que tu m'as donnés." (Jean 17:6). Il dit aussi: "Je dois annoncer *la bonne nouvelle du royaume de Dieu* (...), car c'est pour cela que j'ai été envoyé." — Luc 4:43.

[11] Etait-il important pour Jésus de faire connaître le nom et le Royaume de son Père? Voici ce qu'il dit à ses disciples: "Ma nourriture est de faire la volonté de celui qui m'a envoyé et d'achever son œuvre." (Jean 4:34). Pourquoi Jésus comparat-il l'œuvre de Dieu à de la nourriture? Parce que le Royaume est le moyen par lequel Jéhovah réalisera ses desseins à l'égard de l'humanité. C'est ce Royaume qui ôtera la méchanceté et l'opprobre dont a été couvert le nom de

---

9. a) Quand Jésus devint-il le *"Christ"*, et pourquoi à ce moment-là? b) Par son baptême, Jésus se présentait en vue de quelle œuvre?
10. Quelles vérités Jésus est-il venu faire connaître sur la terre?
11. a) Pourquoi l'œuvre de Jésus était-elle si importante à ses yeux? b) Qu'est-ce que Jésus ne s'est jamais retenu de magnifier? Que devrions-nous donc faire?

Jéhovah (Daniel 2:44; Révélation 21:3, 4). Aussi Jésus ne s'est-il jamais retenu de magnifier le nom et le Royaume de Dieu (Matthieu 4:17; Luc 8:1; Jean 17:26; Hébreux 2:12). Il a toujours dit la vérité, qu'elle fût ou non populaire. Il est un exemple que nous suivrons pour plaire à Dieu. — I Pierre 2:21.

[12] Or, pour que nous obtenions la vie éternelle sous le Royaume de Dieu, Jésus devait verser son sang. Comme l'ont dit deux de ses apôtres: "Nous avons été déclarés justes par son sang." "Le sang de Jésus [le Fils de Dieu] (...) nous purifie de tout péché." (Romains 5:9; I Jean 1:7). Donc, Jésus vint aussi pour cette importante raison: mourir pour nous. Il dit: "Le Fils de l'homme est venu, non pas pour être servi, mais pour servir et *donner son âme [ou vie] comme rançon en échange de beaucoup."* (Matthieu 20:28). Que faut-il entendre par donner sa vie "comme rançon"? Pourquoi sa mort était-elle indispensable à notre salut?

IL A DONNE SA VIE COMME RANÇON

[13] Le mot "rançon" est souvent utilisé en rapport avec un enlèvement. Quand un ravisseur retient une personne captive, il peut promettre de la libérer contre une somme d'argent ou *rançon.* Ainsi, la rançon est le moyen par lequel on obtient la délivrance d'un captif. C'est le prix payé pour qu'il reste en vie. La vie humaine parfaite de Jésus a été donnée pour que l'humanité soit délivrée du péché et de la mort (I Pierre 1:18, 19; Ephésiens 1:7). Etait-ce nécessaire?

[14] C'est qu'Adam, notre ancêtre commun, se rebella contre Dieu. Cet acte, commis au mépris de la loi, fit de lui un pécheur, puisque 'le péché est le mépris de la loi'. (I Jean 3:4; 5:17.) Il était donc indigne du don divin, savoir la vie éternelle (Romains 6:23). Aussi perdit-il, pour lui-même, la

---

12. Pour quelle autre raison importante Jésus est-il venu sur la terre?

13. a) Qu'est-ce qu'une rançon? b) Quelle rançon Jésus a-t-il payée pour nous affranchir du péché et de la mort?

14. Pourquoi la rançon fournie par Jésus était-elle nécessaire?

vie humaine parfaite dans le paradis, et il priva ses descendants de cette perspective. 'Mais, direz-vous, pourquoi les descendants d'Adam devaient-ils mourir puisque lui seul a péché?'

[15] Parce qu'en péchant, Adam a transmis le péché et la mort à ses enfants, dont nous sommes (Job 14:4; Romains 5:12). "Tous en effet ont péché et n'atteignent pas à la gloire de Dieu", dit la Bible (Romains 3:23; I Rois 8:46). Même le pieux David déclara: "J'ai été enfanté dans la faute, et dans le péché ma mère m'a conçu." (Psaume 51:5). Ainsi nous mourons par suite du péché hérité d'Adam. Mais comment le sacrifice de la vie de Jésus affranchirait-il les hommes du péché et de la mort?

[16] C'est ici qu'intervient un principe juridique de la loi divine donnée à Israël, savoir 'vie pour vie'. (Exode 21:23; Deutéronome 19:21.) En désobéissant, l'homme parfait Adam perdit la *vie parfaite* pour lui et pour tous ses enfants. Christ donna sa propre *vie parfaite* pour racheter ce qu'Adam avait perdu. Oui, il "s'est donné lui-même en *rançon correspondante* pour tous". (I Timothée 2:5, 6.) Parce qu'il était un homme parfait comme Adam, Jésus fut appelé "le dernier Adam". (I Corinthiens 15:45.) Nul autre que Jésus ne pouvait payer la rançon, car il est le seul homme qui fût jamais l'égal d'Adam en tant que fils humain parfait de Dieu. — Psaume 49:7; Luc 1:32; 3:38.

[17] Jésus mourut à 33 ans et demi. Le troisième jour après sa mort, il fut ressuscité. Quarante jours plus tard, il regagna le ciel (Actes 1:3, 9-11). Là, redevenu esprit, il parut "pour nous devant la personne de Dieu", muni de la valeur de son sacrifice (Hébreux 9:12, 24). La rançon était payée à Dieu. Désormais, les hommes pouvaient être délivrés. Mais quand les bienfaits de ce sacrifice se feraient-ils sentir?

---

15. Puisque c'est Adam qui a péché, pourquoi ses enfants doivent-ils souffrir?
16. a) Comment Dieu tint-il compte de sa loi 'vie pour vie' en pourvoyant à la rançon? b) Pourquoi nul autre que Jésus ne pouvait-il payer la rançon?
17. Quand la rançon fut-elle payée à Dieu?

[18] Dès à présent, la foi en ce rachat nous permet d'occuper la position d'hommes purs devant Dieu et de nous placer sous sa protection (Révélation 7:9, 10, 13-15). Avant de connaître Dieu, nous avons peut-être fait de graves péchés, et même maintenant, nous commettons des fautes. Mais nous pouvons demander pardon à Dieu sur la base de la rançon, et il nous exaucera (I Jean 2:1, 2; I Corinthiens 6:9-11). En outre, très bientôt la rançon nous fournira le moyen de recevoir la vie éternelle dans un ordre nouveau et juste (II Pierre 3:13). Alors, tous ceux qui exerceront la foi en la rançon seront complètement affranchis du péché et de la mort. Devant eux s'ouvrira la vie éternelle dans la perfection.

[19] Quels sentiments vous inspire la rançon? Votre cœur ne vous pousse-t-il pas vers Jéhovah qui a sacrifié son Fils

18. a) Comment pouvons-nous, dès à présent, bénéficier de la rançon? b) Qu'est-ce que la rançon rend possible pour l'avenir?
19. a) Quels sentiments vous inspire la rançon? b) Selon Paul, comment montrerons-nous notre gratitude pour la rançon?

Jésus était l'égal de l'homme parfait Adam.

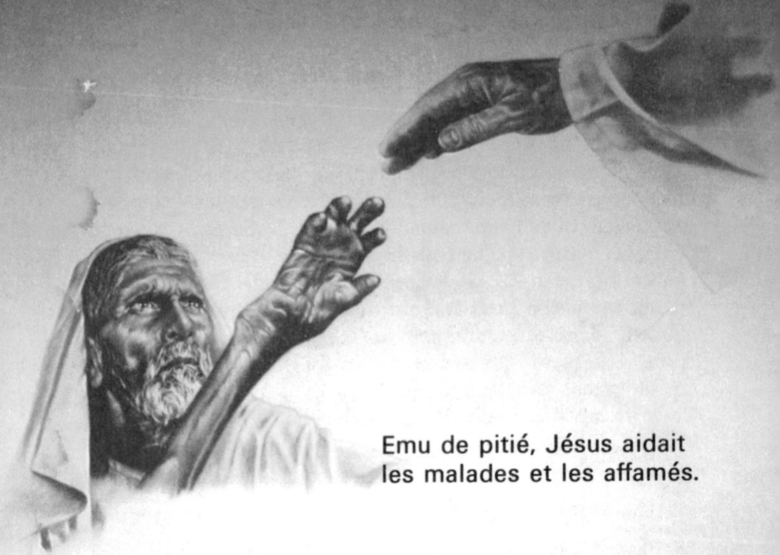

Emu de pitié, Jésus aidait
les malades et les affamés.

pour nous (Jean 3:16; I Jean 4:9, 10)? Songez aussi à l'amour du Christ. *Il est venu volontairement sur terre afin de mourir pour nous.* Ne devrions-nous pas en éprouver de la gratitude? L'apôtre Paul montra comment la manifester; il dit: "Il est mort pour tous *afin que ceux qui vivent ne vivent plus pour eux-mêmes, mais pour celui qui est mort pour eux* et a été relevé." (II Corinthiens 5:14, 15). Exprimez votre reconnaissance en vouant votre vie au service de Dieu et du Christ.

POURQUOI JESUS OPERA-T-IL DES MIRACLES?

[20] Jésus est célèbre par ses miracles. Loin d'être indifférent devant la détresse, il utilisa les pouvoirs qu'il avait reçus de Dieu pour aider ses semblables. Par exemple, un lépreux vint à lui et dit: "Si tu le veux, tu peux me rendre pur." *"Emu de pitié,* [Jésus] tendit la main, le toucha et lui dit: *'Je le veux.* Sois rendu pur.'" Et l'homme fut guéri! — Marc 1:40-42.

[21] Jugez de la profondeur des sentiments de Jésus pour son prochain. "Alors de grandes foules s'avancèrent vers lui, ayant avec elles des boiteux, des estropiés, des aveugles, des muets et beaucoup d'autres malades, qu'on alla même jusqu'à jeter à ses pieds, et il les guérit; de sorte que la foule était dans la stupeur en voyant les muets qui parlaient, et les boiteux qui marchaient, et les aveugles qui voyaient, et elle glorifia le Dieu d'Israël." — Matthieu 15:30, 31.

[22] Que Jésus *voulût* vraiment aider ces malheureux, ces paroles l'attestent: *"J'ai pitié de cette foule,* car voilà déjà trois jours qu'ils restent auprès de moi et qu'ils n'ont pas de quoi manger; et je ne veux pas les renvoyer à jeun. Ils pourraient défaillir en route." Aussi, avec seulement sept pains et quelques petits poissons, Jésus nourrit ces "quatre mille hommes, sans compter les femmes et les petits enfants". — Matthieu 15:32-38.

---

20. Que nous apprend sur Jésus la guérison du lépreux?
21. Comment Jésus aida-t-il les foules?
22. Qu'est-ce qui montre que Jésus se soucia vraiment des gens qu'il aida?

[23] Un autre jour, Jésus se trouva sur le chemin d'une procession funèbre qui sortait de la ville de Naïn. Voici ce que décrit la Bible: "On portait dehors un mort, fils unique de sa mère. Et celle-ci était veuve. (...) En l'apercevant, le Seigneur *fut ému de pitié pour elle.*" Il partageait vraiment sa peine. Et, s'adressant au mort, il ordonna: "Jeune homme, je te le dis, lève-toi!" Miracle! "Le mort se dressa sur son séant et commença à parler; et il le donna à sa mère." Imaginez l'émotion de cette mère! A sa place, qu'auriez-vous ressenti? La nouvelle se répandit au loin. Rien d'étonnant que Jésus fût si célèbre! — Luc 7:11-17.

[24] Mais les miracles de Jésus n'étaient que des bienfaits temporaires. Ceux qu'il guérit connurent à nouveau la maladie, et les ressuscités, la mort. Néanmoins, ces miracles prouvèrent que Jésus était bien l'envoyé et le Fils de Dieu, et que grâce à la puissance divine, tous les problèmes humains peuvent être réglés. Oui, ils démontrèrent sur une petite échelle ce qui se produira sur la terre sous le Royaume de Dieu. Alors, les affamés seront rassasiés, les malades, guéris, et même les morts ressusciteront! La maladie, la mort et autres calamités n'assombriront plus jamais le bonheur des hommes. Quelle bénédiction! — Révélation 21:3, 4; Matthieu 11:4, 5.

LE CHEF DU ROYAUME DE DIEU

[25] Trois étapes ont marqué la vie du Fils de Dieu. Avant de devenir homme, il vécut un certain nombre d'années auprès de son Père dans les cieux. Puis, après sa naissance, il passa 33 ans et demi sur la terre. Et maintenant, il vit de nouveau au ciel en tant qu'esprit. Quelle position occupe-t-il depuis sa résurrection?

[26] Jésus était appelé à la royauté. Même l'ange dit à Marie:

---

23. Qu'est-ce qui incita Jésus à ressusciter le fils d'une veuve?
24. Que prouvent les miracles de Jésus relativement à l'avenir?
25. Quelles sont les trois étapes qui ont marqué la vie de Jésus?
26. Par sa fidélité sur terre, de quoi Jésus se montra-t-il digne?

En ressuscitant les morts, Jésus montra ce qu'il ferait sur une grande échelle sous le Royaume de Dieu.

“Il régnera (...) à jamais, et son royaume n’aura pas de fin.” (Luc 1:33). Durant son ministère, il ne cessa de parler du Royaume de Dieu. Il enseigna ses disciples à prier ainsi: “Que ton royaume vienne! Que ta volonté se fasse, comme dans le ciel, aussi sur la terre!” Et il les encouragea à ‘continuer de chercher d’abord le royaume’. (Matthieu 6:10, 33.) Par sa fidélité sur terre, Jésus se montra digne d’être le Roi du Royaume de Dieu. Se mit-il à régner dès son retour au ciel?

[27] Non. Se référant au Psaume 110:1, l’apôtre Paul expliqua: “[Jésus] a offert à perpétuité un seul sacrifice pour les péchés et s’est assis à la droite de Dieu, attendant désormais jusqu’à ce que ses ennemis soient placés comme un escabeau pour ses pieds.” (Hébreux 10:12, 13). Il attendait cet ordre de Jéhovah: “Va soumettre au milieu de tes ennemis.” (Psaume 110:2). Ce moment-là venu, il se mit à purifier les cieux de la présence de Satan et de ses anges. Les conséquences de cette guerre céleste sont ainsi décrites: “Maintenant sont arrivés le salut et la puissance et *le royaume de notre Dieu et l’autorité de son Christ,* car il a été précipité l’accusateur de nos frères, celui qui les accuse jour et nuit devant notre Dieu!” (Révélation 12:10). Comme cela a été dit, les faits attestent que cette guerre céleste a déjà eu lieu et que Christ règne à présent au milieu de ses ennemis.

[28] Très bientôt, Christ et ses anges débarrasseront la terre de tous les gouvernements humains (Daniel 2:44; Révélation 17:14). La Bible dit qu’il possède une “longue épée acérée pour en frapper les nations, et il les fera paître avec une baguette de fer”. (Révélation 19:11-16.) Pour mériter d’être protégés lors de cette destruction prochaine, il nous faut exercer la foi en Jésus Christ (Jean 3:36), devenir ses disciples et nous soumettre à lui comme à notre Roi céleste. Le ferez-vous?

---

27. a) Que fit Jésus lorsqu’il retourna au ciel? b) Quelle fut sa première action en tant que Roi du Royaume de Dieu?
28. a) Que fera bientôt Christ? b) Que faut-il faire pour avoir sa protection?

Chapitre 7

Pourquoi sommes-nous sur terre?

DEPUIS longtemps une question hante les esprits: Quelle est la signification de la vie sur terre? En contemplant le ciel étoilé, un beau coucher de soleil ou un charmant paysage, les hommes réfléchis se disent qu'un grand dessein est à l'origine de tout cela. Mais ils se demandent quelle est leur place dans ce dessein. — Psaume 8:3, 4.

[2] Il arrive un moment dans la vie où l'on se demande: Notre lot est-il de vivre peu de jours, de tirer au mieux parti de la vie et de mourir? Où allons-nous vraiment? Y a-t-il un

1. A quelle conclusion ont abouti des personnes réfléchies?
2. Quelles questions se pose-t-on?

Quelle est la signification de la vie?

Ces objets ont-ils évolué ou bien ont-ils été fabriqués?

espoir d'échapper à ce cycle bref: naissance, vie, mort (Job 14:1, 2)? Pour commencer, il convient de répondre à cette question: *Quelle est l'origine de l'homme?*

EVOLUTION OU CREATION?

[3] L'idée généralement répandue est que toutes choses se sont produites d'elles-mêmes, par hasard ou par accident. On prétend que la vie a évolué sur des millions d'années à partir de formes inférieures jusqu'à ce que finalement l'homme apparaisse. Cette théorie évolutionniste est souvent enseignée comme un fait. Mais est-il vrai que nous descendons d'un animal simiesque qui aurait vécu il y a des millions d'années? L'univers s'est-il fait par hasard?

[4] La Bible dit: "Au commencement Dieu créa les cieux et la terre." (Genèse 1:1). Les faits scientifiques attestent que les cieux et notre terre ont eu un commencement. Ils ont été créés. Les mouvements des étoiles et des planètes sont d'une régularité telle que leur position peut être déterminée des années à l'avance avec une précision parfaite. Tout se meut dans l'univers selon des lois et des principes mathématiques.

3. Qu'enseigne l'évolution?
4. Pourquoi pouvons-nous croire que "Dieu créa les cieux et la terre"?

Voici ce qu'écrivit P. Dirac, professeur à l'université de Cambridge (*Scientific American*): "On pourrait peut-être résumer la situation en disant que Dieu est un mathématicien de tout premier ordre, et qu'il fit appel à des connaissances mathématiques supérieures pour bâtir l'univers."

[5] La Bible dit: "Sachez que Jéhovah est Dieu. C'est lui qui nous a faits, et non pas nous-mêmes." (Psaume 100:3). Un écrivain biblique loua Dieu en disant: "Je te louerai de ce que, de façon redoutable, je suis fait d'une manière merveilleuse. (...) Mes os ne t'étaient pas cachés, quand je fus fait dans le secret (...). Tes yeux virent mon embryon, et dans ton livre se trouvaient inscrites toutes ses parties." (Psaume 139:14-16). La formation d'un enfant dans le sein de sa mère est prodigieuse. Voici ce qu'en dit le magazine *Newsweek:* "C'est tout simplement un miracle. Aucune technique ne permet de déterminer le moment de la conception. Aucun savant ne peut identifier les forces extraordinaires qui l'emportent alors en vue du développement des organes et du réseau de nerfs de l'embryon humain."

[6] Considérons l'univers et la structure admirable de notre corps. La raison nous dit qu'ils ne se sont pas façonnés seuls. Quelqu'un a dû les concevoir et les créer. Regardez autour de vous et posez-vous cette question: La lampe, le lit, la chaise, la table, et même la maison sont-ils l'aboutissement d'une évolution ou l'œuvre d'un artisan? A coup sûr, des hommes intelligents les ont faits. Par quel raisonnement peut-on donc prétendre que notre univers, infiniment plus complexe, et nous-mêmes n'avons pas eu de Créateur? Et si Dieu nous a mis sur terre, c'est sûrement à dessein.

[7] Voici ce que Jésus dit à propos du premier couple humain: "Celui qui les créa, dès le commencement les fit mâle et femelle, et (...) il a dit: 'C'est pourquoi l'homme quittera son

---

5. Qu'est-ce qui montre dans le corps humain que nous avons été créés et que nous ne sommes pas le produit de l'évolution?

6. Pourquoi est-il raisonnable pour nous de croire à la création plutôt qu'à l'évolution?

7. a) Comment Jésus montra-t-il qu'il croyait à la création? b) Quelle autre preuve avons-nous qu'Adam a bien existé?

père et sa mère et s'attachera à sa femme, et les deux seront une seule chair.'" (Matthieu 19:4, 5). Il citait la Genèse (1:27; 2:24), qui relate la création d'Adam et Eve, et en attestait l'authenticité (Jean 17:17). La Bible appelle également Hénoch "le *septième* dans la généalogie qui part d'Adam". (Jude 14.) Si Adam n'avait pas existé, la Bible ne l'aurait pas ainsi nommé. — Luc 3:37, 38.

[8] D'aucuns prétendent que Dieu s'est servi du mécanisme de l'évolution pour créer l'homme. Selon eux, il a laissé l'homme évoluer jusqu'à un certain stade, après quoi il a implanté en lui une âme. Mais la Bible ne dit rien de semblable; elle établit plutôt que les plantes et les animaux ont été créés "selon leurs espèces". (Genèse 1:11, 21, 24.) Les faits montrent qu'une espèce végétale ou animale ne se transforme jamais en une autre espèce. Pour plus de preuves, reportez-vous au livre *L'homme est-il le produit de l'évolution ou de la création?*.

COMMENT DIEU CREA L'HOMME

[9] Selon la Bible, Dieu créa l'homme à partir de la terre pour qu'il vive sur terre: "Jéhovah Dieu forma l'homme de la poussière du sol et souffla dans ses narines le souffle de vie, et l'homme devint une âme vivante." (Genèse 2:7). L'homme est donc une création directe de Dieu. Par un acte spécial de création, Dieu façonna un homme complet. Quand Dieu insuffla dans les narines de l'homme le "souffle de vie", ses poumons se remplirent d'air. *Mais ce n'est pas tout.* Dieu donna ainsi vie au corps humain. Cette *force vitale* est entretenue par la respiration.

[10] Notons ceci: La Bible ne dit pas que Dieu *donna* à l'homme une âme, mais plutôt que *"l'homme devint une âme vivante"*, après que Dieu lui eut donné la respiration. Ainsi, l'homme *est* une âme, tout comme un homme qui devient

---

8. Quelle théorie relative à l'origine de l'homme la Bible n'enseigne-t-elle pas?

9. a) Comment la Bible décrit-elle la création de l'homme? b) Que se passa-t-il lorsque Dieu souffla dans les narines de l'homme le "souffle de vie"?

10. Qu'est-ce que l'âme humaine, et comment fut-elle créée?

docteur *est* un docteur (I Corinthiens 15:45). La "poussière du sol" d'où a été tiré le corps physique n'est pas l'âme, pas plus que ne l'est le "souffle de vie". Selon la Bible, c'est grâce à la réunion de ces deux éléments que *"l'homme devint une âme vivante"*.

[11] Puisque l'âme humaine est l'homme lui-même, elle ne peut être une chose immatérielle qui habite le corps et le quitte. En d'autres termes, la Bible enseigne que votre âme, c'est *vous*. Par exemple, elle dit que l'âme ressent le besoin de manger: "Ton âme désirera manger de la viande." (Deutéronome 12:20). Elle dit aussi que l'âme a du sang qui coule dans ses veines, car elle parle des "traces sanglantes des âmes des pauvres, des victimes innocentes". — Jérémie 2:34.

POURQUOI DIEU A-T-IL MIS L'HOMME SUR TERRE?

[12] Le dessein de Dieu n'était pas qu'Adam et Eve meurent un jour pour aller vivre ailleurs. La terre était leur demeure; ils devaient en prendre soin ainsi que de toutes ses créatures vivantes. La Bible dit: "Dieu *les bénit* et Dieu leur dit: 'Soyez féconds, et devenez nombreux, et remplissez la terre, et soumettez-la, et tenez dans la soumission les poissons de la mer, et les créatures volantes des cieux, et toute créature vivante qui se meut sur la terre.'" (Genèse 1:28; 2:15). Adam et Eve, ainsi que leurs enfants, auraient pu être éternellement heureux sur la terre en faisant la volonté de Dieu.

[13] Notez que *"Dieu les bénit"*. Il prit vraiment soin de ses enfants terrestres. Tel un père aimant, il les instruisit pour leur bien. Ils auraient trouvé le bonheur en suivant ses directives. Jésus le savait; aussi dit-il: "Heureux ceux qui entendent la parole de Dieu et qui la gardent!" (Luc 11:28). Jésus garda la parole de Dieu. Il dit: "Je fais toujours ce qui lui plaît." (Jean 8:29). Voilà la raison même de notre présence sur la terre: *Avoir une vie heureuse et bien remplie en nous*

11. Quels faits bibliques relatifs à l'âme humaine prouvent que celle-ci ne peut être une chose immatérielle qui existe en dehors de l'homme?
12. Quel était le dessein de Dieu à l'égard des hommes?
13. a) Comment pouvons-nous être heureux? b) Qu'est-ce qui donnera vraiment un sens à notre vie?

conformant à la volonté de Dieu. Servir Jéhovah donnera vraiment un sens à notre vie dès à présent, et nous conduira à la vie éternelle dans le paradis. — Psaume 37:11, 29.

POURQUOI VIEILLISSONS-NOUS ET MOURONS-NOUS?

[14] Mais tous, nous vieillissons et mourons. Pourquoi? A cause de la rébellion d'Adam et Eve. Jéhovah les mit à l'épreuve pour leur montrer la nécessité de lui être obéissants. Il dit à Adam: “De tout arbre du jardin tu pourras manger à satiété. Mais pour ce qui est de l'arbre de la connaissance du bon et du mauvais, tu ne devras pas en manger, car le jour où tu en mangeras, tu mourras à coup sûr.” (Genèse 2:16, 17). En mangeant de cet arbre, Adam et Eve se sont détournés de leur Père céleste et ont rejeté sa direction. Ils ont désobéi et ont pris ce qui ne leur appartenait pas. Ils auraient pu vivre éternellement heureux dans le paradis sans jamais connaître la pauvreté ni la souffrance; au lieu de cela, ils se sont attiré le châtiment du péché: l'imperfection et la mort. — Romains 6:23.

[15] Comment avons-nous hérité le péché d'Adam? Devenu imparfait, Adam transmit à tous ses descendants l'imperfection et la mort (Job 14:4; Romains 5:12). Prenons un exemple: Que se passe-t-il quand un boulanger cuit du pain dans un moule défectueux? Le défaut apparaît sur chaque pain cuit dans ce moule. Eh bien, on peut comparer Adam au moule, et nous, au pain. Adam devint imparfait lorsqu'il transgressa la loi de Dieu. C'est comme s'il avait été marqué. Aussi, lorsqu'il eut des enfants, chacun d'eux reçut cette marque du péché ou imperfection.

[16] Nous sommes sujets à la maladie et à la vieillesse à cause du péché hérité d'Adam. L'un des miracles de Jésus le montre. Un jour qu'il enseignait dans la maison où il logeait, une foule de gens se rassemblèrent, si bien qu'il n'y eut plus

---

14. En désobéissant au commandement de Dieu, que firent Adam et Eve?
15. Comment avons-nous hérité le péché d'Adam?
16, 17. Comment l'un des miracles de Jésus montre-t-il que la maladie frappe la famille humaine à cause du péché?

Le récit biblique sur la guérison d'un paralytique par Jésus montre que la maladie est due au péché d'Adam.

de place. Or, quatre hommes amenaient un paralytique étendu sur un lit portatif, mais il n'y avait pas moyen d'entrer. Ils montèrent donc sur le toit, pratiquèrent une ouverture, descendirent le paralytique sur son lit et le placèrent près de Jésus.

[17] En voyant leur grande foi, Jésus dit au paralytique: "Tes péchés sont pardonnés." Mais certains parmi les assistants ne croyaient pas au pouvoir de Jésus de pardonner les péchés. Aussi leur dit-il: "'Pour que vous sachiez que le Fils de l'homme a le pouvoir de pardonner les péchés sur la terre', — il dit au paralytique: 'Je te dis: Lève-toi, prends ton lit portatif et va dans ta maison.' Alors il se leva, prit aussitôt son lit portatif et sortit devant tous." — Marc 2:1-12.

[18] Songez à ce que peut signifier pour nous ce pouvoir de Jésus! Sous le Royaume de Dieu, il pourra pardonner les péchés de tous ceux qui aiment et servent Dieu. Cela veut dire que les douleurs, les maux et les maladies ne seront plus, que la vieillesse et la mort disparaîtront. Quelle merveilleuse espérance pour l'avenir! Oui, il y a bien autre chose que la naissance, la vie brève et la mort. Si nous cherchons sans cesse à mieux connaître Dieu et à le servir, nous vivrons éternellement dans le paradis terrestre.

---

18. Quel avenir s'offre aux serviteurs de Dieu?

Chapitre 8

Que se passe-t-il après la mort?

AVEZ-VOUS connu le vide que laisse la mort d'un être cher? On se sent accablé de tristesse et comme frappé d'impuissance. Il est alors naturel de se demander: Que devient quelqu'un quand il meurt? Est-il conscient quelque part? Peut-on espérer jouir à nouveau de la compagnie des disparus?

[2] Pour répondre à ces questions, il importe de savoir ce qui s'est passé à la mort d'Adam. Lorsqu'il pécha, Dieu lui dit: "Tu [retourneras] au sol, car c'est de lui que tu as été pris. Car tu es poussière et tu retourneras à la poussière." (Genèse 3:19). Réfléchissons un instant! Avant que Dieu ne l'eût formé de la poussière du sol, Adam n'existait pas. Aussi, après sa mort, il retourna à cet état de non-existence.

[3] La mort est tout simplement le contraire de la vie. C'est ce que dit Ecclésiaste 9:5, 10. Ces versets se lisent ainsi dans la *Bible de Liénart:* "Les vivants, en effet, savent qu'ils mourront, mais *les morts ne savent rien,* et il n'y a plus pour eux de salaire, puisque leur mémoire est oubliée. (...) Tout ce que

ADAM, tiré de la poussière, retourna à la poussière.

1. Quelles questions pose-t-on souvent à propos des morts?
2. Que se passa-t-il à la mort d'Adam?
3. a) Qu'est-ce que la mort? b) Que dit Ecclésiaste 9:5, 10 à propos de la condition des morts?

ta main peut faire avec ta force, fais-le; car il n'y a plus ni œuvre, ni science, ni sagesse, dans le séjour des morts où tu vas."

[4] Les morts sont inactifs et privés de toute sensation. Selon la Bible, leurs pensées meurent avec eux: "Ne mettez pas votre confiance dans les nobles, ni dans le fils de l'homme terrestre, à qui n'appartient point le salut. Son esprit sort, il retourne à son sol; *en ce jour-là périssent ses pensées."* (Psaume 146:3, 4). A la mort de l'homme, son esprit ou force vitale entretenue par la respiration "sort". Il cesse d'exister. Tous ses sens (ouïe, vue, toucher, odorat, goût), qui dépendent de son activité mentale, tombent dans l'inaction. Les morts sont dans un état de complète inconscience.

[5] Une fois morts, aussi bien les hommes que les animaux sont totalement inconscients. La Bible dit: "Comme meurt l'un, ainsi meurt l'autre; et ils ont tous un même esprit, de sorte qu'il n'y a pas de supériorité de l'homme sur la bête, car tout est vanité. Tous vont vers un même lieu. Ils sont tous venus de la poussière, et ils retournent tous à la poussière." (Ecclésiaste 3:19, 20). "L'esprit" qui fait vivre les animaux est le même que celui qui anime les humains. Lorsque cet "esprit" ou force vitale invisible sort, l'homme et la bête retournent à la poussière d'où ils ont été tirés.

L'AME MEURT

[6] D'aucuns prétendent que la différence entre l'homme et la bête est due au fait que l'homme a une âme. Mais la Genèse (1:20, 30) dit que Dieu créa des *"âmes vivantes"* aquatiques et que les animaux ont en eux-mêmes *"vie d'âme"*. Certaines Bibles ont rendu le mot "âme" par "créature" et "vie" dans ces passages, indiquant toutefois en note que c'est le mot "âme" qui apparaît dans la langue originale. Entre autres

4. a) Les morts poursuivent-ils leur activité mentale? b) Pourquoi les sens d'une personne tombent-ils dans l'inactivité à sa mort?

5. a) Comment la Bible montre-t-elle qu'à la mort, la condition de l'homme et de la bête est la même? b) Qu'est-ce que "l'esprit" qui fait vivre l'homme et la bête?

6. Comment la Bible montre-t-elle que les animaux sont des âmes?

références bibliques appliquant le mot “âme” à l’animal, citons Nombres 31:28. Il y est question d’“une âme sur cinq cents, tant des humains que du gros bétail, et des ânes, et du petit bétail”.

[7] Puisque les animaux sont des âmes, à leur mort leur âme meurt. La Bible dit: “Toute âme vivante est morte, oui, les choses qui étaient dans la mer.” (Révélation 16:3). Et l’âme humaine? Comme nous l’avons vu, Dieu n’a pas *donné* une âme à l’homme. L’homme *est* une âme. Logiquement donc, à

7. Comment la Bible prouve-t-elle que les âmes animales et humaines meurent?

la mort de l'homme, son âme meurt. C'est ce que la Bible atteste en maints endroits. Nulle part, elle ne dit que l'âme est impérissable. On lit en Psaume 22:29: "Devant lui se courberont tous ceux qui descendent à la poussière, et nul ne conservera jamais son âme en vie." Et en Ezéchiel 18:4, 20: "L'âme qui pèche — elle, elle mourra." En lisant Josué 10: 28-39, vous noterez qu'à sept reprises il est question d'âmes qui ont été tuées.

[8] Une prophétie relative au Christ déclare: "Il a répandu son âme jusqu'à la mort, (...) lui-même s'est chargé du péché de beaucoup de gens." (Esaïe 53:12). La doctrine de la rançon établit que c'est une âme (Adam) qui a péché, et que pour racheter les humains, une âme correspondante (un homme) devait être sacrifiée. En *'répandant son âme jusqu'à la mort',* Christ paya le prix de la rançon. L'âme humaine Jésus mourut.

[9] Ainsi, l'"esprit" est différent de l'âme. C'est la force vitale qui anime chacune des cellules du corps, humain ou animal. Elle est entretenue par la respiration. Mais la Bible ne dit-elle pas qu'à la mort "la poussière retourne à la terre (...) et l'esprit retourne au vrai Dieu qui l'a donné"? (Ecclésiaste 12:7.) En effet, à la mort, la force vitale quitte peu à peu les cellules du corps et celui-ci se décompose. Cette force vitale quitte-t-elle littéralement la terre et traverse-t-elle l'espace pour aller à Dieu? Non, l'esprit retourne à Dieu en ce sens que désormais, pour la personne décédée, l'espérance de revivre dépendra entièrement de Dieu, qui seul peut lui rendre l'esprit ou vie. — Psaume 104:29, 30.

LAZARE — UN HOMME MORT DEPUIS QUATRE JOURS

[10] Ce qui arriva à Lazare, mort depuis quatre jours, nous aide à comprendre la condition des morts. Jésus avait dit à ses disciples: "Lazare, notre ami, repose, mais je vais là-bas

8. Comment savons-nous que l'âme humaine Jésus est morte?
9. Que signifie l'expression 'l'esprit retourne à Dieu qui l'a donné'?
10. Bien que Lazare fût mort, que dit Jésus à propos de sa condition?

pour le tirer du sommeil." Et les disciples de répondre: "Seigneur, s'il repose, il retrouvera la santé." Alors Jésus leur dit nettement: "Lazare est mort." Pourquoi parlait-il de sommeil quand Lazare était vraiment mort?

[11] Tandis que Jésus s'approchait du village de Lazare, il rencontra Marthe, la sœur de celui-ci. Suivis d'une foule, ils ne tardèrent pas à aller au tombeau du défunt. C'était une caverne fermée par une pierre. Jésus dit: "Otez la pierre." Comme Lazare était mort depuis quatre jours, Marthe protesta en disant: "Seigneur, il doit sentir maintenant." Mais on ôta la pierre et Jésus appela: "Lazare, viens dehors!" Et il sortit, encore enveloppé de bandelettes. "Déliez-le et laissez-le aller", dit Jésus. — Jean 11:11-44.

[12] Quelle était la condition de Lazare pendant ces quatre jours? Se trouvait-il dans les cieux? Lazare était un homme bon; pourtant, il ne dit pas qu'il était monté au ciel, ce qu'il n'aurait pas manqué de faire si tel avait été le cas. Non, Lazare était bien mort. Mais alors, pourquoi Jésus a-t-il d'abord dit à ses disciples que Lazare n'était qu'endormi?

[13] Jésus savait que Lazare était inconscient, car la Bible dit: "[Les] morts (...) ne se rendent compte de rien du tout." (Ecclésiaste 9:5). Or, il est possible de tirer une personne vivante d'un profond sommeil. Jésus allait donc démontrer que grâce au pouvoir de son Père, il réveillerait son ami Lazare de la mort.

[14] Quand on dort profondément, on ne se souvient de rien. Il en est de même pour les morts. Ils ne ressentent rien. Ils n'existent plus. Mais Dieu, au temps qu'il a fixé, ramènera à la vie ceux qu'il a rachetés (Jean 5:28). Cette perspective ne nous incite-t-elle pas à gagner la faveur divine? Et même si nous devions mourir, Dieu se souviendra de nous et nous rendra la vie. — I Thessaloniciens 4:13, 14.

---

11. Que fit Jésus pour le défunt Lazare?

12, 13. a) Quelle assurance avons-nous qu'à sa mort Lazare était inconscient? b) Pourquoi Jésus dit-il que Lazare était endormi alors qu'il était bien mort?

14. Le fait de savoir que Christ a le pouvoir de relever les morts devrait nous pousser à quoi faire?

Chapitre 9

“L’enfer” existe-t-il vraiment?

LES Eglises ont fait croire à des millions de gens qu’il existe un lieu de tourment éternel appelé “enfer”, où vont les méchants. Selon l’*Encyclopédie britannique,* “l’Eglise catholique romaine enseigne que l’enfer (...) subsistera éternellement; ses supplices n’auront pas de fin”. Et cette encyclopédie ajoute que “beaucoup de groupes protestants conservateurs sont encore attachés à cette croyance”. Pour les hindous, les bouddhistes et les musulmans, l’enfer est également un lieu de tourment. Rien d’étonnant que ceux à qui l’on a enseigné cette doctrine refusent de parler d’un tel lieu!

[2] La question suivante se pose: Le Dieu Tout-Puissant a-t-il créé un tel lieu de supplices? Que pensa Dieu des Israélites qui, imitant leurs voisins, se mirent à brûler leurs enfants dans le feu? Sa Parole nous le révèle en ces termes: “Ils ont bâti les hauts lieux de Topheth qui est dans la vallée du fils de Hinnom, pour brûler leurs fils et leurs filles dans le feu, *chose que je n’avais pas ordonnée et qui ne m’était pas montée au cœur.”* — Jérémie 7:31.

[3] Voyons, si l’idée de brûler des humains dans le feu n’était jamais venue au cœur de Dieu, est-il raisonnable de penser qu’il créa un enfer brûlant pour ceux qui ne le servent pas? La Bible dit: “Dieu est amour.” (I Jean 4:8). Un Dieu d’amour

---

1. Qu’ont enseigné les religions au sujet de l’enfer?
2. Que pensa Dieu des Israélites qui brûlèrent leurs enfants dans le feu?
3. Pourquoi est-il déraisonnable et contraire aux Ecritures de penser que Dieu tourmente les hommes?

infligera-t-il des tourments éternels aux humains? *Le feriez-vous?* Interrogeons sa Parole pour savoir si "l'enfer" est réellement un lieu de supplices.

SCHEOL ET HADES

[4] Pour désigner le lieu où vont les morts, la Bible utilise les termes "Schéol" dans les Ecritures hébraïques et "Hadès" dans les Ecritures grecques. Ces mots ont la même signification; pour nous en convaincre, lisons Psaume 16:10 et Actes 2:31. Les Actes (2:31) citent le Psaume (16:10), qui emploie le mot Schéol, lequel est rendu par Hadès dans Actes. Certains prétendent que l'Hadès est un endroit où l'on est éternellement supplicié. Or, Jésus est allé dans l'Hadès. Est-ce à dire que Dieu tourmenta Christ dans un "enfer" de feu? Evidemment non! A sa mort, Jésus alla tout simplement dans la tombe.

[5] En Genèse 37:35, nous lisons que Jacob se lamenta au sujet de son fils bien-aimé Joseph, qu'il croyait mort. Il est dit de Jacob: "Il refusait de se consoler et disait: 'Car je descendrai en deuil vers mon fils au Schéol!'" Le Schéol était-il un lieu de tourment? Jacob pensait-il que Joseph se trouvait en un tel endroit pour l'éternité, et son intention était-elle d'aller le rejoindre? Ou bien croyait-il tout simplement que son cher fils était mort et dans la tombe, et appelait-il la mort pour lui-même?

[6] Oui, les bons vont au Schéol. Considérons le cas de Job, connu pour son intégrité envers Dieu. Souffrant atrocement, il demanda à Dieu de l'aider et pria ainsi: "Ah! si tu me cachais dans le Schéol, (...) si tu me fixais un délai et te souvenais de moi!" (Job 14:13). Réfléchissons: si le Schéol est un lieu de flammes et de tourment, Job aurait-il logiquement souhaité y

---

4. a) Comment la Bible montre-t-elle que le Schéol et l'Hadès sont la même chose? b) Que montre le fait que Jésus est allé dans l'Hadès?
5, 6. Comment les révélations faites au sujet de Jacob et de son fils Joseph, ainsi que de Job, prouvent-elles que le Schéol n'est pas un lieu de tourment?

Psaume 16:10

9 C'est pourquoi mon cœur se réjouit et ma gloire est portée à être joyeuse.
De plus, ma chair même résidera en sécurité.
10 Car tu n'abandonneras pas mon âme au Schéol.
Tu ne permettras pas que ton fidèle voie la fosse.
11 Tu me feras connaître le sentier de la vie.
De l'allégresse à satiété est avec ta face;

Actes 2:31

prophète et savait que Dieu lui avait juré par serment de faire asseoir sur son trône quelqu'un [suscité] du fruit de ses reins, **31** il a vu d'avance la résurrection du Christ et en a parlé, [disant] qu'il n'a pas été abandonné à l'Hadès et que sa chair non plus n'a pas vu la corruption. **32** Ce Jésus, Dieu l'a ressuscité: ce dont nous, nous sommes tous témoins. **33** Ayant donc été élevé à la droite de Dieu et ayant reçu du Père l'esprit

Les mots "Schéol" en hébreu et "Hadès" en grec ont la même signification.

aller pour un temps, jusqu'à ce que Dieu se souvienne de lui? En termes clairs, Job désirait mourir et aller dans la tombe pour abréger ses souffrances.

[7] Lorsque le terme Schéol apparaît dans la Bible, il n'est jamais associé à la vie, à l'activité, ou aux tourments. Il est plutôt lié à la mort et à l'inactivité. En voici un exemple: "Tout ce que ta main trouve à faire, fais-le avec ta force, car il n'y a ni œuvre, ni combinaison, ni connaissance, ni sagesse dans le Schéol, le lieu où tu vas." (Ecclésiaste 9:10). Ainsi, le Schéol et l'Hadès désignent, non pas un lieu de tourment, mais la tombe commune de l'humanité (Psaume 139:8). Bons et mauvais vont au Schéol ou Hadès.

ON PEUT SORTIR DE L'ENFER

[8] Peut-on sortir du Schéol (Hadès)? Voyons le cas de Jonas. Dieu le fit engloutir par un grand poisson pour le sauver de la noyade. Du ventre de ce poisson, Jonas pria Dieu ainsi: "De ma détresse j'ai crié vers Jéhovah, et il m'a répondu. Du ventre du Schéol j'ai crié au secours. Tu as entendu ma voix." — Jonas 2:2.

[9] Pourquoi Jonas dit-il *"du ventre du Schéol"?* Le ventre du

---

7. a) Quelle est la condition de ceux qui sont dans le Schéol? b) Que sont donc le Schéol et l'Hadès?

8, 9. Alors qu'il se trouvait dans le ventre du poisson, pourquoi Jonas dit-il qu'il était dans l'enfer?

poisson n'était certes pas un lieu de tourment, mais il aurait pu devenir la tombe de Jonas. Jésus dit: "De même, en effet, que Jonas a été trois jours et trois nuits dans le ventre de l'énorme poisson, de même le Fils de l'homme sera trois jours et trois nuits dans le cœur de la terre." — Matthieu 12:40.

[10] A sa mort, Jésus demeura

10. a) Quelle preuve avons-nous que l'on peut sortir de l'enfer? b) Quelle autre preuve avons-nous que l'"enfer" désigne la "tombe"?

Après avoir été englouti par un poisson, pourquoi Jonas dit-il:
'Du ventre du Schéol j'ai crié.'

dans la tombe pendant trois jours. Mais la Bible dit: "Il n'a pas été abandonné à l'Hadès (...). Ce Jésus, Dieu l'a ressuscité." (Actes 2:31, 32). De façon similaire, Dieu releva Jonas du Schéol, ou de ce qui aurait pu être sa tombe. Il fit que le poisson vomît le prophète sur la côte. Oui, on peut sortir du Schéol! Et la Révélation (20:13) renferme cette promesse réconfortante: 'La mort et l'Hadès rendront les morts qui sont en eux.' Quelle différence entre les enseignements de la Bible sur la condition des morts et ceux des Eglises!

LA GEHENNE ET LE LAC DE FEU

[11] "Mais, dira-t-on, la Bible parle du *feu de l'enfer* et du *lac de feu.* N'est-ce pas là la preuve de l'existence d'un lieu de tourment?" Certes, quelques traductions de la Bible, comme celle de *Saci,* parlent du "feu de l'enfer" et du fait d'"être précipité dans l'enfer, dans ce feu qui brûle éternellement". (Matthieu 5:22; Marc 9:45.) Douze fois dans les Ecritures grecques, la Bible de *Saci* a rendu par "enfer" le mot grec Géhenne. La Géhenne est-elle vraiment un lieu de tourment, et l'Hadès désigne-t-il tout simplement la tombe?

[12] Clairement, les mots "Schéol", en hébreu, et "Hadès", en grec, désignent la tombe. Mais alors, qu'est-ce que la Géhenne? Dans les Ecritures hébraïques, la Géhenne est "la vallée de Hinnom". Souvenez-vous, Hinnom est le nom de la vallée située en dehors des murs de Jérusalem où les Israélites sacrifiaient

---

11. Quel mot grec, qui apparaît 12 fois dans la Bible, est traduit par "enfer" dans la Bible de *Saci?*
12. Qu'est-ce que la Géhenne, et qu'y faisait-on?

leurs enfants dans le feu. Par la suite, le bon roi Josias la rendit impropre à des pratiques aussi horribles (II Rois 23:10). Elle fut transformée en décharge publique.

[13] Au temps de Jésus, la Géhenne était le dépôt d'ordures de Jérusalem. On brûlait les détritus en y ajoutant du soufre pour entretenir le feu. Un dictionnaire donne cette explication: "L'endroit devint le dépôt d'ordures de la ville où l'on jetait le cadavre des criminels et des animaux ainsi que toutes sortes d'immondices." (*Smith's Dic-*

13. a) Au temps de Jésus, à quoi servait la Géhenne? b) Qu'est-ce qui n'a jamais été jeté dans la Géhenne?

La Géhenne était une vallée
située en dehors des murs de Jérusalem.
Elle devint le symbole
de la mort éternelle.

tionary of the Bible, tome I). Notons ceci: Aucune créature vivante n'y était jetée.

[14] Il va sans dire que les habitants de Jérusalem comprirent le sens des paroles suivantes que Jésus adressa aux mauvais chefs religieux: "Serpents, progéniture de vipères, comment pourrez-vous fuir le jugement de la Géhenne?" (Matthieu 23:33). Jésus n'entendait pas qu'ils seraient suppliciés. Quand les Israélites brûlaient leurs enfants vivants dans cette vallée, Dieu dit qu'une telle abomination ne lui était jamais venue au cœur. Il est donc clair que Jésus se servait de la Géhenne comme symbole de la destruction complète et éternelle. Il voulait dire que ces chefs religieux étaient indignes d'une résurrection. Les auditeurs de Jésus pouvaient comprendre que ceux qui iraient dans la Géhenne, tels des immondices, seraient détruits pour toujours.

[15] Qu'est-ce donc que le "lac de feu" mentionné dans la Révélation? Sa signification est semblable à celle de la Géhenne. Il désigne non pas des tourments conscients, mais la mort ou destruction éternelle. Notez ce que dit Révélation 20:14: "Et la mort et l'Hadès ont été lancés dans le lac de feu. *Ceci signifie la seconde mort: le lac de feu.*" Oui, le lac de feu signifie "la seconde mort", la mort dont on ne ressuscite pas. Evidemment, ce "lac" est un symbole, car la mort et l'enfer (Hadès) y sont jetés. La mort et l'enfer ne peuvent brûler au sens propre. Par contre, ils peuvent être et seront détruits.

[16] "Mais, dira-t-on, selon la Bible, le Diable ne doit-il pas être éternellement tourmenté dans le lac de feu?" (Révélation 20:10). Que faut-il entendre par là? Au temps de Jésus, les geôliers étaient parfois appelés "tourmenteurs", témoin cet extrait d'une parabole de Jésus: "Et son maître, s'étant mis en

---

14. Quelle preuve avons-nous que la Géhenne était le symbole de la destruction éternelle?
15. Qu'est-ce que "le lac de feu", et quelle preuve a-t-on de cela?
16. Que signifie le fait que le Diable sera éternellement tourmenté dans "le lac de feu"?

courroux, le livra aux geôliers [tourmenteurs, *Segond*, 1962 (note en bas de page)] jusqu'à ce qu'il eût rendu tout ce qu'il devait." (Matthieu 18:34). Puisque ceux qui sont lancés dans "le lac de feu" vont dans "la seconde mort" dont on ne revient pas, ils sont, pour ainsi dire, détenus par la mort ou confiés éternellement à la garde de geôliers. Bien sûr, les méchants ne sont pas tourmentés au sens propre, car celui qui meurt cesse complètement d'exister. Il est inconscient.

L'HOMME RICHE ET LAZARE

[17] Que voulait dire Jésus lorsqu'il déclara dans une parabole: "Le mendiant mourut et il fut emporté par les anges près d'Abraham, à la place dite du sein. Le riche aussi mourut et fut enterré. Et dans l'Hadès il leva les yeux, car il était dans les tourments, et il vit de loin Abraham et, auprès de lui, Lazare, à la place dite du sein." (Luc 16:19-31). Puisque l'Hadès désigne la tombe de l'humanité et non un lieu de tourment, il est clair que Jésus usait ici d'une illustration. Voici une autre preuve: Par rapport au ciel, l'enfer serait-il à portée de voix, de sorte qu'une telle conversation puisse vraiment avoir lieu? Et si le riche était dans les flammes, Abraham pourrait-il lui rafraîchir la langue en lui envoyant Lazare avec une goutte d'eau sur le bout du doigt? Qu'entendait Jésus par ce langage figuré?

[18] L'homme riche de la parabole représente les chefs religieux méprisants qui rejetèrent et tuèrent Jésus. Lazare figure le commun peuple qui accepta le Fils de Dieu. La mort des deux signifie un changement de condition. Celui-ci eut lieu lorsque Jésus combla les besoins spirituels de la classe de Lazare, de sorte qu'elle obtint la faveur de Jéhovah, le Grand

---

17. Comment savons-nous que les paroles de Jésus à propos du riche et de Lazare sont à prendre au sens figuré?

18. Dans la parabole de Jésus, que signifie a) l'homme riche? b) Lazare? c) la mort de chacun? d) les tourments de l'homme riche?

Abraham. Dans le même temps, les chefs de la fausse religion 'moururent' en ce sens que Dieu les rejeta. Ils furent tourmentés quand les disciples du Christ dénoncèrent leurs œuvres mauvaises (Actes 7:51-57). Ainsi, cette parabole n'enseigne pas que certains morts sont tourmentés dans un enfer de feu.

DES ENSEIGNEMENTS DIABOLIQUES

[19] C'est le Diable qui dit à Eve: "Assurément vous ne mourrez pas." (Genèse 3:4; Révélation 12:9). Or, elle mourut; rien en elle ne survécut. La croyance en la survie de l'âme après la mort est un mensonge diabolique, tout comme la doctrine des tourments infligés aux âmes des méchants soit en enfer ou au purgatoire. La Bible établit que les morts sont inconscients; ces dogmes sont donc sans fondement. En fait, ni le mot "purgatoire" ni même la notion du "purgatoire" ne figurent dans la Bible.

[20] Récapitulons: Le Schéol ou Hadès est un lieu de repos pour les morts. Les bons comme les mauvais y vont en attendant la résurrection. La Géhenne n'est pas un lieu de tourment; la Bible l'utilise comme un symbole de destruction éternelle. Pareillement, "le lac de feu" n'est pas un lieu de flammes; il désigne "la seconde mort" pour laquelle il n'y a pas de résurrection. Ce ne peut être un lieu de tourment, car une telle idée n'est jamais venue au cœur de Dieu. En outre, tourmenter *éternellement* un individu parce qu'il a fait le mal pendant *quelques années* est contraire à la justice. Quel réconfort de connaître la vérité au sujet des morts! Cela nous libère de la crainte et de la superstition. — Jean 8:32.

---

19. a) Quel mensonge le Diable a-t-il répandu? b) Pourquoi pouvons-nous être certains que la doctrine du purgatoire est fausse?
20. a) Qu'avons-nous appris dans ce chapitre? b) Quel effet a sur nous cette connaissance?

Chapitre 10

Les esprits méchants sont puissants

IL EST des gens qui affirment avoir parlé avec des morts. Le défunt James Pike, évêque épiscopalien, parlait, selon lui, avec son fils, décédé, qui lui aurait dit: “Il y a des tas de gens autour de moi, c’est comme si des mains me soulevaient. (...) J’étais malheureux tant que je ne pouvais entrer en rapport avec toi.”

[2] De tels phénomènes étant communs, il est certain que ces gens ont parlé avec *quelqu’un* du monde spirituel. *Mais ils n’ont pas communiqué avec les morts.* La Bible dit: “Quant aux morts, *ils ne se rendent compte de rien du tout.*” (Ecclésiaste 9:5). Or, si ce ne sont pas les défunts qui parlent depuis le monde spirituel, qui est-ce? Qui prend leur place?

[3] Ce sont les esprits méchants, les démons ou anges qui se joignirent à Satan dans sa rébellion contre Dieu. Pourquoi prennent-ils la place des morts? Pour faire croire qu’ils existent encore. Ces esprits ont dupé beaucoup de gens en les amenant à penser que la mort n’est qu’un changement pour une autre vie. Ils répandent ce mensonge au moyen de médiums, de devins et de sorciers auxquels ils transmettent des messages qui *semblent* émaner des défunts.

UN ESPRIT DIT ETRE LE DEFUNT SAMUEL

[4] La Bible cite le cas où un esprit mauvais prétendit être Samuel, défunt prophète de Dieu. C’était en la quarantième année du règne de Saül. La puissante armée philistine faisait

1. Pourquoi beaucoup de gens croient-ils qu’ils peuvent parler avec les morts?
2. a) Pourquoi ne peut-on pas parler avec les morts? b) Quelle question cela soulève-t-il?
3. a) Qui prend la place des morts, et pourquoi? b) A qui les esprits méchants transmettent-ils souvent leurs messages?
4. a) Pourquoi le roi Saül cherchait-il désespérément de l’aide? b) Quelle était la loi de Dieu relativement aux médiums et à ceux qui prédisent les événements?

Avec qui
le médium d'En-Dor
entra-t-il en contact?

la guerre à Israël, et Saül était dans l'angoisse. Il n'ignorait pas cette loi divine: "Ne vous tournez pas vers les médiums et ne consultez pas ceux qui font métier de prédire les événements, pour devenir impurs par eux." (Lévitique 19:31). Mais Saül finit par se détourner de Jéhovah. Aussi, Samuel, qui vivait encore, cessa-t-il toute relation avec lui (I Samuel 15:35). Or, en cette situation critique, Saül s'affolait parce que Jéhovah lui refusait son soutien.

[5] Dans son ardent désir de connaître l'avenir, Saül alla consulter un médium à En-Dor. Cette femme réussit à évoquer une forme humaine. Selon la description qu'elle en fit, Saül identifia cette forme à "Samuel". Alors, l'esprit qui disait être Samuel déclara: "Pourquoi m'as-tu troublé, en me faisant monter?" Et Saül de répondre: "Je suis dans une situation angoissante, car les Philistins combattent contre moi." Et l'esprit répliqua: "Pourquoi donc m'interroges-tu, quand Jéhovah s'est retiré de toi et qu'il se révèle être ton adversaire?" Puis, cet esprit mauvais annonça au roi qu'il perdrait la vie dans la bataille contre les Philistins. — I Samuel 28:3-19.

[6] De toute évidence, ce n'était pas Samuel que le médium

5. a) Où Saül rechercha-t-il de l'aide? b) Que réussit à faire le médium?
6. Pourquoi Samuel ne pouvait-il pas parler avec Saül?

avait évoqué. Samuel était mort, et à sa mort l'homme "retourne à son sol; *en ce jour-là périssent ses pensées*". (Psaume 146:4.) Voyons, la voix ne pouvait être celle du défunt Samuel. En sa qualité de prophète de Dieu, il s'était opposé aux médiums. Et, de son vivant, il avait cessé toute relation avec le rebelle Saül. Par conséquent, s'il était toujours en vie, allait-il accepter qu'un médium lui ménage une entrevue avec Saül? N'oublions pas que Jéhovah avait refusé de répondre à Saül. Dieu allait-il se laisser abuser par un médium qui transmettrait un message à Saül par le moyen du défunt Samuel? Si les vivants pouvaient vraiment communiquer avec leurs chers disparus, un Dieu d'amour ne les déclarerait pas "impurs" pour avoir eu recours à un médium.

Les fils de Dieu remarquèrent les filles des hommes.

[7] Le fait est que les esprits méchants cherchent à nuire aux hommes; aussi Jéhovah donne-t-il des avertissements pour protéger ses serviteurs. La mise en garde suivante faite à Israël nous donnera une idée des méthodes employées par les démons pour abuser les hommes: "On ne devra trouver chez toi personne (...) qui emploie la divination, ni magicien, ni quelqu'un qui cherche des présages, ni sorcier, ni celui qui ensorcelle autrui par un sortilège, ni quelqu'un qui consulte un médium, ni individu faisant métier de prédire les événements, *ni quelqu'un qui interroge les morts.* Car quiconque fait ces choses est quelque chose de *détestable* pour Jéhovah." (Deutéronome 18:10-12). En quoi ces esprits sont-ils nuisibles aujourd'hui, et comment faire pour s'en protéger? Voyons d'abord quand et comment les esprits mauvais ont fait leur apparition.

---

7. Quelle mise en garde Dieu a-t-il donnée pour protéger son peuple contre les esprits méchants?

DES ANGES SE FONT ESPRITS MAUVAIS

[8] En dupant Eve dans le jardin d'Eden, un ange se fit Satan le Diable. Il chercha ensuite à amener d'autres anges à se tourner contre Dieu. Il finit par réussir. Des anges abandonnèrent la tâche que Dieu leur avait assignée dans le ciel et vinrent sur la terre, prenant une forme humaine. Le disciple chrétien Jude y fait allusion quand il parle des "anges qui n'ont pas gardé leur position originelle, mais ont abandonné leur propre demeure". (Jude 6.) Pourquoi vinrent-ils sur la terre? Quel mauvais désir Satan mit-il dans leur cœur pour les inciter à quitter l'excellente position qu'ils occupaient dans les cieux?

[9] La Bible répond ainsi: "Les fils du vrai Dieu remarquèrent alors les filles des hommes, qu'elles étaient belles; et ils se mirent à prendre pour eux des femmes, c'est-à-dire toutes celles qu'ils choisirent." (Genèse 6:2). Oui, des anges ont revêtu des corps charnels pour avoir des relations intimes avec des femmes. C'était un acte de désobéissance. Selon la Bible, ce qu'ils firent était aussi détestable que l'homosexualité pratiquée à Sodome et Gomorrhe (Jude 6, 7). Quelles en furent les conséquences?

---

8. a) Qui Satan amena-t-il également à se rebeller contre Dieu? b) Après avoir cessé leur activité dans le ciel, où sont-ils allés?

9. a) Pourquoi les anges sont-ils venus sur terre? b) Comment la Bible montre-t-elle que ce qu'ils firent était mal?

Les anges matérialisés
ne périrent pas noyés.
Quittant leur corps humain,
ils retournèrent au ciel.

[10] De ces unions entre anges et femmes naquirent des enfants qui, en grandissant, devinrent des géants, oui, des géants méchants. La Bible les appelle “les puissants du temps jadis, les hommes de renom”. Ils voulaient rendre tous les hommes aussi méchants qu’eux. En conséquence, “la malice de l’homme était abondante sur la terre et (...) toute inclination des pensées de son cœur n’était toujours que mauvaise”. (Genèse 6:4, 5.) Alors, Jéhovah fit venir un déluge. Les géants ou “Néphilim” et tous les méchants périrent noyés. Mais qu’advint-il des anges qui étaient descendus sur la terre?

[11] Ils ne périrent pas. Quittant leur corps humain, ils retournèrent au ciel comme créatures spirituelles. Mais ils ne furent plus admis dans l’organisation des saints anges. La Bible dit que Dieu “ne s’est pas retenu de châtier les anges qui avaient péché, mais, les jetant dans le Tartare, les a livrés

---

10, 11. a) Quels enfants les anges ont-ils eus? b) Qu’arriva-t-il aux géants lors du déluge? c) Qu’arriva-t-il aux anges lors du déluge?

à des fosses d'obscurité épaisse, afin d'être réservés pour le jugement". — II Pierre 2:4.

[12] Ces anges méchants n'ont pas été jetés dans une vraie fosse appelée Tartare. Le Tartare, que des Bibles traduisent à tort par "enfer", désigne un état d'abaissement. Ces anges ont été privés de la lumière spirituelle de l'organisation divine; la destruction éternelle les attend (Jacques 2:19; Jude 6). Depuis le déluge, Dieu a interdit aux démons de revêtir un corps charnel, aussi ne peuvent-ils plus assouvir leurs désirs sexuels contre nature. Ils n'en exercent pas moins un pouvoir dangereux sur les humains. En fait, aidé de ces démons, Satan "égare la terre habitée tout entière". (Révélation 12:9.) Le redoublement des crimes sexuels, de la violence, etc., souligne la nécessité d'être sur ses gardes pour ne pas se laisser abuser par eux.

LES MANŒUVRES DES ESPRITS MECHANTS

[13] Satan, "le dieu de ce système de choses", se sert des gouvernements et de la fausse religion pour cacher les vérités bibliques aux hommes (II Corinthiens 4:4). Mais le spiritisme est un autre moyen important employé par les esprits méchants pour égarer l'humanité. Le spiritisme, c'est l'art de communiquer avec des esprits méchants, soit directement ou au moyen d'un médium. Cette pratique place l'individu sous l'influence des démons. La Bible recommande de se garder de toutes les formes de spiritisme. — Galates 5:19-21; Révélation 21:8.

[14] La divination est une forme très courante du spiritisme. C'est l'art de découvrir l'avenir ou ce qui est caché au moyen des esprits invisibles. Ainsi le confirme Luc: "Une certaine servante qui avait un esprit, un démon de divination, est venue au-devant de nous. Elle procurait un grand gain à ses

---

12. a) Qu'arriva-t-il aux anges méchants lorsqu'ils retournèrent au ciel? b) Pourquoi leur est-il interdit de revêtir un corps charnel? c) Que font-ils donc maintenant?

13. a) Comment les esprits méchants égarent-ils les hommes? b) Qu'est-ce que le spiritisme, et que dit la Bible à ce sujet?

14. a) Qu'est-ce que la divination? b) Qu'en dit la Bible?

maîtres en exerçant l'art de la prédiction." L'apôtre Paul délivra la jeune fille du pouvoir de cet esprit méchant et elle cessa de prédire l'avenir. — Actes 16:16-19.

[15] Le mystère qui entoure le spiritisme fascine beaucoup de gens. D'où leur engouement pour la sorcellerie, le vaudou, l'hypnotisme, la magie, l'astrologie, les planchettes oui-ja, etc. D'où encore leur intérêt pour les livres spécialisés, les films et les programmes de télévision qui portent sur cette question et pour les séances de spiritisme. Mais telle n'est pas la voie de la sagesse pour celui qui désire servir le vrai Dieu. Cela n'est pas non plus sans danger. Rien d'étonnant donc que Dieu réprouve tous ceux qui pratiquent le spiritisme. — Révélation 22:15.

[16] Même en se gardant du spiritisme, on n'est pas à l'abri des attaques des esprits méchants. Jésus Christ lui-même n'a-t-il pas entendu la voix du Diable, qui tenta de lui faire transgresser la loi divine (Matthieu 4:8, 9)? D'autres serviteurs de Dieu ont ainsi été agressés. L'apôtre Paul dit: "Pour nous la lutte (...) [est] contre les forces spirituelles méchantes qui sont dans les lieux célestes." Voilà pourquoi tout serviteur de Dieu doit revêtir 'l'armure complète de Dieu, pour résister'. — Ephésiens 6:11-13.

RESISTONS AUX ESPRITS MECHANTS

[17] Que faire si l'on entend une "voix" de l'au-delà? Et si cette "voix" dit être un parent défunt ou un esprit bienfaisant? Que fit Jésus lorsque le "chef des démons" lui parla (Matthieu 9:34)? Il dit: "Va-t'en, Satan!" (Matthieu 4:10). Faites de même, et appelez Jéhovah à l'aide. Priez à haute voix et prononcez le nom de Dieu. Souvenez-vous qu'il est de loin plus puissant que les esprits méchants. Suivez ces sages conseils. N'écoutez pas ces voix qui viennent de l'au-delà

---

15. a) Quelles sont quelques-unes des pratiques liées au spiritisme? b) Pourquoi ces pratiques sont-elles dangereuses?
16. Comment la Bible montre-t-elle que les chrétiens doivent lutter contre les esprits méchants?
17. Que devez-vous faire si une "voix" de l'au-delà vous parle?

La Bible dit: 'Gardez-vous de toutes les formes de spiritisme.'

(Proverbes 18:10; Jacques 4:7). Mais n'en déduisez pas que quiconque entend des "voix" est en rapport avec les démons. Ce phénomène est parfois lié à la maladie physique ou mentale.

[18] Il se peut que vous ayez autrefois pratiqué le spiritisme et que vous souhaitiez maintenant vous en affranchir. Que faire? Considérez l'exemple des premiers chrétiens d'Ephèse. La Bible nous dit qu'après avoir accepté la "parole de Jéhovah" prêchée par l'apôtre Paul, "un assez grand nombre de ceux qui exerçaient les arts magiques mirent en tas leurs livres et

---

18. Quel exemple donné par les premiers chrétiens d'Ephèse est-il bien de suivre lorsqu'on veut rompre avec le spiritisme?

Les Ephésiens devenus chrétiens brûlèrent leurs livres de magie. Quel bel exemple pour nous!

les brûlèrent devant tout le monde”. Ces ouvrages valaient 50 000 pièces d’argent (Actes 19:19, 20)! Suivez leur exemple; détruisez tout objet de valeur ou non ayant quelque rapport avec le spiritisme.

[19] En raison de l’intérêt accru pour les phénomènes étranges et mystérieux, de plus en plus de gens se mêlent de spiritisme. Mais la plupart d’entre eux ignorent qu’ils communiquent en réalité avec les esprits méchants. Il ne s’agit pas d’un jeu innocent. Les esprits méchants ont le pouvoir de faire du mal. Ils sont malveillants. Et avant que Christ ne les détruise pour toujours, ils s’acharnent à asservir les hommes (Matthieu 8:28, 29). Si vous voulez vivre éternellement dans le bonheur sur la terre débarrassée de la méchanceté, il faut vous garder de toute forme de spiritisme.

19. a) Qu’ignorent les personnes qui se mêlent de spiritisme? b) Si nous voulons vivre éternellement dans le bonheur sur la terre, que devons-nous faire?

Chapitre 11

Pourquoi Dieu a-t-il permis la méchanceté?

PARTOUT dans le monde, il y a des meurtres, des haines et des troubles. L'innocent en est souvent la victime. Certains blâment Dieu, disant: "Si Dieu existe, pourquoi tolère-t-il la méchanceté?"

[2] Mais qui fait le mal? Ce sont les *hommes* et non Dieu. En fait, les humains s'épargneraient bien des souffrances s'ils obéissaient aux lois divines. Dieu nous ordonne d'aimer. Il proscrit le meurtre, le vol, la fornication, l'avidité, l'ivrognerie et autres actes mauvais qui sont cause de souffrances (Romains 13:9; Ephésiens 5:3, 18). Dieu dota Adam et Eve d'un cerveau et d'un corps parfaits ainsi que de la faculté de jouir pleinement de la vie. Il ne souhaitait pas que ce couple et ses enfants soient malheureux.

[3] C'est Satan le Diable qui est à l'origine de la méchanceté. Mais Adam et Eve n'en sont pas moins à blâmer. Ils étaient à même de résister au Diable lorsqu'il les tenta. A l'exemple de l'homme parfait Jésus, ils auraient pu lui dire: "Va-t'en!" (Matthieu 4:10). Mais ils ne l'ont pas fait. Ils devinrent donc imparfaits. Tous leurs enfants, nous y compris, héritèrent de cette imperfection qui engendra la maladie, le chagrin et la mort (Romains 5:12). Mais pourquoi Dieu a-t-il toléré la souffrance?

---

1. a) Quelle est la situation aujourd'hui? b) Quelle accusation certains portent-ils?
2. a) Qui fait le mal? b) Comment les hommes pourraient-ils s'épargner des souffrances?
3. a) Qui est à l'origine de la méchanceté? b) Qu'est-ce qui montre qu'Adam et Eve auraient pu résister aux tentations du Diable?

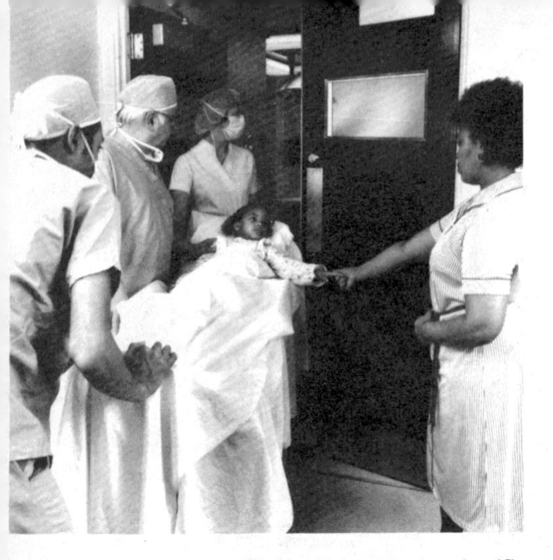

Avec raison,
une mère permettra
que son enfant subisse
une opération pénible.
Dieu a aussi de bonnes
raisons de permettre
que les hommes
souffrent temporaireme

[4] On dira peut-être que rien ne justifie pareille tolérance de la méchanceté pendant des siècles. Mais est-ce bien raisonnable? Des parents pleins d'amour ne vont-ils pas permettre que leur enfant subisse une opération pénible qui corrigera une infirmité? Certainement, et en permettant cette souffrance temporaire, ils aideront leur enfant à jouir d'une meilleure santé par la suite. De quelle utilité a été la permission du mal par Dieu?

UNE IMPORTANTE QUESTION A REGLER

[5] La rébellion contre Dieu en Eden souleva une question importante qu'il convient d'examiner pour bien comprendre la permission du mal par Dieu. Jéhovah dit à Adam de ne pas manger d'un certain arbre du jardin. S'il en mangeait, qu'arriverait-il? Dieu déclara: "Tu mourras à coup sûr." (Genèse 2:17). Mais Satan soutint le contraire. Il incita Eve à manger de cet arbre défendu. "Assurément *vous ne mourrez pas*", dit-il. Et il ajouta: "Car Dieu sait que, le jour même où

4. Qu'est-ce qui nous aide à comprendre la permission temporaire par Dieu de la méchanceté?
5. a) Comment Satan contredit-il Dieu? b) Que promit Satan à Eve?

vous en mangerez, vos yeux s'ouvriront à coup sûr et qu'à coup sûr vous serez comme Dieu, connaissant le bon et le mauvais." — Genèse 3:1-5.

[6] Eve désobéit à Dieu, parce qu'elle crut Satan. Elle pensait tirer profit de sa désobéissance. Plus jamais, croyait-elle, Adam et elle ne devraient rendre compte au Créateur ni se soumettre à ses lois. Ils décideraient par eux-mêmes de ce qui est "bon" et "mauvais". Adam suivit Eve et mangea du fruit défendu. La *Bible de Jérusalem* fait ce commentaire (note en bas de page) à propos du péché originel de l'homme contre Dieu: "C'est la faculté de décider soi-même ce qui est bien et mal et d'agir en conséquence, une revendication d'autonomie morale. (...) Le premier péché a été un attentat à la souveraineté de Dieu." Autrement dit, c'était un attentat au droit de Dieu d'être le chef absolu de l'homme.

En mangeant du fruit défendu, Adam et Eve se sont soustraits à la domination de Dieu. Ils se sont mis à décider de ce qui est bon ou mauvais.

[7] Ainsi, en mangeant du fruit défendu, Adam et Eve se sont soustraits à la domination de Dieu. Devenus indépendants, ils décidèrent de ce qui est "bon" ou "mauvais". Une question capitale se posait donc: *Dieu a-t-il le droit d'être le chef absolu de l'humanité?* Autrement dit, est-ce à Dieu de décider ce qui est bon et mauvais pour l'homme? Est-ce à lui de définir la bonne et

6. a) Pourquoi Eve désobéit-elle à Dieu? b) Que signifiait le fait de manger du fruit de l'arbre défendu?
7. a) La désobéissance de l'homme souleva quelle question? b) A quelles questions convient-il de répondre en rapport avec cette contestation?

la mauvaise conduite? Ou bien les hommes sont-ils mieux à même de se gouverner? Invisiblement conduits par Satan, sont-ils aptes à gouverner avec succès, indépendamment de Dieu? Ou bien la direction de Dieu est-elle nécessaire à l'établissement d'un gouvernement juste qui fera régner éternellement la paix sur la terre? Voilà les questions qui furent soulevées dans cet attentat à la souveraineté de Dieu, la légitimité de son droit à être le chef absolu de l'humanité.

[8] Certes, Jéhovah aurait pu exterminer les trois rebelles sur-le-champ. La supériorité de sa puissance comparée à la leur ne faisait aucun doute. Mais les détruire était-il la meilleure façon de trancher la contestation? Cela n'aurait pas répondu à la question de savoir si les humains sont aptes à se gouverner avec succès, indépendamment de Dieu. Jéhovah fixa donc un délai pour le règlement de l'importante question en jeu.

LE REGLEMENT DE LA QUESTION SOULEVEE

[9] Qu'a démontré le temps écoulé à propos de la question soulevée? Les 6 000 ans d'Histoire ont-ils prouvé que les humains se sont gouvernés avec succès, sans la direction divine? Les hommes ont-ils établi de bons gouvernements pour le bonheur de tous? Ou bien l'Histoire atteste-t-elle la véracité des paroles suivantes du prophète Jérémie: "Il n'appartient pas à l'homme qui marche de diriger son pas." — Jérémie 10:23.

[10] Au fil des siècles, les hommes ont essayé toutes les formes de gouvernement, mais aucun n'a apporté la sécurité et le vrai bonheur. Des progrès ont pourtant été réalisés, diront certains. Mais peut-on parler de progrès quand l'arc et la flèche ont été remplacés par la bombe atomique, et que le monde vit dans l'angoisse d'une autre guerre universelle? Certes, les hommes vont sur la lune, mais ils sont incapables de vivre en paix sur la terre. A quoi leur sert-il de bâtir des maisons équipées de toutes les commodités, si les familles qui

---

8. Pourquoi Jéhovah ne détruisit-il pas les rebelles sur-le-champ?
9, 10. Qu'ont démontré les efforts faits par les hommes pour se gouverner eux-mêmes indépendamment de Dieu?

les habitent se déchirent? Y a-t-il de quoi se vanter des guerres et des émeutes, des pertes en vies et en biens dues à l'accroissement de l'iniquité? Certes non! Pourtant, tels sont les fruits produits par les gouvernements qui prétendent pouvoir se passer de Dieu. — Proverbes 19:3.

[11] Rendons-nous à l'évidence. Les efforts de l'homme pour se gouverner indépendamment de Dieu ont lamentablement échoué. Ils ont plongé l'humanité dans le malheur. "L'homme domine l'homme à son détriment", dit l'Ecclésiaste (8:9). Franchement, les hommes ne peuvent se gouverner sans la direction divine. Dieu a mis en l'homme le besoin de manger et de boire, mais aussi celui d'obéir à ses lois. Si ce dernier n'en tient pas compte, il se trouvera en difficulté tout aussi

11. De toute évidence, de quoi les hommes ont-ils besoin?

L'homme a en lui
le besoin de manger et de boire,
mais aussi celui d'être
guidé par Dieu.

sûrement que s'il négligeait de boire ou de manger. — Proverbes 3:5, 6.

POURQUOI ATTENDRE SI LONGTEMPS?

[12] "Mais, dira-t-on, pourquoi Dieu a-t-il attendu environ 6 000 ans pour trancher cette question? N'était-il pas possible de la régler plus tôt?" Si Dieu était intervenu dans le passé, on aurait pu l'accuser de n'avoir pas permis aux humains de faire l'expérience du pouvoir. Ainsi, les hommes ont eu tout le temps d'élaborer un système de gouvernement capable de combler les besoins de ses sujets, et de faire les découvertes scientifiques qui pourraient contribuer à la prospérité de tous. Ils ont essayé toutes les formes de gouvernement et leurs progrès dans le domaine scientifique ont été remarquables. Ils ont maîtrisé l'atome et sont allés sur la lune. Mais ces réalisations ont-elles favorisé l'élaboration d'un système nouveau qui a rendu les hommes heureux?

[13] Loin de là! A-t-on jamais vu autant de détresse qu'aujourd'hui? Le crime, la pollution, les guerres, les foyers brisés ont augmenté au point que de l'avis des savants l'existence même de l'homme est menacée. Oui, après environ 6 000 ans d'autonomie et bien que des sommets aient été atteints par la science, l'humanité est sur le point de se détruire elle-même. A l'évidence, les hommes sont incapables de se gouverner sans Dieu! Peut-on reprocher à Dieu de n'avoir pas laissé assez de temps pour trancher la contestation? Non.

[14] A coup sûr, Dieu était fondé à permettre aux hommes gouvernés par Satan de faire régner le mal depuis si longtemps. Par sa rébellion, Satan a soulevé une autre question dont le règlement exige également un délai. L'examen de cette question jettera une lumière nouvelle sur la permission du mal par Dieu. Ce sujet devrait retenir toute votre attention, car il vous touche personnellement.

---

12. Pourquoi Dieu a-t-il laissé s'écouler autant de temps avant de trancher cette question?
13. a) En dépit des progrès scientifiques humains, quelle est la situation aujourd'hui? b) Qu'est-ce que cela prouve?
14. Pourquoi sommes-nous encouragés à examiner l'autre question capitale soulevée par Satan?

Chapitre 12

Une question vitale qui vous concerne

VOTRE mode de vie revêt une importance capitale. Il peut avoir des conséquences heureuses ou fâcheuses. En fait, il décidera de votre avenir: soit passer avec le présent monde, soit y survivre et entrer dans l'ordre nouveau et juste de Dieu, où vous vivrez éternellement. — I Jean 2:17; II Pierre 3:13.

2 Mais vous n'êtes pas le seul concerné. Votre mode de vie a également un effet sur d'autres personnes. Par exemple, votre conduite peut honorer ou couvrir de honte vos parents. La Bible dit: "Un fils sage, voilà celui qui réjouit un père, et un fils stupide est le chagrin de sa mère." (Proverbes 10:1). Plus important encore: votre manière de vivre rejaillit sur Jéhovah Dieu. Elle peut le réjouir ou l'attrister. Pourquoi? En raison d'une question vitale qui vous concerne.

LES HOMMES SERONT-ILS FIDELES A DIEU?

3 Telle fut la question soulevée par Satan le Diable. C'était au temps où il amena Adam et Eve à transgresser la loi divine et à se joindre ainsi à lui dans la rébellion contre Dieu (Genèse 3:1-6). Satan se crut alors fondé à lancer ce défi à Jéhovah: 'Les hommes te servent uniquement par intérêt. Laisse-moi faire et je les détournerai de toi.' Certes, ces paroles n'apparaissent pas textuellement dans la Bible, mais il est clair que Satan tint à peu près ce langage à Dieu. C'est ce qui ressort du livre biblique de Job.

4 Job vécut des siècles après la rébellion en Eden. C'était

1, 2. a) Pourquoi votre mode de vie est-il vraiment important pour vous? b) Pour qui d'autre est-il également important, et pourquoi?

3. Quel défi Satan lança-t-il à Jéhovah?

4, 5. a) Qui était Job? b) Que se passa-t-il dans les cieux au temps de Job?

Job releva le défi de Satan selon lequel aucun humain ne resterait fidèle à Dieu dans l'épreuve.

un serviteur de Dieu juste et fidèle. Mais la fidélité de Job avait-elle de l'importance pour Dieu ou pour Satan? Oui, selon la Bible. On y lit que le jour vint où Satan se présenta devant Jéhovah, dans les cours célestes. Notez quel fut l'objet de leur conversation:

[5] "Or le jour vint où les fils du vrai Dieu entrèrent pour se placer devant Jéhovah, et même Satan entra au beau milieu d'eux. Alors Jéhovah dit à Satan: 'D'où viens-tu?' Et Satan répondit à Jéhovah et dit: 'D'errer çà et là sur la terre et d'y circuler.' Puis Jéhovah dit à Satan: 'As-tu fixé ton cœur sur mon serviteur Job, qu'il n'y a personne comme lui sur la terre, un homme irréprochable et droit, craignant Dieu et s'écartant du mal?'" — Job 1:6-8.

[6] Pourquoi Jéhovah dit-il à Satan que Job était un homme droit? Parce que la fidélité de Job à Jéhovah avait été mise en cause. Analysons la question de Jéhovah: "D'où viens-tu?", et la réponse de Satan: "D'errer çà et là sur la terre et d'y circuler." Elles indiquent que Jéhovah accordait à Satan toute liberté pour mettre son plan à exécution, savoir détourner les hommes de Dieu. Mais que répondit Satan à la question de Jéhovah sur la fidélité de Job?

[7] "Et Satan répondit à Jéhovah et dit: 'Est-ce pour rien que Job a craint Dieu? N'as-tu pas dressé une haie autour de lui, et autour de sa maison, et autour de tout ce qui est à lui, à la ronde? L'œuvre de ses mains, tu l'as bénie, et son cheptel s'est répandu sur la terre. Mais, pour changer, avance ta main, s'il te plaît, et touche à tout ce qui est à lui, et vois s'il ne te maudit pas à ta face.'" — Job 1:9-11.

[8] Satan invoquait un prétexte à la fidélité de Job envers Dieu. 'Job te sert, dit-il, pour tout ce que tu lui as donné et non par amour pour toi.' Il reprocha aussi à Jéhovah d'utiliser

---

6. Selon la Bible, quelle était la situation au temps de Job?
7, 8. a) Selon Satan, pourquoi Job servait-il Dieu? b) Que fit Jéhovah pour régler cette question?

injustement sa grande puissance. 'Tu l'as toujours protégé', lui dit-il. Aussi, pour régler la question, Jéhovah répondit: "Voici, tout ce qui est à lui est en ta main. Seulement n'avance pas ta main contre lui!" — Job 1:12.

[9] Aussitôt Satan plonge Job dans le malheur. Il frappe ses troupeaux: les bêtes sont soit tuées ou volées. Puis il précipite dans la mort ses dix enfants. Job a presque tout perdu, mais il reste fidèle à Jéhovah. Il n'a pas maudit Dieu (Job 1:2, 13-22). Mais Satan n'en reste pas là.

[10] Satan se présente de nouveau avec les autres anges devant Jéhovah, et celui-ci lui demande s'il a remarqué la fidélité de Job. Il dit: "Jusqu'à présent il tient ferme son intégrité." Satan répond: "Peau pour peau, et tout ce qu'un homme a, il le donnera pour son âme. Pour changer, avance ta main, s'il te plaît, et touche jusqu'à son os et à sa chair, et vois s'il ne te maudit pas à ta face." — Job 2:1-5.

[11] Jéhovah donne à Satan pouvoir sur Job, mais lui dit: 'Tu ne le feras pas mourir.' (Job 2:6). Alors Satan frappe Job d'une terrible maladie. Ses souffrances sont telles qu'il demande à mourir (Job 2:7; 14:13, 14). Sa propre femme se retourne contre lui, disant: "Maudis Dieu et meurs!" (Job 2:9). Job rejette son conseil. "Jusqu'à ce que j'expire, je ne me dessaisirai pas de mon intégrité!", dit-il (Job 27:5). Job demeura fidèle à Dieu. Ainsi fut-il démontré que Satan s'était trompé en prétendant que le patriarche servait Dieu par intérêt et non par amour. Il fut également prouvé que Satan est incapable de détourner tous les hommes de Dieu.

[12] La fidélité de Job procura-t-elle du plaisir à Jéhovah? Certainement! La Parole de Dieu dit: "Sois sage, mon fils, et

---

9. Comment Satan frappe-t-il Job, et quel en est le résultat?
10. Qu'est-ce qui montre que Satan ne renonce pas?
11. a) Quelles autres épreuves Satan inflige-t-il à Job? b) Quelle fut l'issue de cette affaire?
12. a) Quelle réponse au défi de Satan Job fournit-il à Dieu? b) Que prouve la fidélité de Jésus à Dieu?

réjouis mon cœur, pour que je puisse répondre à celui qui me provoque.” (Proverbes 27:11). C’est Satan qui provoque Jéhovah. Par son intégrité, Job réjouit le cœur de Dieu. Il lui fournit une réponse au défi de l’orgueilleux Satan, défi selon lequel aucun humain ne servirait Dieu dans l’épreuve. Nombreux sont ceux qui ont ainsi démenti Satan. Le plus grand de tous fut l’homme parfait Jésus. Il resta fidèle à Dieu en dépit de toutes les épreuves qu’il eut à subir. Cela prouve que l’homme parfait Adam aurait pu faire de même s’il l’avait voulu, et que Dieu n’a pas été injuste en exigeant que l’homme lui soit totalement fidèle.

QUELLE EST VOTRE POSITION?

[13] Que dire de votre mode de vie? Il est d’une grande importance. Que vous en soyez ou non conscient, par votre conduite vous soutenez soit Dieu, soit Satan. Jéhovah s’intéresse à vous; il désire que vous le serviez et viviez éternellement dans le paradis terrestre (Jean 3:16). La rébellion des Israélites attrista Dieu (Psaume 78:40, 41). Votre mode de vie réjouit-il Dieu ou bien l’attriste-t-il? Il va de soi que pour réjouir Dieu, il faut d’abord apprendre ses lois et les observer.

[14] L’un des principaux objectifs de Satan est d’amener les hommes à transgresser les lois divines qui régissent l’usage des facultés reproductrices, le mariage et la vie de famille. Ces lois interdisent les relations sexuelles entre personnes non mariées et avec quelqu’un d’autre que son conjoint (I Thessaloniciens 4:3-8; Hébreux 13:4). La violation de ces lois a souvent eu pour conséquence des naissances non désirées et des avortements. Ajoutons à cela que bon nombre de fornicateurs contractent des maladies vénériennes qui peuvent

---

13. a) En quoi votre mode de vie est-il concerné par cette affaire? b) Comment pouvons-nous réjouir ou attrister Dieu?
14. a) Pour ce qui est des relations sexuelles, à quelles lois devons-nous obéir pour réjouir Dieu? b) Pourquoi la violation de ces lois est-elle un crime?

porter préjudice à leurs futurs enfants. Avoir des relations intimes avec quelqu'un d'autre que son conjoint est un acte d'infidélité, un crime contre Dieu. Job dit: "Si mon cœur fut séduit par une femme, si j'ai épié à la porte de mon prochain, (...) j'aurais commis là une atrocité, un crime passible de justice." — Job 31:1, 9, 11, *Bible de Jérusalem.*

[15] Rien d'étonnant que le monde gouverné par Satan trouve normales les relations intimes entre personnes non mariées. Cela fait le jeu de Satan. Pour réjouir Dieu, il faut 'fuir la fornication'. (I Corinthiens 6:18.) Certes, il n'est pas toujours aisé d'être fidèle à Dieu, témoin le cas de Job. Néanmoins, il est *sage* d'obéir aux lois divines. Si vous le faites, vous serez plus heureux dès maintenant, mais avant tout, vous prendrez position pour Dieu et le réjouirez. En retour, il vous accordera la vie éternelle dans le bonheur sur la terre.

[16] Oui, Satan réussit à dépouiller Job et à faire périr ses dix enfants. Incontestablement, ce fut une grande perte pour Job. Mais Dieu récompensa son intégrité en lui donnant au double tout ce qui avait été sien, avant que Satan ne fût autorisé à le mettre à l'épreuve. Job engendra aussi dix autres enfants (Job 42:10-17). Et soyons certains que les dix premiers enfants de

15. a) A qui le fornicateur plaît-il? b) Pourquoi est-il sage d'obéir aux lois de Dieu?
16. a) Comment la fidélité de Job a-t-elle été récompensée? b) Que peut-on dire à propos des souffrances infligées par Satan à Job, telles que le massacre de ses dix enfants?

Avoir des relations sexuelles avec quelqu'un d'autre que son conjoint est un crime contre Dieu.

Jéhovah récompensa l'intégrité de Job
en lui donnant au double tout ce qui avait été sien.

Job tués par Satan auront part à la résurrection des morts. En vérité, quelque mal que Satan puisse faire, Jéhovah, notre Père aimant, le corrigera en son temps.

[17] Ainsi, ne perdez jamais de vue que votre mode de vie a vraiment de l'importance. Il importe particulièrement à Jéhovah Dieu et à Satan le Diable, parce que vous êtes impliqué dans la question en jeu: Les hommes seront-ils ou non fidèles à Dieu?

---

17. Pourquoi notre mode de vie a-t-il vraiment de l'importance?

Chapitre 13

Le gouvernement pacifique de Dieu

LES gouvernements humains n'ont pu combler les besoins réels des hommes. Aucun n'a réussi à faire disparaître le crime et la haine raciale, ni à assurer une nourriture saine et un logement à chacun. Ils ne sont pas davantage arrivés à délivrer totalement leurs sujets de la maladie, de la vieillesse et de la mort, et encore moins à ramener les morts à la vie. Aucun n'a même été capable d'instaurer une paix durable et la sécurité. Les gouvernements humains sont tout simplement impuissants devant les grands problèmes de notre temps.

[2] Notre Créateur sait combien nous avons besoin d'un gouvernement juste, capable de donner à tous le bonheur et la joie de vivre. Voilà pourquoi la Bible parle d'un gouvernement divin. Ce gouvernement promis par Dieu est le thème principal de la Bible.

[3] "Mais, dira-t-on, où est-il question du gouvernement de Dieu dans la Bible?" En Esaïe 9:6, 7 (*Bible de Darby*) où nous lisons: "Car un enfant nous est né, un fils nous a été donné, et le *gouvernement* sera sur son épaule; et on appellera son nom: Merveilleux, Conseiller, Dieu fort, Père du siècle, Prince de paix. A l'accroissement de son empire [*gouvernement*], et à la paix, il n'y aura pas de fin."

1. Que n'ont pu réaliser les gouvernements humains?
2. Quel est le thème de la Bible?
3. Que dit Esaïe 9:6, 7 à propos du gouvernement de Dieu?

[4] La Bible annonce ici la naissance d'un enfant, un prince. Au temps fixé, ce 'fils de roi' doit devenir un grand chef, "le Prince de paix". Il sera à la tête d'un gouvernement extraordinaire, car celui-ci instaurera la paix sur toute la terre pour l'éternité. L'enfant dont la naissance est prédite en Esaïe 9:6, 7 est Jésus. Quand il annonça sa naissance à la jeune vierge Marie, l'ange Gabriel dit: "Il régnera (...) et son royaume n'aura pas de fin." — Luc 1:30-33.

L'IMPORTANCE DU ROYAUME EST MISE EN VALEUR

[5] Sur terre, la tâche essentielle de Jésus et de ses disciples fut de prêcher et d'enseigner le Royaume de Dieu à venir (Luc 4:43; 8:1). Plus de 140 fois ils ont fait référence à ce Royaume dans la Bible. Jésus enseigna même ses disciples à prier Dieu ainsi: "Que ton royaume vienne! Que ta volonté se

4. Qui est l'enfant qui doit devenir le chef du gouvernement de Dieu?
5. a) Comment la Bible souligne-t-elle l'importance du Royaume? b) Qu'est-ce que le Royaume de Dieu, et que fera-t-il?

Jésus envoya ses disciples pour accomplir l'œuvre importante qui consiste à prêcher le Royaume de Dieu.

Encourant la peine de mort,
Jésus continua de prêcher
le Royaume de Dieu.

fasse, comme dans le ciel aussi sur la terre!" (Matthieu 6:10). Ce Royaume pour lequel prient les chrétiens est-il un vrai gouvernement? Certainement. Christ, le Fils de Dieu, est le Roi du Royaume et la terre entière deviendra son territoire. Quel bonheur ce sera quand les hommes cesseront d'appartenir à des nations opposées les unes aux autres et que tous seront unis et en paix sous l'administration du Royaume de Dieu!

6 Jean le baptiseur commença à prêcher ce gouvernement, disant: "Repentez-vous, car le royaume des cieux s'est approché." (Matthieu 3:1, 2). Pourquoi disait-il cela? Parce que Jésus, le futur chef du gouvernement de Dieu, allait se faire baptiser par lui et recevoir l'onction de l'esprit saint de Dieu. Rien d'étonnant donc que Jésus déclarât plus tard aux Pharisiens: "Voici que le royaume de Dieu est au milieu de vous." (Luc 17:21). En sa qualité de roi désigné par Dieu, il était parmi eux. Par ses trois années et demie de prédication et d'enseignement, et par sa fidélité à Dieu jusqu'à la mort, Jésus acquit son droit à la royauté.

7 Les événements qui ont marqué le dernier jour de la vie terrestre du Christ attestent que le Royaume de Dieu était au centre de son ministère. On porta cette accusation contre Jésus: "Nous avons trouvé cet homme en train de bouleverser notre nation, de défendre qu'on paie les impôts à César et de dire qu'il est, lui, Christ, un roi." Le gouverneur romain Ponce Pilate lui demanda alors: "Es-tu le roi des Juifs?" — Luc 23:1-3.

8 Jésus ne répondit pas directement à la question de Pilate; il dit: "Mon royaume ne fait pas partie de ce monde. Si mon royaume faisait partie de ce monde, mes gens auraient combattu pour que je ne sois pas livré aux Juifs. Mais voilà, mon royaume ne vient pas de là." Son Royaume ne devait

---

6. Quand Jésus était sur terre, pourquoi a-t-on dit que le Royaume s'était "approché" et qu'il était "au milieu de vous"?

7. Qu'est-ce qui montre que le Royaume était une question importante au temps où Jésus était sur terre?

8. a) Qu'est-ce que Jésus répondit quand on lui demanda s'il était roi? b) Que voulait dire Jésus lorsqu'il déclara que son royaume 'ne venait pas de là'?

pas être terrestre. Jésus allait régner des cieux et non depuis la terre, tel un homme. Comme la question portait sur le droit à la royauté du Christ, Pilate demanda à nouveau: "C'est donc que tu es roi?"

[9] En fait, Jésus encourait la peine de mort pour avoir prêché et enseigné un nouveau gouvernement. Il répondit donc à Pilate: "Toi-même tu dis que je suis roi. Je suis né pour ceci, et je suis venu dans le monde pour ceci: pour rendre témoignage à la vérité." (Jean 18:36, 37). Oui, Jésus avait consacré sa vie terrestre à faire connaître la vérité sur le gouvernement ou Royaume de Dieu. C'était le thème de sa prédication. Aujourd'hui aussi, le Royaume revêt la plus haute importance. Mais on peut se demander: Quel gouvernement joue un rôle capital dans la vie d'un individu: celui des hommes ou bien le Royaume de Dieu sous l'autorité du Christ?

DIEU PREVOIT UN NOUVEAU GOUVERNEMENT

[10] Lorsque Satan entraîna Adam et Eve dans sa rébellion, Jéhovah se vit contraint de prévoir un nouveau gouvernement pour l'humanité. Aussitôt, il révéla son dessein de mettre en place un tel gouvernement. Il y fit allusion dans la sentence qu'il prononça contre le serpent; s'adressant en réalité à Satan, il dit: "Je mettrai une inimitié entre toi et la femme, et entre ta postérité et sa postérité. Il te meurtrira à la tête et tu le meurtriras au talon." — Genèse 3:14, 15.

[11] "Mais, dira-t-on, où voyez-vous qu'il est question ici d'un gouvernement?" Analysons attentivement cette déclaration. Selon les Ecritures, il doit y avoir inimitié ou haine entre Satan et "la femme". Mais une telle haine doit aussi exister entre la "postérité" ou progéniture de Satan et la "postérité" ou progéniture de la femme. D'abord, qui est cette "femme"?

---

9. a) Quelle merveilleuse vérité Jésus fit-il connaître? b) Quelle importante question se pose aujourd'hui?
10. a) Quand Dieu vit-il la nécessité de former un nouveau gouvernement? b) Où est-il question pour la première fois dans la Bible de ce gouvernement? c) Qui représente le serpent?
11. Entre qui devait-il y avoir de la haine?

[12] Ce n'est pas une vraie femme. Satan n'a nourri aucune espèce de haine contre une femme selon la chair. Il s'agit plutôt d'une femme *symbolique*. C'est ce qu'atteste la Révélation qui fournit plus de renseignements à son sujet. Il est dit de cette "femme" que "le soleil l'enveloppe, la lune est sous ses pieds et douze étoiles couronnent sa tête". Pour avoir une idée de ce que cette "femme" représente, il convient de lire la Révélation qui indique à propos de son enfant: "La Femme *mit au monde un enfant mâle,* celui qui doit *mener toutes les nations avec un sceptre de fer;* et l'enfant fut enlevé jusqu'auprès de Dieu et de son trône." — Apocalypse 12:1-5, *Bible de Jérusalem.*

[13] Identifions cet "enfant mâle", et nous saurons ce que représente la "femme". L'enfant en question n'est pas réel, pas plus que la femme n'est une vraie femme. Selon les Ecritures, cet "enfant mâle" doit "mener toutes les nations". Il représente donc le gouvernement de Dieu dont le roi est Jésus Christ. Par conséquent, la "femme" symbolise l'organisation de Dieu composée de fidèles créatures célestes. Tout comme "l'enfant mâle" est issu de la "femme", de même, le Roi Jésus Christ est issu de cette organisation céleste qui travaille à la réalisation du dessein de Dieu. En Galates 4:26, on l'appelle "la Jérusalem d'en haut". Donc, quand Adam et Eve se rebellèrent contre la domination de Dieu, Jéhovah prit des mesures en vue de l'établissement d'un Royaume ou gouvernement qui deviendrait l'espoir des amis de la justice.

JEHOVAH SE SOUVIENT DE SA PROMESSE

[14] Jéhovah n'a pas oublié qu'il a promis d'envoyer une "postérité" appelée à devenir le chef de son gouvernement et à détruire Satan en lui écrasant la tête (Romains 16:20; Hébreux 2:14). Plus tard, Jéhovah annonça que cette postérité serait issue du fidèle Abraham. Il lui dit: "Grâce à ta

12. Qu'est-il dit à propos de "la femme" en Révélation (ou Apocalypse) chapitre 12?
13. Que représentent l'"enfant mâle" et "la femme"?
14. a) Comment Jéhovah montra-t-il qu'il se souvenait de sa promesse relative à une "postérité" qui écraserait Satan? b) Qui est la "postérité" promise?

postérité se béniront assurément toutes les nations de la terre." (Genèse 22:18). Qui est cette "postérité"? La Bible répond en ces termes: "C'est à Abraham que les promesses ont été faites, et à sa postérité. Il n'est pas dit: 'Et aux postérités', comme s'il s'agissait de plusieurs, mais, comme s'agissant d'une seule: *'Et à ta postérité', qui est Christ."* (Galates 3:16). Jéhovah promit également à Isaac et à Jacob, respectivement fils et petit-fils d'Abraham, que la "postérité" de la "femme" serait issue de leur lignée. — Genèse 26:1-5; 28:10-14.

[15] Etablissant clairement que cette "postérité" serait roi, Jacob fit la déclaration suivante à son fils Juda: "Le sceptre [ou autorité souveraine] ne s'écartera point de Juda, ni le bâton de commandant d'entre ses pieds, jusqu'à ce que vienne Schilo; et à lui appartiendra l'obéissance des peuples." (Genèse 49:10). Jésus Christ était de la tribu de Juda. Il fut ce "Schilo" à qui 'appartiendrait l'obéissance des peuples'. — Hébreux 7:14.

[16] Quelque 700 ans après la déclaration faite à Juda, Jéhovah dit ce qui suit à David, qui était, lui aussi, de cette tribu: "J'ai trouvé David, mon serviteur (...). Et assurément *j'établirai sa postérité pour toujours et son trône comme les jours du ciel."* (Psaume 89:20, 29). Quand Dieu affirma que la "postérité" de David serait établie "pour toujours" et que "son trône" subsisterait aussi longtemps que "les jours du ciel", que voulait-il dire? Que le Royaume de Christ, le chef désigné par lui, durerait éternellement. Comment le savons-nous?

[17] Souvenons-nous des paroles que Gabriel adressa à Marie au sujet du fils qu'elle allait enfanter. Il dit: "Tu devras l'appeler du nom de Jésus." Mais ce fils ne serait pas toujours un enfant ni même un homme. Gabriel ajouta: "Celui-ci sera grand, et on l'appellera Fils du Très-Haut; et Jéhovah Dieu lui donnera *le trône de David, son père,* et il régnera sur la

15, 16. Qu'est-ce qui prouve que la "postérité" devait être un roi régnant?
17. Comment savons-nous que le chef promis est Jésus Christ?

Comment voyez-vous Jésus: comme un roi victorieux ou comme un enfant sans défense?

maison de Jacob à jamais, *et son royaume n'aura pas de fin.*" (Luc 1:31-33). Quelle bénédiction que Jéhovah ait prévu de mettre sur pied un gouvernement juste pour le bonheur de ceux qui l'aiment et se confient en lui!

[18] Le jour approche où le gouvernement de Dieu va détruire tous les gouvernements du monde. Jésus Christ agira alors en Roi victorieux. Voici comment la Bible décrit cette bataille: "Dans les jours de ces rois-là, le Dieu du ciel établira un royaume qui ne sera jamais supprimé. (...) Il écrasera et mettra fin à tous ces royaumes, et lui-même subsistera jusqu'à des temps indéfinis." (Daniel 2:44; Révélation 19: 11-16). Une fois tous ces gouvernements supprimés, le gouvernement de Dieu comblera les besoins réels des hommes. Le Chef Jésus Christ délivrera tous ses fidèles sujets de la maladie, de la vieillesse et de la mort. Plus de crimes, de logements insalubres et de famines! La terre entière connaîtra la paix véritable et la sécurité (II Pierre 3:13; Révélation 21:3-5). Mais quels seront les membres de ce gouvernement?

---

18. a) Comment la Bible décrit-elle la fin des gouvernements terrestres? b) Que fera le gouvernement de Dieu pour les hommes?

Chapitre 14

Qui va au ciel, et pourquoi?

BEAUCOUP croient que 'tous les bons vont au ciel'. A la question *pourquoi,* certains répondent: 'C'est pour être avec Dieu' ou: 'En récompense de leur bonne conduite.' Qu'enseigne la Bible à ce sujet?

[2] La Bible établit clairement que Jésus a été ressuscité, qu'il est monté au ciel et que des humains iront le rejoindre. La nuit précédant sa mort, Jésus dit à ses apôtres: "Dans la maison de mon Père il y a beaucoup de demeures. Sinon, je vous l'aurais dit, car je m'en vais vous préparer une place. Et si je m'en vais et que je vous prépare une place, je reviens et *je vous accueillerai auprès de moi, afin que là où je suis, vous soyez, vous aussi."* — Jean 14:1-3.

[3] En termes clairs, Jésus leur annonçait qu'ils iraient au ciel pour être auprès de lui. L'apôtre Paul évoqua souvent cette espérance. Par exemple, il écrivit: "Quant à nous, notre citoyenneté existe dans les cieux, d'où nous attendons aussi avec impatience un sauveur, le Seigneur Jésus Christ." (Philippiens 3:20, 21; Romains 6:5; II Corinthiens 5:1, 2). S'appuyant sur ces promesses, des millions de gens ont fixé leur cœur sur la vie céleste. Mais *tous* les bons vont-ils au ciel?

TOUS LES BONS VONT-ILS AU CIEL?

[4] Après la résurrection de Jésus, l'apôtre Pierre dit à des Juifs: "[Le] chef de famille David (...) est décédé, (...) a été enseveli et (...) son tombeau est parmi nous jusqu'à ce jour.

---

1. Comment la plupart des gens répondent-ils à la question: Qui va au ciel, et pourquoi?
2, 3. a) Quelle assurance avons-nous que certains humains iront au ciel? b) Quelle question demande une réponse?
4, 5. Quelle preuve avons-nous que David et Job ne sont pas allés au ciel?

David, en effet, n'est pas monté au ciel." (Actes 2:29, 34). Ainsi, l'homme bon David n'est pas allé au ciel. Mais qu'en est-il du juste Job?

[5] Dans sa souffrance, Job pria Dieu en disant: "Ah! si tu me cachais dans le Schéol [la tombe], si tu me tenais dissimulé jusqu'à ce que s'en retourne ta colère, si tu me fixais un délai et te souvenais de moi!" A sa mort, Job s'attendait à aller dans la tombe, où il serait inconscient, mais il n'était pas pour autant sans espérance, car il dit: "Si un homme valide meurt, peut-il revivre? Tous les jours de mon service obligatoire [séjour dans la tombe], j'attendrai, jusqu'à ce que vienne ma relève. Tu appelleras, et, moi, je te répondrai." — Job 14:13-15.

[6] Jean, qui baptisa Jésus, était lui aussi un homme bon. Pourtant Jésus dit: "Celui qui est un petit dans le royaume des cieux est plus grand que lui." (Matthieu 11:11). En d'autres termes, Jean n'irait pas au ciel. Plus de 4 000 ans après la rébellion d'Adam et Eve, l'homme Jésus dit: "Aucun homme n'est monté au ciel, sinon celui qui est descendu du ciel, le Fils de l'homme." — Jean 3:13.

6, 7. a) Qu'est-ce qui montre que personne avant le Christ n'est allé au ciel? b) Qu'arrivera-t-il à tous les fidèles qui sont morts avant Christ?

Ces hommes bons sont-ils allés au ciel?

Le roi David

Job

Jean
le baptiseur

[7] Ainsi, d'après Jésus, aucun homme n'était monté au ciel durant les 4 000 années écoulées jusqu'à son époque. David, Job et Jean le baptiseur ressusciteront pour la vie sur la terre. En fait, tous les fidèles qui sont morts avant que Jésus ne meure espéraient revivre sur la terre, non au ciel. Ils seront ramenés à la vie et deviendront les sujets terrestres du Royaume de Dieu. — Psaume 72:7, 8; Actes 17:31.

POURQUOI DES FIDELES VONT AU CIEL

[8] Pourquoi Jésus est-il allé au ciel? Qu'était-il appelé à y faire? Les réponses à ces questions sont capitales,

8. Les réponses à quelles questions sont capitales, et pourquoi?

La dernière nuit qu'il passa avec ses apôtres, Jésus leur dit qu'ils seraient chefs à ses côtés dans le Royaume de son Père.

car ceux qui vont au ciel partageront les activités du Christ. C'est pour cette raison même qu'ils y vont.

[9] Comme nous l'avons vu, Jésus dirigera la nouvelle terre en qualité de Roi du gouvernement céleste de Dieu. Des siècles avant sa venue sur la terre, le livre de Daniel annonçait que le 'Fils de l'homme' recevrait "la domination". Ce "Fils de l'homme" est Jésus Christ (Marc 14:41, 62). Et Daniel ajoute: "Sa domination est une domination d'une durée indéfinie, qui ne passera pas, et son royaume, un royaume qui ne sera pas supprimé." — Daniel 7:13, 14.

[10] Notons ceci: Selon Daniel, ce 'Fils de l'homme' ne doit pas régner seul. La Bible dit: "Et le royaume, et la domination (...) furent donnés *au peuple* que sont les saints du Dieu suprême. *Leur royaume* est un royaume d'une durée indéfinie." (Daniel 7:27). Les expressions "au peuple" et "leur royaume" indiquent que d'autres seront associés au Christ dans le gouvernement de Dieu.

[11] La dernière nuit que Jésus passa avec ses onze fidèles apôtres, il leur dit qu'ils seraient chefs à ses côtés dans le Royaume. "Vous êtes, vous, ceux qui sont demeurés constamment avec moi dans mes épreuves; et moi je fais une alliance avec vous, tout comme mon Père a fait une alliance avec moi, pour un royaume." (Luc 22:28, 29). Plus tard, l'apôtre Paul et Timothée furent inclus dans cette alliance, témoin ces paroles de Paul à Timothée: "Si nous continuons à endurer, nous régnerons aussi avec lui." (II Timothée 2:12). L'apôtre Jean aussi parla de ceux qui "régneront sur la terre" avec Christ. — Révélation 5:9, 10; 20:6.

[12] Donc, ceux qui vont au ciel sont appelés à diriger avec Christ dans le gouvernement céleste de Dieu. Jésus est la "postérité" principale et Dieu lui adjoint des humains qui deviennent, eux aussi, membres de la "postérité", ainsi que le dit la Bible: "Si vous appartenez à Christ, vous êtes vraiment

9, 10. Selon Daniel, outre Christ, qui d'autre doit diriger dans le gouvernement de Dieu?
11. Qu'est-ce qui montre que les premiers disciples de Christ régneront avec lui?
12. Quels faits relatifs à la "postérité" d'Abraham révèlent que des dirigeants seront adjoints au Christ?

la postérité d'Abraham, héritiers quant à une promesse." — Galates 3:16, 29; Jacques 2:5.

COMBIEN D'HUMAINS VONT AU CIEL?

[13] Etant appelés à diriger la terre, les humains qui vont au ciel sont des disciples de Jésus éprouvés. Autrement dit, les nourrissons et les jeunes enfants qui n'ont pas fait leurs preuves dans le service chrétien ne vont pas au ciel (Matthieu 16:24). En revanche, s'ils meurent, ils seront ramenés à la vie sur la terre (Jean 5:28, 29). Ainsi, les humains appelés à aller au ciel sont peu nombreux par rapport à ceux qui vivront sur la terre sous la domination du Royaume. Jésus dit à ses disciples: "Ne crains pas, *petit troupeau,* car votre Père a trouvé bon de vous donner le royaume." — Luc 12:32.

[14] Combien y aura-t-il de dirigeants? Leur nombre se limite-t-il aux apôtres et aux premiers disciples de Jésus? Non, le "petit troupeau" ne se limite pas à ceux-là, selon Révélation 14:1, 3: "Et j'ai vu, et voici l'Agneau [Jésus Christ] se tenant debout sur le mont Sion [céleste], et avec lui *cent quarante-quatre mille* (...), qui ont été achetés [ou pris] de la terre." Notez que seulement 144 000 personnes sont vues aux côtés de l'Agneau sur le mont Sion céleste (Hébreux 12:22). Donc, loin de dire que tous les bons vont au ciel, la Bible précise que seules 144 000 personnes fidèles et éprouvées y seront admises pour régner avec Christ.

POURQUOI LES CHOISIR SUR LA TERRE

[15] Pourquoi choisir ces dirigeants parmi les humains et non parmi les anges? Parce que c'est sur la terre que la légitimité de la domination de Jéhovah a été contestée. C'est ici-bas que la fidélité des hommes à Dieu pouvait être mise à l'épreuve par l'opposition du Diable. Ce fut encore ici-bas que Jésus prouva pleinement sa loyauté envers Dieu dans les épreuves, et qu'il offrit sa vie en rançon pour l'humanité. Voilà pourquoi

---

13. a) Pourquoi les nourrissons ne vont-ils pas au ciel? b) Comment Jésus décrit-il ceux qui reçoivent le Royaume?
14. De combien de personnes se compose le "petit troupeau" qui va au ciel?
15. Pourquoi Dieu choisit-il les dirigeants du Royaume parmi les humains?

Jéhovah a constitué un “petit troupeau” d’humains et l’a adjoint à son Fils dans le Royaume. Par leur fidélité à Dieu, ils prouvent que le Diable a menti en prétendant que les hommes ne servent Dieu que par intérêt. Il convenait donc que Jéhovah se fasse glorifier par des humains. — Ephésiens 1:9-12.

[16] Quel bonheur d’être gouverné par des personnes qui ont prouvé leur fidélité à Dieu sur la terre, certaines ayant même fait le sacrifice de leur vie pour le Royaume (Révélation 12:10, 11; 20:4)! Les anges n’ont pas connu ce genre d’épreuves, ni même les problèmes communs aux hommes. Par conséquent, il leur est impossible de se mettre à la place des hommes imparfaits pour comprendre leurs difficultés. Ce n’est pas le cas des 144 000, qui ont eu à surmonter de tels problèmes. Il en est qui ont dû se défaire de pratiques coupables, et ils savent combien cela est difficile (I Corinthiens 6:9-11). Ils seront donc compréhensifs à l’égard de leurs sujets terrestres. — Hébreux 2:17, 18.

LA CONGREGATION DE DIEU

[17] Selon la Bible, Christ est le Chef de la congrégation de Dieu et ses membres lui sont assujettis (Ephésiens 5:23, 24). Ainsi, le mot “église” ou “congrégation de Dieu” désigne non pas un édifice, mais un groupe de chrétiens (I Corinthiens 15:9). Il est donc approprié de parler de la *congrégation* des chrétiens que nous fréquentons, tout comme la Bible fait allusion à “la congrégation des Laodicéens” et à “la congrégation qui est dans ta maison [celle de Philémon]”, selon la lettre de Paul à Philémon. — Colossiens 4:16; Philémon 2.

[18] Toutefois, lorsque la Bible parle de “la congrégation du Dieu vivant” (I Timothée 3:15), elle fait référence à un certain groupe de disciples de Christ que l’on appelle aussi “la congrégation des premiers-nés inscrits dans les cieux”. (Hébreux 12:23.) Ainsi, cette “congrégation de Dieu” se compose

16. Pourquoi pouvons-nous être reconnaissants que les chefs du Royaume ont vécu sur terre?

17. Que désigne le mot “congrégation”?

18. a) De qui se compose “la congrégation du Dieu vivant”? b) Par quelles expressions cette congrégation est-elle désignée dans la Bible?

de tous les chrétiens qui ont l'espérance de la vie céleste, soit au total 144 000 personnes. Il n'en reste aujourd'hui qu'un petit nombre. Les chrétiens qui espèrent vivre éternellement sur la terre recherchent la direction spirituelle auprès des membres de cette "congrégation du Dieu vivant". La Bible la désigne également par les expressions suivantes: "l'épouse, la femme de l'Agneau", "le corps du Christ", "le temple de Dieu", "l'Israël de Dieu" et "la Nouvelle Jérusalem". — Révélation 21:9; Ephésiens 4:12; I Corinthiens 3:17; Galates 6:16; Révélation 21:2.

UN ELEMENT NOUVEAU DANS LE DESSEIN DE DIEU

[19] Jéhovah n'a pas modifié son dessein concernant la terre et l'humanité après qu'Adam eut entraîné la race humaine dans le péché et la mort. Toute modification aurait pu donner à penser qu'il était incapable de réaliser son dessein originel. Dès le début, il entendait faire de la terre un paradis peuplé de créatures heureuses et en parfaite santé. Tel est toujours son dessein. Le seul élément nouveau, c'est que Dieu a mis en place un gouvernement pour le mener à bien. Rappelons que son Fils Jésus Christ est le Chef de ce gouvernement céleste et que 144 000 personnes prises parmi les humains seront associées à sa royauté. — Révélation 7:4.

[20] Ces dirigeants célestes composeront les "nouveaux cieux" du nouveau système de Dieu. Et quels seront les sujets de ce gouvernement? Selon la Bible, ceux-ci formeront la "nouvelle terre". (II Pierre 3:13; Révélation 21:1-4.) Parmi eux, il y aura Job, David et Jean le baptiseur, oui, tous les fidèles qui ont vécu avant la venue du Christ sur la terre. Mais une multitude d'autres personnes viendront encore former la "nouvelle terre", y compris les survivants de la destruction du présent système mauvais. Serez-vous parmi eux? Désirez-vous être un sujet du gouvernement de Dieu? Si oui, il vous faut remplir certaines conditions.

---

19. Quel élément nouveau Dieu a-t-il prévu pour réaliser son dessein originel relatif à la terre?

20. a) De quoi se composent les "nouveaux cieux" et la "nouvelle terre"? b) Que devez-vous faire pour devenir membre de la "nouvelle terre"?

Chapitre 15

Comment devenir un sujet du gouvernement de Dieu

VOULEZ-VOUS vivre à jamais sur la terre régie par le gouvernement de Dieu? Oui, répondra quiconque a du bon sens. Il est évident que pour profiter des bienfaits que procurera ce gouvernement, il ne suffit pas de le souhaiter; il faut remplir certaines conditions.

[2] Supposons, par exemple, que vous vouliez devenir citoyen d'un autre pays. Comme vous vous en doutez, il vous faudra satisfaire aux exigences du gouvernement de ce pays. Pour commencer, vous allez vous renseigner sur les formalités à remplir. Pareillement, il vous faut apprendre ce que Dieu requiert des futurs sujets de son gouvernement et satisfaire à ses exigences.

LA CONNAISSANCE EST NECESSAIRE

[3] Une exigence capitale pour devenir sujet du gouvernement de Dieu consiste à apprendre la "langue" de celui-ci. Rien que de très raisonnable. Certains gouvernements humains exigent, eux aussi, que leurs nouveaux citoyens sachent parler la langue du pays. Quelle "langue" faut-il donc apprendre pour vivre sous le gouvernement de Dieu?

[4] Notez ce que Jéhovah dit à ce sujet: "Car alors je donnerai aux peuples — ce sera un changement — une *langue pure,* pour qu'ils invoquent tous le nom de Jéhovah, pour le servir épaule contre épaule." (Sophonie 3:9). Cette "langue pure" est la *vérité de Dieu* révélée dans la Bible, notamment la vérité sur le Royaume. Ainsi, pour devenir sujet

---

1, 2. Qu'est-il exigé des futurs sujets du gouvernement de Dieu?
3. Quelle est l'une des exigences requises des futurs sujets du gouvernement de Dieu?
4. Quelle "langue pure" le peuple de Dieu doit-il apprendre?

Pour devenir sujet
du gouvernement de Dieu
il faut le connaître.

du gouvernement de Dieu, il faut apprendre cette “langue” en acquérant la connaissance de Jéhovah et de tout ce qui concerne son Royaume. — Colossiens 1:9, 10; Proverbes 2:1-5.

[5] Il est des gouvernements humains qui exigent de leurs futurs citoyens qu’ils connaissent leur histoire ainsi que leur fonctionnement. Cela est également requis des futurs sujets du gouvernement de Dieu. Cette connaissance peut conduire à la vie éternelle. Dans une prière adressée à son Père, Jésus dit: “Ceci signifie la vie éternelle: qu’ils apprennent à te connaître, toi, le seul vrai Dieu, et celui que tu as envoyé, Jésus Christ.” — Jean 17:3.

[6] L’étude des précédents chapitres a dû vous permettre d’acquérir des connaissances importantes. Faites le point en essayant de répondre à ces questions: Quand Dieu a-t-il révélé son intention d’instituer un royaume ou gouvernement? Quels sont quelques-uns des serviteurs de Dieu qui espéraient en être les sujets terrestres? De combien de chefs se compose ce gouvernement? D’où gouverneront-ils? Quels sont ceux qui ont d’abord été choisis pour faire partie de ce gouvernement?

---

5. a) Que nous faut-il savoir à propos du gouvernement de Dieu? b) Quelle connaissance nous faut-il acquérir pour obtenir la vie éternelle?

6. a) Quelles sont quelques-unes des questions auxquelles les futurs sujets du gouvernement de Dieu devraient pouvoir répondre? b) Etes-vous à même d’y répondre?

Comment Jésus prouva-t-il qu'il sera un bon roi? Mais pour être sujet du gouvernement de Dieu, il ne suffit pas d'en connaître les caractéristiques.

UNE CONDUITE DROITE EST REQUISE

[7] Les gouvernements exigent de leurs nouveaux citoyens qu'ils observent certaines règles de conduite. Par exemple, il en est qui imposent la monogamie; d'autres, dont les lois sont différentes, autorisent la polygamie. Quelle conduite est requise des futurs sujets du gouvernement de Dieu? Quel est le point de vue de Dieu sur le mariage?

[8] Au commencement, Jéhovah établit un modèle: une seule femme pour Adam. Et Dieu dit: "L'homme quittera son père et sa mère, et il devra s'attacher à sa femme, et ils devront devenir une seule chair." (Genèse 2:21-24). Plus tard, Jésus confirma que tel était bien le modèle à suivre pour les chrétiens (Matthieu 19:4-6). Du fait que les conjoints deviennent une seule chair, ils déshonoreraient le mariage en ayant des relations intimes avec une tierce personne. Cet acte d'adultère est condamné par Dieu. — Hébreux 13:4; Malachie 3:5.

[9] La cohabitation et les relations sexuelles en dehors du mariage sont fréquentes. Mais Dieu n'a pas prévu le mariage à l'essai. Par conséquent, cohabiter sans être marié est un péché contre Dieu, l'Auteur du mariage. C'est de la fornication, laquelle se définit comme suit: relations charnelles entre deux personnes qui ne sont pas mariées. La Bible dit à ce sujet: "Ce que Dieu veut, c'est (...) que vous vous absteniez de la fornication." (I Thessaloniciens 4:3-5). Par conséquent, il est mal pour un célibataire d'avoir des relations sexuelles.

[10] Aujourd'hui, beaucoup d'hommes et de femmes ont des relations intimes avec des personnes de leur propre sexe. On

---

7. Pour ce qui est des gouvernements humains, comment leurs exigences diffèrent-elles d'un gouvernement à l'autre?
8. a) Quel est le modèle établi par Dieu en matière de mariage? b) Qu'est-ce que l'adultère, et qu'en dit Dieu?
9. a) Que pense Dieu des personnes qui ont des relations sexuelles en dehors du mariage? b) Qu'est-ce que la fornication?
10. Quelles autres pratiques sexuelles sont contraires aux lois de Dieu?

les appelle homosexuels et parfois lesbiennes, lorsqu'il s'agit de femmes. La Parole de Dieu condamne de telles mœurs, les qualifiant d'"obscènes". (Romains 1:26, 27.) La loi de Dieu interdit également la bestialité (Lévitique 18:23). Quiconque désire vivre sous le gouvernement de Dieu doit renoncer à ces pratiques immorales.

[11] La consommation modérée de vin, de bière et d'alcool n'est pas contraire à la loi de Dieu. Un peu de vin peut être bon pour la santé (Psaume 104:15; I Timothée 5:23). Mais *c'est transgresser* la loi divine que de s'enivrer et de participer à des soirées débridées où l'on s'adonne à l'immoralité sexuelle (Ephésiens 5:18; I Pierre 4:3, 4). Il en est qui, pour s'enivrer ou "se défoncer", se livrent à la boisson ou à la drogue, ou qui, pour le plaisir, fument de la marijuana ou du tabac, ou bien mâchent du bétel ou des feuilles de coca. Or, ces pratiques souillent le corps et ruinent la santé. Le futur sujet du gouvernement de Dieu doit se garder de ces pratiques nuisibles. — II Corinthiens 7:1.

[12] Les gouvernements humains refusent la citoyenneté aux criminels. Or, Jéhovah exige que nous nous 'conduisions honnêtement en toutes choses'. (Hébreux 13:18.) Tout transgresseur de sa loi n'aura pas le droit de vivre sous son Royaume. Beaucoup se disent honnêtes, mais violent de nombreuses lois. Dieu voit toutes choses; on ne peut le duper (Hébreux 4:13; Proverbes 15:3; Galates 6:7, 8). Il interdira donc à ceux qui contreviennent à ses lois, celles contre le mensonge et le vol par exemple, de devenir les sujets de son Royaume (Ephésiens 4:25, 28; Révélation 21:8). Toutefois, comme Dieu est patient et prêt à pardonner, il accueillera quiconque renonce à ses mauvaises pratiques pour faire le bien. — Esaïe 55:7.

[13] Qu'en est-il de l'observation des lois édictées par les

11. a) Que pense Dieu de l'usage des boissons alcooliques? b) Ceux qui veulent être les sujets du gouvernement de Dieu doivent se garder de quelles pratiques nuisibles à la santé?
12. a) Citez quelques pratiques malhonnêtes condamnées par la loi divine. b) Comment celui qui se livre à ces pratiques peut-il obtenir la faveur de Dieu?
13. Comment les serviteurs de Dieu devraient-ils considérer les lois des gouvernements humains?

gouvernements humains? Dieu exige que nous soyons soumis à ces “autorités supérieures” aussi longtemps qu’elles subsisteront. Il faut donc payer l’impôt, même s’il est élevé ou que l’on soit en désaccord avec l’utilisation qui en est faite. L’obéissance aux lois humaines est aussi requise (Romains 13:1, 7; Tite 3:1), sauf lorsqu’il y a conflit entre ces lois et celles de Dieu. Dans ce cas, comme l’ont dit Pierre et les autres apôtres, ‘nous devons obéir à Dieu, comme à un chef, plutôt qu’aux hommes’. — Actes 5:29.

[14] Dieu tient la vie pour sacrée. Le futur sujet de son gouvernement doit en être convaincu. Le meurtre est évidemment condamné par la loi divine. Or, la haine conduit souvent au meurtre, et même celui qui continue à haïr son prochain ne peut être le sujet du gouvernement de Dieu (I Jean 3:15). Il est donc vital d’observer ce qui est dit en Esaïe 2:4, à savoir

14. Comment montrerons-nous que nous partageons le point de vue de Dieu sur la vie?

Les sujets du gouvernement de Dieu doivent éviter tout ce que Dieu condamne.

ne pas prendre les armes pour tuer son prochain. Selon Dieu, même la vie du fœtus est précieuse (Exode 21:22, 23; Psaume 127:3). Pourtant, des millions d'avortements sont pratiqués chaque année. Détruire ainsi une vie est contraire à la loi divine, car l'enfant dans le sein de sa mère est un être vivant que l'on ne devrait pas détruire.

[15] Il ne suffit pas que les futurs sujets du gouvernement de Dieu s'abstiennent de faire le mal. Il leur faut encore se montrer bons et désintéressés à l'égard de leurs semblables. Ils doivent se conformer à la règle d'or énoncée par Jésus Christ, savoir: "Tout ce que vous voulez que les hommes fassent pour vous, vous devez, vous aussi, le faire de même pour eux." (Matthieu 7:12). Christ aima son prochain au point d'offrir sa vie pour lui; il ordonna à ses disciples: "Que vous vous aimiez les uns les autres, (...) comme je vous ai aimés." (Jean 13:34; I Jean 3:16). C'est cet amour désintéressé pour le prochain qui rendra la vie agréable sous le Royaume de Dieu. — Jacques 2:8.

[16] La Bible souligne la nécessité pour les futurs sujets du gouvernement de Dieu de conformer leur vie aux exigences divines (Ephésiens 4:20-24). Le faites-vous? *Quels que soient les efforts* à fournir, ils en valent la peine. Pourquoi? Parce qu'il ne s'agit pas simplement de vivre mieux pendant *quelques années* sous un gouvernement *humain,* mais plutôt de *vivre éternellement* en parfaite santé sur une terre édénique gouvernée par *Dieu.*

[17] Se conformer aux exigences divines procure le bonheur dès à présent. Mais peut-être devez-vous changer. Il en a été ainsi de personnes autrefois haineuses et avides, de fornicateurs, d'adultères, d'homosexuels, d'ivrognes, de meurtriers, de voleurs, de drogués et de fumeurs. Ils ont adopté un mode de vie nouveau grâce à de réels efforts et avec l'aide de Dieu (I Corinthiens 6:9-11; Colossiens 3:5-9). Donc, s'il vous faut

---

15. A quels commandements du Roi de Dieu tous les sujets du Royaume doivent-ils obéir?
16, 17. a) Quelles excellentes raisons avons-nous d'opérer les changements nécessaires dans notre vie pour nous conformer aux exigences de Dieu? b) Pourquoi pouvons-nous être sûrs que ces changements nécessaires sont réalisables?

Les sujets du gouvernement de Dieu doivent le faire connaître.

faire des changements pénibles pour plaire à Dieu, ne renoncez pas et vous réussirez!

LA FIDELITE AU GOUVERNEMENT DE DIEU

[18] Que Jéhovah exige de ses sujets la fidélité à son Royaume n'a rien de surprenant. Les gouvernements requièrent la même chose de leurs citoyens. Mais Dieu exige un soutien fidèle particulier. Lequel? Consiste-t-il à prendre les armes et à se battre pour son Royaume? Non, il s'agit d'être un *porte-parole* ou *proclamateur* loyal du Royaume de Dieu, à l'exemple de Jésus et de ses premiers disciples (Matthieu 4:17; 10:5-7; 24:14). Jéhovah veut que chacun connaisse son Royaume et la façon dont il va régler les problèmes humains. Avez-vous communiqué ce que vous avez appris dans la Parole de Dieu à vos parents, à vos amis et à vos voisins? Telle est la volonté divine. — Romains 10:10; I Pierre 3:15.

[19] Il fallut du courage au Christ et à ses disciples pour prêcher le Royaume en dépit d'une opposition marquée (Actes 5:41, 42). Le monde soumis au Diable s'oppose, lui aussi, à la prédication du Royaume. Les questions suivantes se posent donc: Quelle est votre position? Soutiendrez-vous fidèlement le Royaume de Dieu? Jéhovah veut qu'un grand témoignage sur le Royaume soit donné avant que ne vienne la fin. Y participerez-vous?

---

18. Quel soutien fidèle à son Royaume Dieu attend-il de nous?

19. a) Pourquoi pouvons-nous nous attendre à de l'opposition dans la prédication du Royaume de Dieu? b) A quelles questions nous faut-il répondre?

Chapitre 16

Le gouvernement de Dieu est investi du pouvoir

PENDANT des millénaires, des hommes de foi ont vécu dans l'attente du jour où le gouvernement de Dieu serait investi du pouvoir. Par exemple, le fidèle Abraham 'attendait la ville qui a de vrais fondements, ville dont Dieu est le bâtisseur et l'auteur'. (Hébreux 11:10.) Cette "ville" est le Royaume de Dieu. Pourquoi une "ville"? Parce que dans les temps anciens, il était courant pour un roi de régner sur une ville. Aussi assimilait-on souvent une ville à un royaume.

1. a) Dans quelle attente les hommes de foi ont-ils vécu? b) Pourquoi le Royaume de Dieu est-il appelé "ville"?

"Est-ce en ce temps-ci que tu rétablis le royaume pour Israël?"

[2] Le Royaume de Dieu était une réalité pour les premiers disciples du Christ (Matthieu 20:20-23). Une question hantait leur esprit: Quand Christ et eux commenceraient-ils à régner? Un jour que Jésus leur était apparu après sa résurrection, ses disciples lui demandèrent: "Seigneur, est-ce *en ce temps-ci* que tu rétablis le royaume pour Israël?" (Actes 1:6). Etes-vous, vous aussi, impatient de connaître l'époque où Christ doit être investi du pouvoir?

LE GOUVERNEMENT POUR LEQUEL PRIENT LES CHRETIENS

[3] Christ enseigna à ses disciples à prier Dieu ainsi: "Que ton royaume vienne! Que ta volonté se fasse, comme dans le ciel, aussi sur la terre!" (Matthieu 6:9, 10). "Mais, dira-t-on, Dieu n'a-t-il pas toujours été Roi? Si oui, pourquoi prier pour la venue de son Royaume?"

[4] La Bible appelle en effet Jéhovah "Roi d'éternité". (I Timothée 1:17.) Et elle dit: "Jéhovah lui-même a solidement établi son trône dans les cieux; et sa royauté a dominé sur tout." (Psaume 103:19). Jéhovah a donc toujours été le Souverain suprême de l'univers (Jérémie 10:10). Toutefois, en raison de la rébellion contre sa souveraineté en Eden, Dieu a mis en place un gouvernement spécial. C'est pour ce gouvernement-là que Jésus a enseigné ses disciples à prier. Son dessein est de régler les problèmes créés par Satan et tous ceux qui ont rejeté la domination de Dieu.

[5] Ce nouveau gouvernement ou Royaume est investi du pouvoir par le grand Roi, Jéhovah Dieu. C'est *son Royaume.* La Bible l'appelle le "royaume de Dieu". (Luc 9:2, 11, 60, 62; I Corinthiens 6:9, 10; 15:50.) Et puisque Jéhovah a désigné son Fils pour en être le Chef, on en parle aussi comme du royaume de Christ (II Pierre 1:11). Comme nous l'avons vu, 144 000 personnes prises d'entre les humains

---

2. a) Qu'est-ce qui montre que le Royaume était une réalité pour les premiers disciples du Christ? b) Que voulaient-ils savoir à son sujet?

3, 4. a) Comment savons-nous que Dieu a toujours été Roi? b) Pourquoi donc Christ enseigna-t-il à ses disciples à prier pour la venue du Royaume de Dieu?

5. Si c'est le Royaume de Dieu, pourquoi l'appelle-t-on également le royaume du Christ et le royaume des 144 000?

régneront avec Christ (Révélation 14:1-4; 20:6); aussi la Bible dit-elle que c'est "leur royaume". — Daniel 7:27.

[6] Certains disent que le Royaume a été investi du pouvoir l'année où Jésus est remonté au ciel, et que ce dernier a commencé à régner lorsqu'il a répandu l'esprit saint sur ses disciples à la Pentecôte de l'an 33 (Actes 2:1-4). Mais le gouvernement de Dieu qui doit mettre fin aux difficultés causées par la rébellion de Satan *n'a pas commencé à dominer en cette année-là.* Rien n'indique que 'l'enfant mâle', ou gouvernement de Dieu et de Christ, avait alors vu le jour et s'était mis à dominer (Révélation 12:1-10). Jésus reçut-il de quelque manière un royaume en 33 de notre ère?

[7] Oui, Jésus commença alors à régner sur la congrégation de ses disciples, appelés à le rejoindre dans les cieux. Voilà pourquoi la Bible dit que bien qu'étant sur terre, ils ont été "transférés dans le royaume du Fils de son amour [celui de Dieu]". (Colossiens 1:13.) Mais cette domination ou "royaume" que Jésus exerce sur les chrétiens dont l'espérance est de vivre au ciel, n'est pas le gouvernement pour lequel il a enseigné à ses disciples à prier. Il n'a ce royaume que sur les 144 000 personnes appelées à régner avec lui dans les cieux. Tout au long des siècles, *ils ont été ses seuls sujets.* Ainsi, ce pouvoir ou 'royaume du Fils de l'amour de Dieu' prendra fin lorsque le dernier de ces sujets aura rejoint Christ dans le ciel. Ils cesseront alors d'être ses sujets pour régner avec lui.

IL COMMENCE A REGNER AU MILIEU DE SES ENNEMIS

[8] Quand Christ retourna au ciel après sa résurrection, il ne se mit pas aussitôt à régner. Une période d'attente devait s'écouler, ainsi que le dit l'apôtre Paul: "Celui-ci [Christ] a offert à perpétuité un seul sacrifice pour les péchés et s'est assis à la droite de Dieu, *attendant désormais* jusqu'à ce que ses ennemis soient placés comme un escabeau pour ses

---

6. Selon certains, quand le Royaume de Dieu a-t-il commencé à régner?
7. Sur qui Jésus a-t-il commencé à régner en l'an 33 de notre ère?
8. a) Qu'est-ce qui montre qu'après la résurrection du Christ une période d'attente s'écoulerait avant qu'il ne commence à régner? b) Qu'est-ce que Dieu dit à Christ lorsque le moment vint pour lui de régner?

pieds." (Hébreux 10:12, 13). Quand vint pour Christ le moment de régner, Jéhovah lui dit: "Va soumettre [ou vaincre] au milieu de tes ennemis." — Psaume 110:1, 2, 5, 6.

[9] Rien d'étonnant que le gouvernement de Dieu ait des ennemis, car tous les hommes ne sont pas prêts à accepter qu'un gouvernement leur impose de faire le bien. Aussi, après avoir expliqué comment Jéhovah et son Fils prendraient la domination universelle, la Bible dit que *"les nations se sont courroucées"*. (Révélation 11:15, 17, 18.) Influencées par Satan, les nations s'opposent au Royaume de Dieu.

[10] Quand le gouvernement de Dieu est investi du pouvoir, Satan et ses anges sont toujours dans les cieux. Comme ils s'y opposent, une guerre éclate immédiatement. Satan et ses anges sont alors chassés du ciel, et une voix dit: "Maintenant sont arrivés le salut et la puissance et *le royaume de notre Dieu et l'autorité de son Christ!"* Oui, le gouvernement de Dieu est investi du pouvoir! Les cieux se réjouissent, car Satan et ses anges en ont été chassés. "Réjouissez-vous, cieux, et vous qui y résidez!", dit la Bible. — Révélation 12:7-12.

[11] Y a-t-il aussi de la joie pour la terre? Non, l'avènement du Royaume doit déclencher une période de tribulation sans précédent pour la terre. La Bible dit: "Malheur à la terre et à la mer, car le Diable est descendu vers vous, ayant une grande colère, sachant qu'il a une courte période de temps." (Révélation 12:12). Notons bien ceci: *L'instauration du Royaume de Dieu ne doit pas amener immédiatement la paix et la sécurité sur la terre.* La vraie paix viendra plus tard, quand le Royaume exercera son autorité sur toute la terre, autrement dit à la fin de la "courte période de temps", lorsque Satan et ses anges seront mis hors d'état de nuire.

[12] *Quand* Satan est-il chassé du ciel s'acharnant ainsi contre

---

9. a) Pourquoi tous les hommes n'acceptent-ils pas le Royaume de Dieu? b) Quand le gouvernement de Dieu commence à exercer son pouvoir, comment les nations réagissent-elles?
10, 11. a) Que se passe-t-il dans les cieux lorsque le gouvernement de Dieu est investi du pouvoir? b) Que se passe-t-il sur terre? c) De quelle chose importante voulons-nous nous rappeler?
12. Pourquoi pouvions-nous nous attendre à ce que la Bible désigne l'époque où le Royaume de Dieu commencerait à dominer?

la terre pour “une courte période de temps”? *Quand* le gouvernement de Dieu commence-t-il à exercer sa domination? La Bible le dit-elle? Certainement. Des siècles à l’avance, elle a d’abord prédit l’époque de la venue du Fils de Dieu en tant qu’homme pour devenir le Messie. En fait, elle a désigné l’année même où il est devenu le Messie. Mais qu’en est-il de la prise du pouvoir royal par le Messie ou Christ? La Bible ne nous laisse pas non plus dans l’ignorance à ce sujet.

[13] La Bible a-t-elle prédit l’année de l’apparition du Messie sur terre? Daniel a écrit: “Depuis la sortie de la parole de rétablir et de rebâtir Jérusalem, *jusqu’à Messie le Conducteur,* il y aura sept semaines, également soixante-deux semaines”, soit au total 69 semaines (Daniel 9:25). Ce ne sont toutefois pas de vraies semaines, car elles équivaudraient à 483 jours. Il s’agit plutôt de *69 semaines d’années* ou de *483 ans* (comparer avec Nombres 14:34). L’ordre de rebâtir les murs de Jérusalem fut donné en 455 avant notre ère* (Néhémie 2:1-8). Ainsi, ces 69 semaines d’années s’achevèrent 483 ans plus tard, soit en l’an 29 de notre ère, quand Jésus se présenta à Jean pour être baptisé et qu’il fut oint de l’esprit saint, devenant le Messie ou Christ. — Luc 3:1, 2, 21-23.

LE GOUVERNEMENT DIVIN EXERCE LA DOMINATION

[14] Quel passage des Ecritures indique l’année où Christ s’est mis à exercer son pouvoir royal au sein du gouvernement de Dieu? Consultons à nouveau le livre de Daniel (Daniel 4:10-37). On y lit qu’un arbre dont la cime atteint les cieux figure le roi Nébucadnezzar de Babylone. Il fut le plus grand monarque de son époque. Toutefois, il dut s’incliner devant la souveraineté d’un plus grand chef, savoir “le Très-Haut” ou “le Roi des cieux”, Jéhovah Dieu (Daniel 4:34, 37). Ainsi, cet arbre dont la cime atteignait les cieux est le symbole de *la*

* Pour obtenir les preuves historiques que cet ordre a bien été donné en 455 avant notre ère, voyez le sujet “Artaxerxès” dans le livre *Auxiliaire pour une meilleure intelligence de la Bible,* publié par la Watch Tower Bible and Tract Society of New York, Inc.

13. Comment la Bible a-t-elle prédit l’année même de l’apparition du Messie sur terre?
14. Que représente l’“arbre” du chapitre 4 de Daniel?

souveraineté universelle de Dieu quant à la terre. Pendant un temps, Jéhovah exerça sa souveraineté par le moyen du Royaume qu'il avait établi sur la nation d'Israël. Aussi disait-on des rois de la tribu de Juda qu'ils étaient 'assis sur le trône de Jéhovah'. — I Chroniques 29:23.

[15] Selon le chapitre 4 du livre de Daniel, l'arbre gigantesque fut abattu. On laissa toutefois sa souche en terre et on la cercla de liens de fer et de cuivre, pour l'empêcher de pousser jusqu'au moment fixé par Dieu où les liens seraient ôtés et où l'arbre retrouverait sa vigueur. Mais comment et quand la souveraineté divine fut-elle abattue?

[16] Le royaume de Juda établi par Jéhovah devint si corrompu que celui-ci autorisa le roi Nébucadnezzar à l'abattre. C'était en 607 avant notre ère. Voici ce qu'il fut dit en cette année-là à Sédécias, le dernier roi de Juda qui s'assit sur le trône de Jéhovah: "Enlève la couronne. (...) Ce ne sera à personne jusqu'à ce que vienne celui qui a le droit légal, et je devrai le lui donner." — Ezéchiel 21:25-27.

---

15. Quand l'"arbre" fut abattu, pourquoi cercla-t-on sa souche?

16. a) Quand et comment la souveraineté de Dieu fut-elle abattue? b) Que fut-il dit au dernier roi de Juda qui s'assit sur 'le trône de Jéhovah'?

.e grand arbre de Daniel chapitre 4 ·eprésente la souveraineté divine. ·endant un temps, elle s'exerça ·ar le moyen du royaume de Juda.

[17] Ainsi, la souveraineté de Dieu figurée par l'"arbre" fut abattue en 607, en ce sens qu'elle cessa d'être représentée par un gouvernement terrestre. En 607 s'ouvrit donc une période que Jésus désigna plus tard par l'expression *"temps fixés des nations"* ou "temps des Gentils". (Luc 21:24, *MN; Crampon* 1905.) Durant ces "temps fixés", aucun gouvernement n'a représenté la souveraineté de Dieu sur la terre.

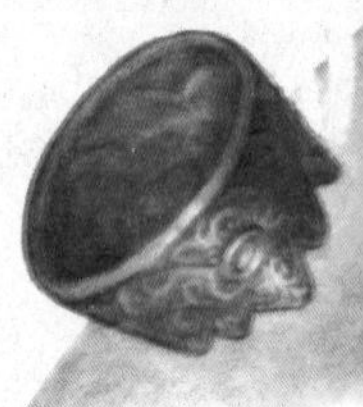

[18] Mais que devait-il se passer à la fin des "temps fixés des nations"? Jéhovah allait donner le pouvoir à Celui "qui a le droit légal", savoir Jésus Christ. Donc, si nous pouvons déterminer quand ont pris fin "les temps fixés des nations", nous saurons à quel moment Christ a commencé à régner.

[19] D'après le chapitre 4 de Daniel, ces "temps fixés" seraient de *"sept temps"*. Ainsi, une période de "sept temps" s'écoulerait durant laquelle la souveraineté de Dieu, figurée par l'"arbre", ne s'exercerait pas sur la terre (Daniel 4:16, 23). Quelle est la durée de ces "sept temps"?

---

17. Quelle période commença en 607 avant notre ère?
18. Que devait-il se passer à la fin des "temps fixés des nations"?
19. Pendant combien de "temps" la souveraineté de Dieu ne s'exercerait-elle pas sur la terre?

L'arbre fut abattu quand
le royaume de Juda fut détruit.

En 607 av. n. è., le royaume divin de Juda tomba.
En 1914 de n. è., Jésus commença à régner comme Roi du gouvernement céleste de Dieu.

1914

Octobre 607 av. n. è. — octobre 1 av. n. è.	**=**	**606 ans**
Octobre 1 av. n. è. — octobre 1914 de n. è.	**=**	**1 914 ans**

SEPT TEMPS DES GENTILS = 2 520 ans

[20] Selon la Révélation (12:6, 14), 1 260 jours équivalent à “un temps [ou 1 temps], et des temps [ou 2 temps], et la moitié d’un temps”, soit au total 3 temps ½. Ainsi, “un temps” correspondrait à 360 jours. Les “sept temps” équivaudraient donc à 2 520 jours (360 × 7). Si l’on applique la règle biblique ‘un jour pour une année’, les “sept temps” correspondent à *2 520 ans.* — Nombres 14:34; Ezéchiel 4:6.

[21] “Les temps fixés des nations” ayant débuté en 607 avant notre ère, 2 520 ans à compter de cette date nous amènent en 1914 de notre ère, année où prirent fin “les temps fixés”. On se souvient des événements qui ont marqué 1914 et notamment de la Première Guerre mondiale, qui a inauguré une période de tribulation qui s’est étendue jusqu’à nos jours. *Cela signifie que Jésus Christ a commencé à régner comme Roi du gouvernement céleste de Dieu en 1914.* Le Royaume ayant été investi du pouvoir, il convient de prier pour qu’il “vienne” et débarrasse la terre du mauvais système satanique. — Matthieu 6:10; Daniel 2:44.

[22] “Mais, dira-t-on, si Christ est revenu pour régner dans le Royaume de son Père, pourquoi ne le voyons-nous pas?”

---

20. a) Quelle est la durée d’un “temps”? b) Quelle est la durée des “sept temps”? c) Pourquoi compter un jour pour une année?
21. a) Quand ont commencé et pris fin “les temps fixés des nations”? b) Quand le gouvernement de Dieu a-t-il commencé à dominer? c) Pourquoi convient-il encore de prier pour la venue du Royaume de Dieu?
22. Quelle question certains poseront-ils?

Chapitre 17

Le retour du Christ — en quel sens est-il visible?

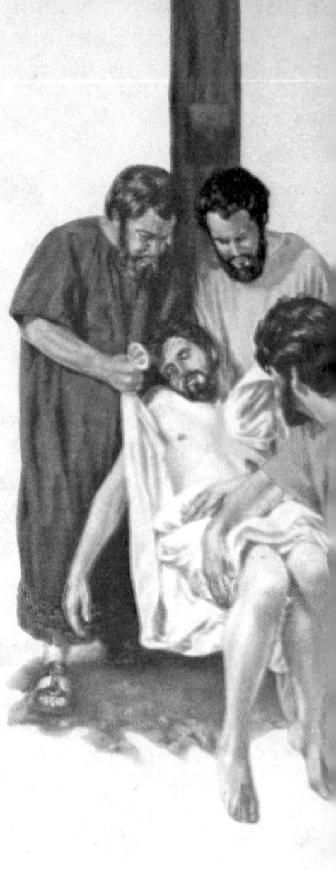

Christ donna son corps en sacrifice. Il ne pouvai[t] le reprendre pour redevenir un homme.

"JE REVIENS." (Jean 14:3). Telle est la promesse faite par Jésus à ses apôtres la nuit précédant sa mort. Vous conviendrez que la paix, la santé et la vie, choses que le retour du Christ investi du pouvoir royal apportera aux humains, n'ont jamais fait autant défaut. Mais *comment* Christ revient-il? Qui le voit, et de quelle façon?

[2] Christ ne revient pas sur terre. Ceux qui régneront à ses côtés iront plutôt vivre avec lui dans le ciel. Jésus dit à ses apôtres: "Je reviens et je vous accueillerai auprès de moi, afin que là où je suis, vous soyez, vous aussi." (Jean 14:3). Ainsi, à son retour, ceux qui sont enlevés au ciel deviennent des créatures spirituelles et voient le Christ dans son glorieux corps spirituel (I Corinthiens 15:44). Et ceux qui ne vont pas au ciel, voient-ils le Christ à son retour?

POURQUOI IL NE PEUT REVENIR EN TANT QU'HOMME

[3] Cette nuit-là, Jésus dit à ses apôtres: "Encore un peu de temps, et *le monde ne me verra plus.*" (Jean 14:19). Le

1. a) Quelle promesse Christ a-t-il faite? b) Pourquoi doit-il revenir?
2. a) A son retour, où Christ fera-t-il vivre ses disciples oints, y compris ses apôtres? b) Quel corps auront-ils alors?
3. Quelle preuve biblique atteste que les hommes ne reverront jamais plus le Christ?

"monde" désigne l'humanité. Ainsi, Jésus dit que les humains ne le reverraient plus après sa mort. L'apôtre Paul écrivit: "Même si nous avons connu Christ selon la chair, assurément ce n'est plus ainsi que nous le connaissons à présent." — II Corinthiens 5:16.

[4] Pourtant, la croyance selon laquelle Christ reviendra avec le corps qui a été supplicié et sera vu de tous les hommes est très répandue. Or, la Bible dit que Christ revient dans la gloire avec tous les anges, et qu'il s'assied "sur son trône glorieux". (Matthieu 25:31.) Si Jésus devait venir s'asseoir sur un trône humain, sa position serait inférieure à celle des anges. Or, il revient comme le plus puissant et le plus glorieux de tous ces fils spirituels de Dieu. Voilà pourquoi il est tout aussi invisible qu'eux. — Philippiens 2:8-11.

[5] D'autre part, il y a plus de 1 900 ans, Jésus a dû s'abaisser pour devenir un homme et donner sa vie humaine parfaite en rançon pour nous. Il a dit: "Le pain que je donnerai, c'est ma chair pour la vie du monde." (Jean 6:51). Jésus donna ainsi son corps de chair en sacrifice pour l'humanité. Ce sacrifice aurait-il un effet durable? L'apôtre Paul répond en ces termes: "Nous avons été sanctifiés grâce à l'offrande du corps de Jésus Christ *une fois pour toutes."* (Hébreux 10:10). Ayant donné sa chair pour la vie du monde, Christ ne peut plus la reprendre pour redevenir un homme. C'est pour cette raison fondamentale qu'il ne peut revenir avec le corps humain qu'il a sacrifié une fois pour toutes.

SON CORPS CHARNEL N'A PAS ETE ENLEVE AU CIEL

[6] Beaucoup pensent que Christ est monté au ciel avec son corps de chair, du fait que celui-ci n'a pas été retrouvé dans la tombe après sa résurrection (Marc 16:5-7). Egalement, après sa mort, Jésus est apparu à ses disciples dans un corps de chair pour leur prouver qu'il était bien en vie. Un jour, il alla jusqu'à dire à l'apôtre Thomas de mettre sa main dans

---

4. Qu'est-ce qui atteste que Christ revient en tant qu'esprit invisible et puissant?
5. Pourquoi Christ ne pouvait-il revenir dans un corps humain?
6. Pourquoi beaucoup de gens pensent-ils que Christ a emmené son corps physique au ciel?

son côté, afin qu'il soit convaincu de sa résurrection (Jean 20:24-27). Ne sont-ce pas là des preuves que Christ est ressuscité avec le corps qui a été supplicié?

Pourquoi Marie Madeleine prit-elle Jésus pour le jardinier après sa résurrection?

[7] Non, car "Christ lui-même est mort une fois pour toutes en ce qui concerne les péchés, (...) *ayant été mis à mort dans la chair, mais ayant été rendu à la vie dans l'esprit*". (I Pierre 3:18.) Les humains faits de chair et de sang ne peuvent vivre dans le ciel. Parlant de la résurrection pour la vie céleste, la Bible dit: "Il est semé corps physique, il est relevé corps spirituel. (...) *La chair et le sang ne peuvent hériter le royaume de Dieu.*" (I Corinthiens 15:44-50). Seuls les esprits dotés d'un corps spirituel peuvent vivre dans le ciel.

[8] Qu'arriva-t-il donc au corps charnel de Jésus? Les disciples ont en effet trouvé sa tombe vide. Pourquoi? Parce que Dieu avait enlevé le corps de Jésus, conformément à ce qui avait été annoncé dans la Bible (Psaume 16:10; Actes 2:31). Jéhovah avait fait de même pour le corps de Moïse (Deutéronome 34:5, 6). Par ailleurs, si le corps de Jésus avait été laissé dans la tombe, ses disciples n'auraient pas compris qu'il avait été rendu à la vie, car à cette époque ils n'avaient pas la pleine intelligence des choses spirituelles.

[9] Mais le fait que Thomas ait pu mettre la main dans le côté de Jésus ne prouve-t-il pas que celui-ci a été ressuscité avec le corps qui a été cloué au poteau? Non, parce que Jésus

---

7. Quelle preuve avons-nous que Christ est monté au ciel en tant qu'esprit?
8. Qu'arriva-t-il au corps charnel du Christ?
9. Comment fut-il possible pour Thomas de mettre la main dans une blessure du corps matérialisé du Christ ressuscité?

s'était matérialisé, tout comme les anges l'avaient fait dans le passé. Pour convaincre Thomas, il a revêtu un corps marqué de trous. Il apparut tel un homme réel, capable de manger et de boire, de même que les anges à qui Abraham avait offert l'hospitalité. — Genèse 18:8; Hébreux 13:2.

[10] Bien que Jésus se montrât à Thomas dans un corps identique à celui qui avait été supplicié, il revêtit d'autres corps pour se manifester à ses disciples. C'est ainsi que Marie Madeleine prit d'abord Jésus pour le jardinier. Dans certains cas, ses disciples ne le reconnurent pas au premier abord; ce qui leur ouvrit ensuite les yeux, ce ne fut pas son apparence extérieure, mais un mot ou un geste de sa part. — Jean 20:14-16; 21:6, 7; Luc 24:30, 31.

[11] Durant les 40 jours qui suivirent sa résurrection, Jésus apparut à ses disciples dans un corps de chair (Actes 1:3). Puis il monta au ciel. "Mais, dira-t-on, les anges qui assistèrent à son ascension n'ont-ils pas dit aux apôtres que Christ 'viendra ainsi, de la même manière que vous l'avez vu s'en aller au ciel'?" (Actes 1:11). En effet, mais notez qu'ils ont dit *"de la même manière"* et non dans le même corps. De quelle manière Jésus est-il parti? Sans bruit et sans manifestation publique. Seuls ses apôtres l'ont su.

[12] Voici comment la Bible décrit la manière dont Jésus monta au ciel: "Alors qu'ils regardaient, il fut élevé et une nuée l'enveloppa, le dérobant à leur vue." (Actes 1:9). Ainsi, tandis que Jésus s'élevait vers le ciel, une nuée vint le soustraire aux yeux de ses apôtres, le rendant invisible. Avec

Quel corps de chair
Jésus ressuscité dit-il à Thomas
de toucher?

10. Qu'est-ce qui montre que Jésus a revêtu différents corps physiques?
11, 12. a) De quelle *manière* Christ a-t-il quitté la terre? b) Par conséquent, de quelle manière pouvons-nous nous attendre à le voir revenir?

son corps spirituel il monta alors au ciel (I Pierre 3:18). Pareillement, son retour sera invisible, puisqu'il revient avec un corps spirituel.

COMMENT TOUT ŒIL LE VERRA

[13] Dès lors, comment faut-il comprendre Révélation 1:7, où l'apôtre Jean écrit: "Voici, il vient avec les nuées, et *tout œil le verra,* et ceux qui l'ont percé; et toutes les tribus de la terre se frapperont la poitrine de chagrin à cause de lui." Il ne s'agit pas ici de voir au sens propre, mais au sens figuré, autrement dit de *discerner* ou de *percevoir.* Pour montrer qu'on a compris, ne dit-on pas parfois: 'Je vois.' En fait, la Bible parle des "yeux de votre cœur [entendement, note en bas de page, *Osty*]". (Ephésiens 1:18.) Par conséquent, l'expression "tout œil le verra" signifie que tous comprendront que Christ est présent.

[14] Les hommes qui ont "percé" Jésus ont disparu. Donc, ils représentent ceux qui, en faisant du tort aux disciples du Christ des temps modernes, imitent ces hommes du premier siècle (Matthieu 25:40, 45). Bientôt, Jésus exécutera ces méchants. Ils en ont été avertis. Quand l'heure de l'exécution aura sonné, ils "verront" ou comprendront ce qui se passe, et ils seront déchirés par le chagrin.

JESUS REVIENT-IL SUR TERRE?

[15] Revenir n'emporte pas toujours l'idée de se déplacer. Par exemple, on dit d'un malade qui a failli mourir qu'il "revient de loin", et d'un ancien dirigeant qu'il "revient au pouvoir". Pareillement, Dieu dit à Abraham: "Je reviendrai vers toi, l'année prochaine à cette époque, et Sara aura un fils." (Genèse 18:14; 21:1). Le retour de Jéhovah consistait à *tourner son attention* vers Sara pour réaliser sa promesse.

---

13. Comment faut-il comprendre que 'tout œil verra' le Christ lorsqu'il viendra sur les nuées?
14. a) Que signifie l'expression "ceux qui l'ont percé"? b) Pourquoi y aura-t-il beaucoup de chagrin quand les hommes comprendront finalement que Christ est présent?
15. De quelle façon le mot "retour" est-il souvent utilisé?

[16] De la même manière, le retour du Christ ne signifie pas qu'il va revenir sur terre, mais plutôt qu'il va étendre son pouvoir royal à la terre et tourner son attention vers elle. Cela n'exige pas qu'il quitte son trône céleste. Comme nous l'avons vu, les témoignages de la Bible attestent qu'en 1914 était arrivé le temps divinement fixé où le Christ devait revenir et commencer son règne. C'est à ce moment-là que retentit ce cri dans les cieux: "Maintenant sont arrivés le salut et la puissance et le royaume de notre Dieu et l'autorité de son Christ!" — Révélation 12:10.

[17] Le retour du Christ étant invisible, de quelle façon sera-t-il confirmé? Christ lui-même donna un "signe" pour nous permettre de savoir qu'il est invisiblement présent et que la fin du monde est proche. Examinons ce "signe".

Christ devait revenir de la même manière qu'il avait quitté la terre. De quelle manière est-il parti?

16. a) De quelle façon Christ revient-il sur terre? b) Quand Christ est-il revenu, et que s'est-il passé alors?
17. Puisque le retour du Christ est invisible, que nous a-t-il donné pour nous permettre de savoir qu'il est revenu?

Chapitre 18

“La fin du monde” est proche!

QUAND Jésus chassa Satan et ses anges des cieux et se mit à régner, les jours de Satan et de son système mauvais commencèrent à être comptés (Révélation 12:7-12). Mais comment les disciples du Christ sur terre pourraient-ils savoir que cet événement céleste, donc invisible, avait bien eu lieu? Comment sauraient-ils que Christ était invisiblement présent dans son Royaume et que “la fin du monde” était proche? En guettant la réalisation du “signe” donné par Jésus.

[2] Peu de temps avant la mort de Jésus, tandis qu’il se tenait sur le mont des Oliviers, quatre de ses apôtres lui demandèrent un “signe”. Voici comment ils formulèrent leur question: “Dis-nous quand cela aura lieu, et quel est le signe de ta Venue et de la fin du monde?” (Matthieu 24:3, *Osty*). Mais que signifient vraiment les expressions *“ta Venue”* et *“la fin du monde”?*

[3] Le mot grec traduit ici par “venue” est *“parousia”,* et il signifie “présence”. Ainsi, l’apparition du “signe” indiquerait que Jésus est présent, invisiblement, et qu’il a été investi du pouvoir royal. L’expression “fin du monde” ne signifie pas la fin de la terre, mais plutôt la fin du système de choses satanique (II Corinthiens 4:4). La question des apôtres doit donc se lire comme suit: “Dis-nous: Quand ces choses auront-elles lieu, et quel sera le signe de *ta présence* et de *la*

---

1. Comment les disciples terrestres du Christ sauraient-ils qu’il avait commencé à régner dans les cieux?

2. Quelle question les disciples du Christ lui posèrent-ils?

3. a) Que signifient les expressions *“ta Venue”* et *“la fin du monde”?* b) Comment la question posée par les disciples doit-elle donc se lire?

conclusion du système de choses?" — Matthieu 24:3, *Traduction du monde nouveau.*

[4] Jésus ne limita pas "le signe" à un seul événement. Il dressa une liste d'événements. Outre Matthieu, d'autres écrivains bibliques ont fait allusion à ces choses qui marqueraient les "derniers jours", et qui auraient lieu durant l'époque appelée dans la Bible "les derniers jours". (II Timothée 3:1-5; II Pierre 3:3, 4.) Ces événements sont comparables aux empreintes laissées par les doigts et qui sont propres à chaque individu. Les "derniers jours" ont leurs propres marques ou événements, lesquels constituent une "empreinte" tangible qui ne peut appartenir à aucune autre époque.

[5] Au chapitre 16, nous avons examiné les preuves bibliques du retour du Christ et de sa prise du pouvoir royal au milieu de ses ennemis en 1914. Nous allons analyser maintenant les différents éléments du "signe" de la présence du Christ, lesquels sont une preuve supplémentaire des "derniers jours" du système de choses satanique. Notez la façon dont ils se sont réalisés depuis 1914.

---

4. a) De quoi se compose "le signe" donné par Jésus? b) Comment "le signe" peut-il être comparé à une empreinte digitale?
5, 6. Tandis que vous examinez les 11 éléments du signe des "derniers jours", que comprenez-vous au sujet de "la conclusion du système de choses"?

Jésus donna à ses disciples ce qui serait la preuve visible de sa présence invisible, étant investi du pouvoir royal.

"NATION SE DRESSERA CONTRE NATION ET ROYAUME CONTRE ROYAUME." — Matthieu 24:7.

La réalisation de cet élément du "signe" depuis 1914 n'a pu vous échapper. En cette année-là éclata la Première Guerre mondiale. Ce fut une guerre *totale*, plus meurtrière que les grands conflits enregistrés au cours des 2 400 années qui l'ont précédée. Pourtant, 21 ans après éclatait la Seconde Guerre mondiale, qui fit quatre fois plus de victimes.

Depuis la fin de la Seconde Guerre mondiale en 1945, plus de *25 millions de personnes* ont perdu la vie au cours des 150 conflits armés qui ont ébranlé le monde, et l'on a enregistré une moyenne quotidienne de 12 guerres. Ajoutons à cela la menace permanente d'un nouveau conflit universel. A eux seuls, les Etats-Unis disposent d'un arsenal atomique suffisant pour détruire au moins une douzaine de fois l'humanité.

"IL Y AURA DES DISETTES." — Matthieu 24:7.

La Première Guerre mondiale a été suivie d'une famine sans précédent dans l'Histoire. Rien qu'en Chine du Nord, *chaque jour* 15 000 personnes sont mortes de faim. Mais les disettes ont frappé un quart des hommes après la Seconde Guerre mondiale. Depuis lors, elles ravagent de nombreux pays.

En 1967, le *New York Times* rapportait que "dans un pays en voie de développement, toutes les 8,6 secondes une personne meurt d'une maladie due à la malnutrition". Et *50 millions* de gens meurent de faim chaque année! En 1980, environ le quart de la population de la terre (1 000 000 000 d'humains) était affamé par manque de nourriture. Même là où la nourriture abonde, beaucoup sont trop pauvres pour acheter de quoi manger.

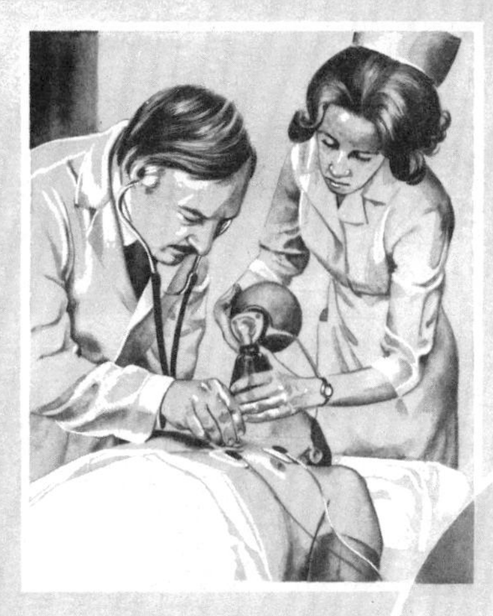

"DANS UN LIEU APRES L'AUTRE, DES PESTES." — Luc 21:11.

Juste après la Première Guerre mondiale, la grippe espagnole fit *21 000 000* de victimes! Et la peste et la maladie continuent leurs ravages. Des millions de gens meurent chaque année de troubles cardiaques et du cancer. Les maladies vénériennes prolifèrent à un rythme accéléré. La malaria, la bilharziose et l'onchocercose se répandent d'un pays à l'autre, particulièrement en Asie, en Afrique et en Amérique latine.

'IL Y AURA DES TREMBLEMENTS DE TERRE DANS UN LIEU APRES L'AUTRE.' — Matthieu 24:7.

Depuis 1914, les grands séismes se produisent à une fréquence encore jamais vue. Pendant plus de 1 000 ans (de 856 à 1914), il n'y a eu que 24 grands tremblements de terre qui ont fait 1 973 000 victimes. Mais en 63 ans (de 1915 à 1978), 1 600 000 personnes ont perdu la vie dans les 43 grands séismes enregistrés.

"LE MEPRIS DE LA LOI IRA EN AUGMENTANT." — Matthieu 24:12.

Dans le monde entier, on note une aggravation de la criminalité et du mépris de la loi. Les meurtres, les viols et les vols s'accroissent de façon fulgurante. Rien qu'aux Etats-Unis, il se commet en moyenne un délit grave *toutes les secondes*. En maints endroits, l'insécurité règne dans les rues même en plein jour. Après la tombée de la nuit, les gens se barricadent chez eux.

"LES HOMMES DEFAILLIRONT DE PEUR." — Luc 21:26.

Les gens sont en proie à la peur. Voici ce que déclara le savant Harold Urey, peu après l'explosion des premières bombes atomiques: "Désormais, que nous mangions, dormions, vivions et mourions, ce sera toujours dans la peur." Cela est vrai, et pas seulement à cause de la menace constante d'une guerre nucléaire. La peur saisit les cœurs à cause du crime, de la pollution, de la maladie, etc., qui mettent en péril la sécurité et la vie même.

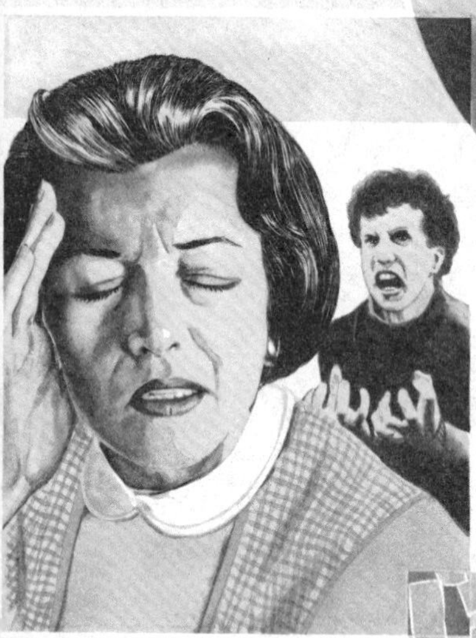

'LA DESOBEISSANCE AUX PARENTS.' — II Timothée 3:2.

Aujourd'hui, les parents ont souvent bien peu d'emprise sur leurs enfants. Les jeunes se rebellent contre toute forme d'autorité. Aussi la délinquance juvénile sévit-elle dans le monde entier. Dans certains pays, plus de la moitié des délits graves sont commis par des enfants de 10 à 17 ans. Ils tuent, violent, agressent, etc. Jamais dans l'Histoire la désobéissance aux parents n'a été aussi répandue.

"AMIS DE L'ARGENT." — II Timothée 3:2.

L'avidité est présente partout. Beaucoup feraient n'importe quoi pour de l'argent, y compris voler et tuer. Des gens avides n'hésitent pas à fabriquer et à vendre des produits reconnus dangereux pour la santé et la vie de leurs semblables. Soit ouvertement, soit par leur façon de vivre, ces gens-là disent de l'argent: 'C'est mon dieu.'

"AMIS DES PLAISIRS PLUTOT QU'AMIS DE DIEU." — II Timothée 3:4.

La plupart des humains cherchent uniquement leur propre plaisir ou celui de leur famille, et ne se soucient pas de plaire à Dieu. Ils aiment ce que Dieu condamne, y compris la fornication, l'adultère, l'ivrognerie, la drogue, etc. Ils font même passer les plaisirs qui peuvent être bénéfiques avant la recherche et le service de Dieu.

"AYANT UNE FORME DE PIETE, MAIS TRAHISSANT SA PUISSANCE." — II Timothée 3:5.

Les dirigeants comme les gens du peuple font souvent étalage de leur piété; les premiers jurent sur la Bible lors de leur entrée en fonction, les seconds soutiennent matériellement des causes religieuses. Mais cela n'est bien souvent qu'une *"forme de piété"*. Comme l'a prédit la Bible, le vrai culte de Dieu n'est pas une force dans la vie des hommes en général. Ils ne sont pas motivés par le désir de faire le bien.

'ILS SACCAGENT LA TERRE.' — Révélation 11:18.

L'air, l'eau et le sol sont pollués. La pollution est si grave que le savant Barry Commoner a lancé cet avertissement: "Je pense que la pollution constante de la terre, si elle n'est pas maîtrisée, finira par rendre notre planète inhabitable."

[6] Les faits précités indiquent que le “signe” donné par Jésus et les événements prédits par ses disciples sont en train de se réaliser. Certes, il y a d’autres preuves, mais celles que l’on vient d’examiner suffisent à attester que nous vivons “les derniers jours” annoncés par la Bible.

[7] “Mais, dira-t-on, les guerres, les famines, les pestes, etc., ont jalonné l’Histoire. On ne risque rien à faire de telles prédictions.” On notera toutefois ceci: La Bible a non seulement annoncé ces calamités, mais elle a précisé qu’elles se produiraient sur une *échelle mondiale* et dans la génération qui était en vie en 1914. Or, juste avant 1914, les grands dirigeants affirmaient que les conditions nécessaires à la paix mondiale n’avaient jamais été aussi favorables. Pourtant, les malheurs prédits par la Bible sont arrivés au temps fixé, savoir 1914. D’ailleurs, les chefs mondiaux disent maintenant que 1914 a marqué un tournant dans l’Histoire.

[8] Après avoir attiré l’attention sur les principaux événements qui ont marqué la période commençant en 1914, Jésus dit: “Cette génération ne passera pas que toutes ces choses [y compris la fin du présent système] n’arrivent.” (Matthieu 24:34, 14). Jésus voulait parler de la génération de ceux qui vivaient en 1914. Les survivants de cette génération sont maintenant très âgés. Néanmoins, certains d’entre eux seront témoins de la fin du présent système mauvais. Soyons sûrs que très bientôt ce sera la fin soudaine de toute la méchanceté et des méchants à Harmaguédon.

---

7. a) Qu’est-ce qui rend les prophéties bibliques relatives à la présence de Christ et aux “derniers jours” si remarquables? b) Contrairement aux prédictions bibliques, que disaient les chefs mondiaux juste avant 1914?

8. a) Selon Jésus, quelle génération verrait la fin du présent système de choses? b) De quoi pouvons-nous donc être certains?

HARMAGUEDON

Certains de la génération de ceux qui vivaient en 1914 verront la fin du présent système et y survivront.

Chapitre 19

Après Harmaguédon, un paradis terrestre

"HARMAGUEDON" est un mot qui effraie beaucoup de gens. Les dirigeants l'appliquent souvent à une éventuelle troisième guerre mondiale. Or, la Bible décrit Harmaguédon comme le lieu de la guerre juste menée par Dieu (Apocalypse 16:14, 16, *Segond*), laquelle ouvrira la voie à un ordre nouveau et juste.

[2] Les guerres humaines tuent les bons et les mauvais; Harmaguédon ne détruira que les méchants (Psaume 92:7). Jéhovah sera le Juge; il supprimera tous ceux qui refusent *volontairement* d'obéir à ses justes lois. Aujourd'hui, la plupart des gens ne voient aucun mal à se livrer à la fornication, à l'ivrognerie, au mensonge, etc. Or, ces pratiques sont condamnées par Dieu; aussi, à Harmaguédon, ne sauvera-t-il pas ceux qui n'y ont pas renoncé (I Corinthiens 6:9, 10; Révélation 21:8). Quiconque connaît les lois de Dieu sur ces pratiques doit changer de conduite.

[3] Après Harmaguédon, le présent monde aura totalement disparu. Seuls ceux qui servent Dieu resteront en vie (I Jean 2:17). Jésus établit un parallèle avec l'époque de Noé (Matthieu 24:37-39; II Pierre 3:5-7, 13; 2:5). Après Harmaguédon, seul le Royaume de Dieu gouvernera la terre. Satan et ses démons ne seront plus (Révélation 20:1-3). Voyons maintenant quelques-unes des bénédictions proposées aux hommes obéissants.

---

1. a) Quelle signification donne-t-on généralement au mot Harmaguédon? b) Qu'en dit la Bible?
2. a) Qui sera détruit à Harmaguédon? b) Quelles pratiques ferons-nous donc bien d'éviter?
3. a) A quoi Jésus compara-t-il la fin du présent monde? b) Qu'arrivera-t-il à Satan et à ses démons? c) Selon les Ecritures citées aux pages suivantes, quelles conditions connaîtront les hommes dans le paradis terrestre?

LA PAIX POUR TOUTE L'HUMANITE

"Un enfant nous est né, un fils nous a été donné; et la domination princière sera sur son épaule. Et on l'appellera (...) Prince de paix. A l'abondance de la domination princière et à la paix il n'y aura pas de fin." — Esaïe 9:6, 7.

"En ses jours le juste commencera à pousser, et l'abondance de paix jusqu'à ce que la lune ne soit plus. Et il aura des sujets de la mer à la mer et du Fleuve jusqu'aux extrémités de la terre." — Psaume 72:7, 8.

PLUS DE GUERRES

"Venez, contemplez les activités de Jéhovah, comment il a mis des événements stupéfiants sur la terre. Il a fait cesser les guerres jusqu'à l'extrémité de la terre." — Psaume 46:8, 9.

UNE BELLE DEMEURE, UN BON TRAVAIL POUR CHACUN

"Assurément ils bâtiront des maisons et les occuperont (...). Ils ne bâtiront pas pour que quelqu'un d'autre occupe; et ils ne planteront pas pour que quelqu'un d'autre mange. (...) Mes élus utiliseront jusqu'au bout l'œuvre de leurs mains. Ils ne peineront pas pour rien, et ils n'enfanteront pas pour le trouble; car ils sont la progéniture composée des élus de Jéhovah, et leurs descendants avec eux." — Esaïe 65: 21-23.

PLUS DE CRIMES, DE VIOLENCE ET DE MECHANCETE

"Car les malfaiteurs seront retranchés (...). Et un peu de temps encore, et le méchant ne sera plus; et assurément tu prêteras attention à son lieu, et il ne sera plus." — Psaume 37:9, 10.

"Pour ce qui est des méchants, ils seront retranchés de la terre; et quant aux traîtres, ils en seront arrachés." — Proverbes 2:22.

LE PARADIS COUVRIRA LA TERRE

Jésus dit: "Tu seras avec moi dans le Paradis." — Luc 23:43.

"Les justes posséderont la terre, et sur elle ils résideront pour toujours." — Psaume 37:29.

UNE ABONDANCE DE NOURRITURE POUR CHACUN

Jéhovah "fera pour tous les peuples (...) un banquet de mets bien huilés, un banquet de vins qu'on a laissé reposer sur la lie, de mets bien huilés pleins de moelle". — Esaïe 25:6.

"Il y aura abondance de grain sur la terre; sur le sommet des montagnes il y aura une profusion." "La terre donnera assurément son produit; Dieu, notre Dieu, nous bénira." — Psaumes 72:16; 67:6.

[4] Vous désirez certainement vivre dans un paradis semblable à celui où fut créé Adam (Genèse 2:8; Luc 23:43). Songez un peu: plus de guerres, de crimes et de violence! Vous pourrez aller n'importe où et sortir à n'importe quelle heure du jour et de la nuit sans craindre d'être agressé. Les méchants auront tout simplement disparu. — Psaume 37:35-38.

[5] Cela veut dire qu'il n'y aura plus de politiciens malhonnêtes ni d'hommes d'affaires avides pour opprimer les humains. Il n'y aura plus d'impôts écrasants pour l'armement, de malnutrition, de logements inconfortables, de chômage, d'inflation et de prix élevés. Les troubles qui déchirent les familles ne seront plus. Chacun aura une tâche agréable et jouira du fruit de son travail.

[6] Tout d'abord, les survivants d'Harmaguédon seront chargés de nettoyer la terre, de la débarrasser des ruines du présent système. Puis, sous la direction du Royaume, ils la cultiveront et en feront une demeure agréable. Quel bonheur de travailler ainsi! Dieu bénira l'œuvre de chacun, et il accordera le climat propice à la culture des céréales et à l'élevage des troupeaux, qu'il protégera contre la maladie.

[7] Alors se réalisera cette promesse divine: “Tu ouvres ta main et tu rassasies le désir de toute chose vivante.” (Psaume 145:16). Oui, tous les désirs légitimes de ceux qui craignent Dieu seront comblés. Nous ne pouvons même pas imaginer à quel point la vie sera agréable dans le paradis terrestre. Parlant des bienfaits que Dieu déversera sur son peuple, l'apôtre Pierre dit: “Selon sa promesse [celle de Dieu], nous attendons de *nouveaux cieux* et une *nouvelle terre* dans lesquels la *justice* doit habiter.” — II Pierre 3:13; Esaïe 65:17; 66:22.

4, 5. a) Qu'est-ce qui aura disparu dans le paradis? b) Quelles choses impossibles aujourd'hui les hommes pourront-ils faire alors?
6. a) Quel travail attend les survivants d'Harmaguédon? b) Comment Dieu bénira-t-il l'œuvre de leurs mains?
7. a) Quelle promesse divine sera réalisée? b) Qu'attendent les chrétiens conformément à la promesse de Dieu?

[8] Ces “nouveaux cieux” ne sont pas les cieux physiques, car Dieu les a créés parfaits et ils proclament sa gloire (Psaumes 8:3; 19:1, 2). Les “nouveaux cieux” désignent une nouvelle domination de la terre. Les “cieux” actuels se composent des gouvernements humains. A Harmaguédon, ceux-ci disparaîtront (II Pierre 3:7). Les “nouveaux cieux” qui les remplaceront sont constitués par le gouvernement céleste de Dieu, dont le Roi est Jésus Christ entouré de 144 000 fidèles disciples. — Révélation 5:9, 10; 14:1, 3.

[9] Et la “nouvelle terre”? Il ne s'agit pas d'une nouvelle planète. La terre que Dieu a faite est une demeure parfaite pour l'homme, et elle doit subsister éternellement (Psaume 104:5). La “nouvelle terre” désigne une nouvelle société humaine. La Bible utilise souvent le mot “terre” dans ce sens. Par exemple, elle dit: “Toute la terre [les hommes] continuait d'être une seule langue.” (Genèse 11:1). La “terre” qui sera détruite se compose des hommes qui appartiennent au présent système mauvais (II Pierre 3:7). La “nouvelle terre” qui la remplacera sera formée des vrais serviteurs de Dieu, qui se sont séparés de ce monde méchant. — Jean 17:14; I Jean 2:17.

[10] En ce moment, les hommes de toutes races et nationalités qui composeront la “nouvelle terre” sont rassemblés dans la congrégation chrétienne. L'unité et la paix qui règnent entre eux ne sont qu'un pâle reflet de ce que sera la vie dans le paradis, après Harmaguédon. Vraiment, le Royaume de Dieu réalisera ce qu'aucun gouvernement humain n'a même jamais espéré faire. Voici quelques-uns de ces bienfaits.

[11] Le paradis administré par le Royaume de Dieu comblera les hommes au delà de tout ce que pourra jamais leur

---

8. a) Pourquoi n'avons-nous pas besoin de nouveaux cieux physiques? b) Qu'est-ce que les “nouveaux cieux”?

9. a) Qu'est-ce que la “nouvelle terre”? b) Quelle est la terre qui sera détruite?

10. a) Qui est actuellement rassemblé, et où? b) Selon les Ecritures citées aux pages suivantes, quelles choses impossibles pour les gouvernements humains seront réalisées dans le paradis?

11. Qu'est-ce qui assombrit souvent le paradis que les hommes se sont fait aujourd'hui?

UNE FRATERNITE FONDEE SUR L'AMOUR

'Dieu n'est pas partial; en toute nation l'homme qui le craint et pratique la justice lui est agréable.' — Actes 10:34, 35.

"Voici une grande foule que personne ne pouvait dénombrer, *de toutes nations et tribus et peuples* (...). Ils n'auront plus faim et ils n'auront plus soif." — Révélation 7:9, 16.

LA PAIX ENTRE LES HOMMES ET LES ANIMAUX

"Le loup résidera (...) avec l'agneau mâle, et le léopard se couchera avec le chevreau, et le veau, et le jeune lion à crinière, et l'animal bien nourri, tous ensemble; et un petit garçon sera leur conducteur." — Esaïe 11:6; 65:25.

DISPARITION DE LA MALADIE, DE LA VIEILLESSE ET DE LA MORT

"En ce temps-là s'ouvriront les yeux des aveugles, et les oreilles des sourds seront débouchées. En ce temps-là le boiteux grimpera comme le cerf et la langue du muet poussera des cris d'allégresse." — Esaïe 35:5, 6.

"Dieu lui-même sera avec eux. Et il essuiera toute larme de leurs yeux, et la mort ne sera plus; ni deuil, ni cri, ni douleur ne seront plus. Les choses anciennes ont disparu." — Révélation 21:3, 4.

LES MORTS SONT RAMENES A LA VIE

"L'heure vient où tous ceux qui sont dans les tombeaux commémoratifs entendront sa voix." — Jean 5:28, 29.

"La mer a rendu les morts (...), et la mort et l'Hadès ont rendu les morts qui étaient en eux." — Révélation 20:13.

apporter le présent système. Certes, il en est aujourd'hui qui se sont fait une sorte de petit paradis, mais il n'est pas rare que ces gens-là soient égoïstes et haineux. En outre, ils n'échappent pas à la maladie, à la vieillesse et à la mort. Mais le paradis terrestre ne sera pas uniquement fait de belles demeures, de jardins et de parcs.

[12] Songez-y. Des hommes de toutes races et nationalités apprendront à vivre ensemble. Ils s'aimeront vraiment les uns les autres. Aucun ne sera égoïste ni méchant. Nul ne haïra son prochain à cause de sa race, de la couleur de sa peau ou de son pays d'origine. Les préjugés auront disparu. Chacun sera un véritable ami pour ses semblables. Ce sera vraiment un paradis au sens spirituel. Désirez-vous vivre dans ce paradis sous les "nouveaux cieux"?

[13] Aujourd'hui, les hommes parlent de vivre en paix et ils ont même créé l'Organisation des "Nations unies". Pourtant, les nations n'ont jamais été aussi divisées. Quel remède apporter? Il faut changer les cœurs, mais un tel miracle dépasse le pouvoir des gouvernements humains. En revanche, le message relatif à l'amour de Dieu *opère déjà* ce changement.

[14] La connaissance relative au nouveau système juste a touché le cœur de beaucoup de gens qui se sont mis à aimer Dieu et, à son exemple, à aimer leur prochain (I Jean 4:9-11, 20). Cela a nécessité un grand changement dans leur vie. Beaucoup de ceux qui étaient mesquins et haineux sont ainsi devenus doux et pacifiques. Tout comme des brebis obéissantes, ils sont rassemblés dans le troupeau chrétien.

[15] Il a fallu 1 900 ans pour rassembler le "petit troupeau" des 144 000 associés à la royauté de Christ. Il n'en reste aujourd'hui qu'un petit nombre, les autres régnant déjà dans

12, 13. a) Quelles conditions de paix existeront après Harmaguédon? b) Qu'est-ce qui est nécessaire à la réalisation de ces conditions?

14. Qu'est-ce qui se produit aujourd'hui et qui prouve que ces conditions paradisiaques seront réalisées?

15. a) Quels deux groupes de chrétiens existe-t-il? b) Quels seront les premiers habitants de la "nouvelle terre"?

les cieux (Luc 12:32; Révélation 20:6). Mais Jésus dit aussi: "J'ai d'autres brebis, qui ne sont pas de cet enclos [celui du "petit troupeau"]; celles-là aussi, il faut que je les amène, et elles écouteront ma voix, et elles deviendront un seul troupeau, un seul berger." (Jean 10:16). Une "grande foule" de ces "autres brebis" est actuellement rassemblée. Ce seront les premiers habitants de la "nouvelle terre". Jéhovah les protégera lors de la "grande tribulation" à la fin du présent système mauvais. — Révélation 7:9, 10, 13-15.

[16] Un autre miracle rendra encore la vie agréable dans le paradis: des animaux dangereux, tels que les lions, les tigres, les léopards et les ours, vivront en paix avec l'homme. Quelle joie ce sera lorsqu'un lion ou un ours viendra faire un bout de chemin avec l'homme qui se promène en forêt! La crainte des autres créatures sera bannie à jamais!

[17] Mais les demeures et les jardins auraient beau être plaisants, les humains pleins d'amour et les animaux paisibles, si la maladie, la vieillesse et la mort continuaient leurs ravages, la tristesse n'aurait pas de fin. Les gouvernements humains n'ont pas réussi à vaincre le cancer, les affections cardiaques, etc. Encore bien même y parviendraient-ils que cela n'empêcherait pas les hommes de vieillir. Un jour, notre vue s'affaiblirait, nos muscles se relâcheraient, notre peau se flétrirait, nos organes cesseraient de fonctionner et ce serait la mort. Quelle tristesse!

[18] Dans le paradis terrestre, Dieu opérera un autre grand miracle; la Bible fait cette promesse: "Aucun résident ne dira: 'Je suis malade.'" (Esaïe 33:24). Sur terre, Jésus Christ a démontré son pouvoir de guérir toutes sortes de maladies, conséquences du péché hérité d'Adam (Marc 2:1-12; Matthieu 15:30, 31). La vieillesse aussi disparaîtra sous le Royaume. En fait, les personnes âgées rajeuniront. Oui, 'la chair de l'homme deviendra plus fraîche que dans sa jeunesse'. (Job

---

16. Quel miracle rendra la compagnie des animaux agréable?
17, 18. a) Quelles causes de tristesse auront disparu dans le paradis terrestre? b) Quelle assurance avons-nous que chacun jouira d'une santé parfaite?

33:25.) Quelle joie ce sera de constater chaque matin que l'on est en meilleure santé que la veille!

[19] Aucun de ceux qui auront la jeunesse et une santé parfaite dans le paradis ne voudra mourir. Et pourquoi mourraient-ils? Grâce à la rédemption, ils jouiront du don de Dieu, savoir “la vie éternelle par Christ Jésus notre Seigneur”. (Romains 6:23.) Christ ‘régnera jusqu'à ce que Dieu ait mis tous ses ennemis sous ses pieds. En tant que dernier ennemi, la mort doit être réduite à néant’. — I Corinthiens 15:25, 26; Esaïe 25:8.

[20] Même les morts jouiront du paradis terrestre, car ils reviendront à la vie! Ainsi, au lieu d'avis de décès, on publiera des listes de ressuscités. Quel bonheur ce sera d'accueillir tous nos bien-aimés au sortir de la tombe! Les salons mortuaires, les cimetières et les tombes n'enlaidiront pas le paradis terrestre.

[21] Dans le paradis, toutes les lois et instructions émaneront des “nouveaux cieux”. Des hommes fidèles seront désignés pour les faire respecter. Parce qu'ils représenteront de façon particulière le Royaume céleste, la Bible les appelle “princes”. (Esaïe 32:1, 2; Psaume 45:16.) Même aujourd'hui, l'esprit saint de Dieu a établi des hommes dans la congrégation chrétienne pour diriger ses activités (Actes 20:28). Soyons assurés qu'après Harmaguédon, Christ veillera à ce que des hommes compétents soient établis pour représenter le Royaume, puisqu'il dirigera lui-même les affaires de la terre. Attendez-vous impatiemment les “nouveaux cieux” et la “nouvelle terre” de Dieu? Alors, faites tout votre possible pour remplir les conditions requises de ceux qui vivront dans ce nouveau système juste. — II Pierre 3:14.

---

19. Quel est le dernier ennemi qui sera détruit, et comment?
20. Outre ceux qui sont vivants actuellement, qui d'autre jouira du paradis terrestre, et comment cela sera-t-il possible?
21. a) Qui veillera à ce que les lois et instructions des “nouveaux cieux” soient observées? b) Comment montrerons-nous que nous attendons impatiemment les “nouveaux cieux” et la “nouvelle terre”?

Chapitre 20

La résurrection — pour qui, et où?

LES serviteurs de Dieu ont toujours cru à la résurrection. Voici ce que la Bible dit d'Abraham, qui vécut 2 000 ans avant la naissance humaine de Jésus: "Il estima que Dieu pouvait le relever [son fils Isaac] d'entre les morts." (Hébreux 11:17-19). Plus tard, Job demanda: "Si un homme valide meurt, peut-il revivre?" Répondant lui-même à sa question, Job dit à Dieu: "Tu appelleras, et, moi, je te répondrai." Ainsi, il montra qu'il croyait à la résurrection. — Job 14:14, 15.

2 Jésus déclara: "Que les morts sont relevés, Moïse lui-même l'a révélé, dans le récit du buisson, quand il appelle Jéhovah 'le Dieu d'Abraham, et le Dieu d'Isaac, et le Dieu de Jacob'. Il est Dieu, non pas des morts, mais des vivants, car pour lui tous sont vivants." (Luc 20:37, 38). Dans les Ecritures grecques chrétiennes, le mot "résurrection" apparaît plus de 40 fois. En vérité, la résurrection des morts est l'un des principaux enseignements bibliques. — Hébreux 6:1, 2.

3 A la mort de son frère Lazare, Marthe démontra sa foi en la résurrection. En apprenant que Jésus arrivait, elle courut au-devant de lui et lui dit: "Seigneur, si tu avais été ici, mon frère ne serait pas mort!" Devant son chagrin, Jésus la réconforta par ces paroles: "Ton frère ressuscitera." Et Marthe répondit: "Je sais qu'il ressuscitera à la résurrection au dernier jour." — Jean 11:17-24.

4 La foi de Marthe en la résurrection était bien fondée. Elle savait que les prophètes Elie et Elisée avaient tous deux, avec

---

1, 2. Quelle preuve avons-nous que les serviteurs de Dieu des temps anciens croyaient à la résurrection?

3. Comment Marthe exprima-t-elle sa foi en la résurrection?

4-6. Quelles raisons Marthe avait-elle de croire à la résurrection?

e sais qu'il ressuscitera à la résurrection.”

Elie ressuscita le fils d'une veuve.

lisée essuscita n enfant.

En touchant les os d'Elisée, un homme revint à la vie.

le pouvoir de Dieu, ressuscité un enfant (I Rois 17:17-24; II Rois 4:32-37). Elle savait aussi qu'un mort était revenu à la vie dès qu'on l'avait jeté dans la sépulture d'Elisée et qu'il avait touché ses os (II Rois 13:20, 21). Mais ce qui avait le plus affermi sa foi en la résurrection, c'était ce que Jésus avait lui-même enseigné et accompli.

[5] Marthe se trouvait peut-être à Jérusalem moins de deux ans auparavant, quand Jésus avait parlé du rôle qu'il jouerait dans la résurrection des morts, disant: “De même, en effet, que le Père relève les morts et leur rend la vie, de même le Fils aussi rend la vie à ceux qu'il veut. Ne soyez pas surpris de ceci, car l'heure vient où tous ceux qui sont dans les tombeaux commémoratifs entendront sa voix et sortiront.” — Jean 5:21, 28, 29.

Personnes ressuscitées par Jésus:

Le fils d'une veuve de Naïn

Lazare

La fille de Jaïrus

[6] Avant que Jésus prononçât ces paroles, il n'avait encore ressuscité personne, selon le récit biblique. Mais peu après, il rendit la vie au fils d'une veuve de la ville de Naïn. Cette nouvelle se répandit vers le sud, en Judée, et il est certain que Marthe en avait entendu parler (Luc 7:11-17). Par la suite, elle a dû apprendre ce qui s'était passé dans la maison de Jaïrus, près de la mer de Galilée. Gravement malade, sa fille de 12 ans était morte. En arrivant chez Jaïrus, Jésus alla vers l'enfant sans vie et dit: “Fillette, lève-toi!”, et elle se leva. — Luc 8:40-56.

[7] Mais à ce moment-là, Marthe ne s'attendait pas à ce que Jésus ressuscite son frère. C'est pourquoi elle dit: “Je sais qu'il ressuscitera à la résurrection au dernier jour.” Alors, pour bien faire comprendre à Marthe le rôle qu'il jouerait dans la résurrection des morts, Jésus dit: “Je suis la résurrection et la vie. Celui qui exerce la foi en moi, même s'il meurt, viendra à la vie; quiconque vit et exerce la foi en moi ne mourra jamais.” On emmena Jésus au tombeau de Lazare. Alors il cria: “Lazare, viens dehors!” Et Lazare, qui était mort depuis quatre jours, sortit. — Jean 11:24-26, 38-44.

---

7. Quelle preuve Jésus donna-t-il à Marthe de son pouvoir de ressusciter les morts?

[8] Quelques semaines plus tard, Jésus était mis à mort et placé dans une tombe. Mais il n'y resta pas trois jours entiers. L'apôtre Pierre dit: “Ce Jésus, Dieu l'a ressuscité: ce dont nous, nous sommes tous témoins.” Les chefs religieux ne pouvaient empêcher que le Fils de Dieu sorte de la tombe (Actes 2:32; Matthieu 27:62-66; 28:1-7). Christ avait bien été relevé, car il se montra à un grand nombre de disciples, et même à 500 à la fois (I Corinthiens 15:3-8). Si absolue était la foi des disciples en la résurrection qu'ils étaient prêts à affronter les persécutions et même la mort pour servir Dieu.

[9] Par la suite, les apôtres Pierre et Paul apportèrent d'autres preuves de la réalité de la résurrection. Tout d'abord, Pierre ramena à la vie Tabitha (Dorcas) de la ville de Joppé (Actes 9:36-42). Quant à Paul, il redonna la vie au jeune Eutyche (Actes 20:7-12). A coup sûr, ces neuf résurrections rapportées dans la Bible constituent la preuve que les morts peuvent bel et bien être rendus à la vie.

---

8. Quelle preuve atteste que Jésus a bien été ressuscité?
9. Quelles sont les neuf personnes dont la résurrection est mentionnée dans la Bible?

QUI SERA RESSUSCITE?

[10] A l'origine, la résurrection n'entrait pas dans le dessein de Dieu pour la bonne raison que si Adam et Eve étaient restés fidèles, la mort n'aurait jamais existé. Seulement voilà, par le péché d'Adam, l'imperfection et la mort se sont étendues à tous les hommes (Romains 5:12). Aussi, pour que les enfants d'Adam reçoivent néanmoins la vie éternelle, Jéhovah a prévu la résurrection. Mais sur quelle base est-on ressuscité?

[11] La Bible dit: "Il va y avoir une résurrection tant des *justes* que des *injustes.*" (Actes 24:15). Cela vous surprend-il? "Pourquoi rendre la vie aux *'injustes'?*", dira-t-on. L'incident survenu alors que Jésus était pendu au poteau de supplice va nous éclairer sur ce point.

Où est le Paradis que Jésus promit au malfaiteur?

[12] Des malfaiteurs sont suppliciés avec Jésus. L'un d'eux l'injurie, disant: "N'es-tu pas le Christ? Sauve-toi toi-même, et nous aussi!" Mais l'autre croit Jésus; il lui dit: "Souviens-toi de moi quand tu entreras dans ton royaume." Et Jésus lui fait cette promesse: "En vérité je te le dis aujourd'hui: Tu seras avec moi dans le Paradis." — Luc 23:39-43.

[13] Que veut dire Jésus par ces paroles: "Tu seras avec moi dans le Paradis." Où est le paradis? A votre avis, où se trouvait le paradis que Dieu avait aménagé à l'origine? Sur la terre, n'est-ce pas? Dieu plaça le premier couple humain dans

---

10, 11. a) Pourquoi Dieu a-t-il prévu la résurrection? b) Selon Actes 24:15, quelles sont les deux classes de personnes qui seront ressuscitées?

12, 13. a) Quelle promesse Jésus fit-il à un malfaiteur? b) Où se trouve le "Paradis" dont parla Jésus?

le jardin d'Eden. Aussi, lorsque nous lisons que cet ancien malfaiteur sera dans le "Paradis", nous devrions évoquer la terre transformée en une demeure paradisiaque, car le mot "paradis" signifie "jardin" ou "parc". — Genèse 2:8, 9.

[14] Il est évident que Jésus ne va pas vivre sur terre avec l'ancien malfaiteur. Des cieux, il doit régner sur le paradis terrestre. Par conséquent, il sera avec cet homme en ce sens qu'il le ramènera à la vie et comblera ses besoins physiques et spirituels. Mais pourquoi Jésus permettra-t-il à un ancien malfaiteur de vivre dans le paradis?

[15] Certes, cet homme avait fait le mal. C'était un "injuste". Mais il ignorait la volonté de Dieu. Aurait-il mal tourné s'il avait été informé des desseins de Dieu? Pour le savoir, Jésus ressuscitera cet homme injuste ainsi que des dizaines de millions d'autres comme lui. Par exemple, beaucoup de ceux qui sont morts dans les siècles passés étaient illettrés et n'avaient jamais vu une Bible. Ils seront relevés du Schéol ou Hadès. Alors, dans le paradis, on leur enseignera la volonté divine et ils auront l'occasion de démontrer leur amour pour Dieu en lui obéissant.

[16] N'en déduisez pas que tous les hommes seront ressuscités. Selon la Bible, Judas Iscariote ne sera pas rendu à la vie. Parce qu'il trahit Jésus de son plein gré, il est appelé "le fils de la destruction". (Jean 17:12.) Il est allé dans la Géhenne symbolique d'où l'on ne revient pas (Matthieu 23:33). Quiconque fait volontairement le mal après avoir eu connaissance de la volonté divine pèche peut-être contre l'esprit saint. Dieu n'accorde pas la résurrection à de tels pécheurs (Matthieu 12:32; Hébreux 6:4-6; 10:26, 27). Ainsi, Dieu étant le Juge, il n'y a pas lieu de chercher à savoir si tel homme méchant du passé ou d'aujourd'hui sera ou non ressuscité. Dieu sait qui est dans l'Hadès et qui est dans la Géhenne. Faisons plutôt tout notre possible pour être dignes du nouveau système de Dieu. — Luc 13:24, 29.

---

14. En quel sens Jésus sera-t-il avec l'ancien malfaiteur dans le paradis?
15. Pourquoi les "injustes" seront-ils ressuscités?
16. a) Quels morts ne seront pas ressuscités? b) Pourquoi ne devrions-nous pas porter de jugement? c) Quel devrait être notre principal souci?

[17] Tous ceux qui bénéficieront de la vie éternelle ne seront pas obligatoirement ressuscités. Beaucoup de serviteurs de Dieu qui vivent en ces “derniers jours” du présent système survivront à Harmaguédon et formeront la “nouvelle terre” juste, sans plus avoir à connaître la mort. Ce que Jésus dit à Marthe peut s’appliquer à eux: “Quiconque vit et exerce la foi en moi ne mourra jamais.” — Jean 11:26; II Timothée 3:1.

[18] Qui sont les “justes” dignes d’être ressuscités? Ils comprennent les fidèles serviteurs de Dieu qui ont vécu avant l’apparition de Jésus sur la terre. Certains sont nommément cités en Hébreux chapitre 11. Leur espérance était non pas d’aller au ciel, mais de vivre sur la terre. Parmi les “justes”, il y a aussi les fidèles serviteurs de Dieu qui sont morts tout récemment. Dieu réalisera leur espérance de vivre éternellement dans le paradis en les ressuscitant.

QUAND ET OU SERONT-ILS RESSUSCITES?

[19] Jésus fut le “premier à être ressuscité d’entre les morts”. (Actes 26:23.) Autrement dit, de tous ceux qui n’auront plus à mourir de nouveau, il fut le premier à être ressuscité. Il fut aussi le premier à être ressuscité en tant qu’esprit (I Pierre 3:18). Mais il ne sera pas le seul; la Bible dit: “Chacun en son rang propre: Christ, les prémices, puis ceux qui appartiennent au Christ durant sa présence.” (I Corinthiens 15:20-23). Ainsi, certains seraient ressuscités avant d’autres.

[20] “Ceux qui appartiennent au Christ” sont les 144 000 fidèles disciples choisis pour régner avec lui dans le Royaume. De leur résurrection céleste la Bible dit: “Heureux et saint quiconque a part à *la première résurrection;* sur ceux-là la seconde mort n’a pas de pouvoir, mais ils (...) régneront avec lui pendant les mille ans.” — Révélation 20:6; 14:1, 3.

17. Quels sont ceux qui n’ont pas besoin d’être ressuscités pour jouir de la vie éternelle?
18. Qui sont les “justes” qui seront ressuscités?
19. a) En quel sens Jésus a-t-il été le premier à être ressuscité? b) Quels sont ceux qui sont ressuscités ensuite?
20. a) Quels sont “ceux qui appartiennent au Christ”? b) A quelle sorte de résurrection ont-ils part?

[21] Par conséquent, la résurrection du Christ sera suivie de celle des 144 000. Ils ont part à “la première résurrection”, “à celle qui doit avoir lieu plus tôt”. (Philippiens 3:11.) Quand a-t-elle lieu? “Durant sa présence”, dit la Bible. Comme nous l’avons vu, la présence du Christ commença en 1914. Donc, le “jour” de “la première résurrection” céleste des fidèles est déjà venu. Il est hors de doute que les apôtres et les autres premiers chrétiens ont déjà été relevés pour la vie céleste. — II Timothée 4:8.

[22] Mais aujourd’hui que Jésus est “présent”, il y a encore des chrétiens qui ont cette espérance céleste. Ce sont les derniers membres des 144 000. Quand seront-ils ressuscités? Ils n’auront pas à dormir dans la mort; aussitôt décédés, ils seront relevés. La Bible dit: “Nous ne nous endormirons pas tous dans la mort, mais tous nous serons changés, en un instant, en un clin d’œil, durant la dernière trompette. Car la trompette sonnera, et les morts seront relevés.” — I Corinthiens 15:51, 52; I Thessaloniciens 4:15-17.

[23] Evidemment, cette “première résurrection” pour la vie céleste est invisible, le ressuscité devenant un esprit. La Bible la décrit ainsi: “Il est semé dans la corruption, il est relevé dans l’incorruptibilité. Il est semé dans le déshonneur, il est relevé dans la gloire. (...) Il est semé corps physique, il est relevé corps spirituel.” — I Corinthiens 15:42-44.

[24] L’expression “première résurrection” suggère qu’il doit y en avoir une autre. Il s’agit de la résurrection des justes et des injustes pour la vie sur la terre, après Harmaguédon. Ce sera une “meilleure” résurrection que celle des garçons ramenés à la vie par Elie et Elisée, et que celle des autres personnes qui ont été rappelées à la vie. Pourquoi? Parce que les ressuscités d’après Harmaguédon qui choisiront de servir Dieu n’auront plus à connaître la mort. — Hébreux 11:35.

21. a) Quand la “première résurrection” a-t-elle lieu? b) Quels sont ceux qui, sans aucun doute, ont déjà été ressuscités pour la vie céleste?
22. a) Qui d’autre aura part à la “première résurrection”? b) Quand seront-ils ressuscités?
23. Comment la Bible décrit-elle le changement pour la vie spirituelle?
24. a) Quelle résurrection suit la “première résurrection”? b) Pourquoi dit-on que c’est une “meilleure résurrection”?

UN MIRACLE DIVIN

[25] Qu'est-ce qui est ressuscité? Ce n'est pas le corps, comme le montre la Bible dans sa description de la résurrection pour la vie céleste (I Corinthiens 15:35-44). Même ceux qui sont rendus à la vie terrestre ne reviennent pas dans leur ancien corps qui est retourné à la poussière, les éléments qui le constituaient ayant peut-être été absorbés par d'autres créatures vivantes. Ainsi, Dieu ramène à la vie non pas le *corps,* mais la *personne.* A ceux qui vont au ciel, il donne un corps spirituel nouveau, et aux ressuscités pour la vie terrestre, un corps physique nouveau. Celui-ci sera sans doute similaire à celui que la personne avait avant sa mort, ce qui permettra à ceux qui l'ont connue de l'identifier.

[26] La résurrection n'est-elle pas un merveilleux miracle? Durant ses années d'existence, le défunt a certainement accumulé des connaissances, des expériences et des souvenirs. Il a développé une personnalité qui lui est propre. Pourtant, Jéhovah se souvient de chaque détail, et c'est la personne elle-même qu'il ressuscitera, selon ce que dit la Bible: "Pour lui tous sont vivants." (Luc 20:38). L'homme est capable de conserver la voix et l'image d'une personne, et de les reproduire bien longtemps après sa mort. Mais Jéhovah, lui, peut ramener et ramènera à la vie tous ceux qu'il garde dans sa mémoire.

[27] La Bible révèle beaucoup d'autres choses sur la vie dans le paradis après la résurrection. Par exemple, Jésus parla de ceux qui sortiront soit pour "une résurrection de vie", soit pour "une résurrection de jugement". (Jean 5:29.) Qu'entendait-il par là? La situation des "justes" qui ressusciteront sera-t-elle différente de celle des "injustes"? Voyons pour cela ce qu'est le Jour du Jugement.

---

25. a) Pourquoi n'est-ce pas le corps physique qui est ressuscité? b) Qu'est-ce qui est ressuscité, et qu'est-il donné aux ressuscités?
26. a) Pourquoi la résurrection est-elle un si merveilleux miracle? b) Quelles inventions humaines nous aident à comprendre que Dieu a le pouvoir de garder le souvenir de ceux qui sont morts?
27. Quelles questions relatives à la résurrection attendent une réponse?

Chapitre 21

Le Jour du Jugement et ce qui s'ensuivra

QU'EVOQUE pour vous le Jour du Jugement? Certains imaginent un grand trône devant lequel se tient une longue file de ressuscités. Chaque personne qui passe devant ce trône est jugée sur ses actions passées consignées dans le livre du Juge. Suivant ce qu'elle a fait, elle est envoyée au ciel ou dans un enfer de feu.

[2] Mais la Bible donne une tout autre définition du Jour du Jugement. Il ne s'agit pas d'un jour redoutable. Notez ce qui est dit de Dieu: "Il a fixé un jour où il doit juger la terre habitée avec justice par un homme qu'il a établi." (Actes 17:31). Ce juge établi par Dieu est évidemment Jésus Christ.

[3] Soyons assurés que Jésus jugera avec équité et justice. C'est ce qu'atteste une prophétie le concernant et consignée en Esaïe 11:3, 4. Ainsi, contrairement à l'opinion générale, il ne jugera pas les humains sur leurs péchés passés, commis pour la plupart dans l'ignorance. La Bible explique qu'à sa mort, l'homme est quitte de ses péchés. Elle dit: "Celui qui est mort se trouve quitte de son péché." (Romains 6:7). Cela signifie que le ressuscité sera jugé sur la base de ce qu'il fera *pendant le Jour du Jugement,* et non en fonction de ce qu'il a fait avant sa mort.

[4] Le Jour du Jugement n'est donc pas un jour de 24 heures. La Bible l'établit clairement lorsqu'elle parle de ceux qui seront associés à Christ dans le jugement (I Corinthiens 6:1-3).

---

1. Comment voit-on généralement le Jour du Jugement?
2. a) Qui a fixé ce Jour du Jugement? b) Qui a-t-il établi comme juge?
3. a) Pourquoi pouvons-nous être certains que Christ jugera avec équité? b) Sur quelle base les hommes seront-ils jugés?
4. a) Quelle sera la durée du Jour du Jugement? b) Quels sont ceux qui seront associés au Christ dans le jugement?

Le rédacteur biblique dit: “J’ai vu des trônes, et il y avait ceux qui se sont assis dessus, et le pouvoir de juger leur a été donné.” Ces juges sont les disciples oints qui “sont venus à la vie et ont régné avec le Christ pendant mille ans”. Le Jour du Jugement durera donc mille ans. Il s’agit du même millénaire au cours duquel Christ et ses 144 000 fidèles disciples oints régneront en tant que “nouveaux cieux” sur la “nouvelle terre”. — Révélation 20:4, 6; II Pierre 3:13.

[5] Voyez ces images, elles donnent un aperçu de ce que sera le Jour du Jugement pour

5, 6. a) Comment le psalmiste décrit-il le “Jour du Jugement”? b) Quelles seront les conditions de vie au Jour du Jugement?

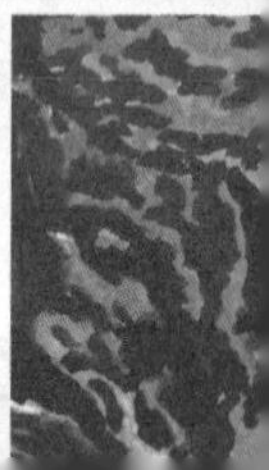

l'humanité. Le psalmiste le décrit ainsi: "Qu'exulte la campagne, et tout ce qui est en elle! Qu'en même temps éclatent en cris de joie tous les arbres de la forêt devant Jéhovah! Car il est venu; car il est venu pour juger la terre. Il jugera le sol productif avec justice et les peuples avec sa fidélité." — Psaume 96:12, 13.

[6] Au Jour du Jugement, les survivants d'Harmaguédon transformeront la terre en paradis où ils accueilleront les ressuscités (Luc 23:43). Quel bonheur ce sera pour les familles que la mort a séparées d'être à nouveau réunies! Combien il sera agréable de vivre dans la paix, d'avoir une bonne santé et d'être instruit des desseins de Dieu! La Bible dit: "Lorsqu'il y aura tes jugements pour la terre, c'est la justice qu'apprendront assurément les habitants du

sol productif.” (Esaïe 26:9). Au Jour du Jugement, tous les hommes apprendront à connaître Jéhovah, à lui obéir et à le servir.

[7] C’est dans un tel paradis que Jésus Christ et ses 144 000 rois adjoints jugeront l’humanité. Ceux qui auront choisi de servir Jéhovah recevront la vie éternelle. Mais même dans ces conditions extrêmement favorables, il en est qui refuseront de servir Dieu, comme le disent les Ecritures: “Même si l’on témoigne de la faveur au méchant, il n’apprendra absolument pas la justice. Au pays de la probité il agira injustement.” (Esaïe 26:10). Ainsi, après avoir eu tout le temps nécessaire pour changer leurs voies et apprendre la justice, de tels méchants seront détruits. Certains seront même mis à mort avant la fin du Jour du Jugement (Esaïe 65:20). On ne leur permettra pas de rester en vie pour corrompre le paradis.

[8] Certains ressuscités auront-ils plus de mal que d’autres à apprendre et à pratiquer la justice? C’est ce que Jésus Christ laissa entendre quand il était sur la terre. La plupart de ceux

7. Au Jour du Jugement, qu’arrivera-t-il à ceux qui choisissent de servir Dieu, et à ceux qui refusent de le faire?
8. D’après Jésus, comment certains auront-ils plus de mal que d’autres à pratiquer la justice au Jour du Jugement?

Pour qui les choses seront-elles plus difficiles au Jour du Jugement?

Ceux qui ont entendu Jésus.

Ceux qui furent détruits à Sodome et Gomorrhe.

à qui ses disciples et lui-même prêchèrent refusèrent d'écouter. Ils rejetèrent Jésus comme Messie, même après avoir entendu sa prédication et été témoins de ses miracles. Voici ce que Jésus dit d'une ville qui rejetterait le message de ses disciples: "En vérité je vous le dis: ce sera plus supportable, au Jour du Jugement, pour le pays de Sodome et de Gomorrhe que pour cette ville." — Matthieu 10:15.

[9] Par ces paroles, Jésus montra que des habitants injustes de Sodome et de Gomorrhe seront sur terre au Jour du Jugement. Certes, c'étaient des gens foncièrement immoraux, mais on peut s'attendre à ce que certains d'entre eux ressuscitent (Genèse 19:1-26). Dans sa miséricorde, Jéhovah les ramènera à la vie afin qu'ils aient l'occasion de connaître ses desseins. Mais les paroles de Jésus indiquent également que certains des injustes à qui ses disciples et lui-même ont prêché seront présents au Jour du Jugement. Eux aussi seront rappelés à la vie et informés des desseins divins. Pour qui sera-t-il plus difficile alors d'accepter Christ comme Roi? Pour les habitants de Sodome ou pour ceux qui ont rejeté la prédication de Jésus et de ses disciples?

[10] Ce sera plus difficile pour ceux qui ont rejeté Jésus. Parlant de Capernaüm, où il fit des miracles, Jésus dit: "Si les œuvres de puissance qui ont eu lieu chez toi avaient eu lieu dans Sodome, elle serait demeurée jusqu'à ce jour. Aussi bien, je vous le dis, au Jour du Jugement, ce sera plus supportable pour le pays de Sodome que pour toi." (Matthieu 11:22-24). Oui, au Jour du Jugement, il sera bien plus difficile pour les habitants de Capernaüm de reconnaître leurs erreurs, d'accepter le Christ comme Roi et de le servir, que pour ceux de Sodome d'apprendre la justice.

[11] Ainsi, certains "injustes" ressuscités auront moins de mal que d'autres à apprendre à connaître Dieu et à le servir (Matthieu 12:41, 42). Qu'en sera-t-il alors des "justes" qui

---

9, 10. a) Quels hommes injustes seront ressuscités au Jour du Jugement? b) Pourquoi les choses seront-elles plus difficiles pour certains injustes que pour d'autres?
11. Pourquoi les choses seront-elles plus faciles pour les "justes" que pour l'un quelconque des "injustes" au Jour du Jugement?

seront ressuscités, tels qu'Abraham, Isaac, Jacob, Déborah, Ruth, Daniel et les autres? De leur vivant, tous attendaient la venue du Messie. Quelle joie ce sera pour eux au Jour du Jugement d'apprendre à le connaître et de savoir qu'il règne dans les cieux! Il sera alors bien plus facile pour ces "justes" de pratiquer la justice que pour l'un quelconque des "injustes". — Actes 24:15.

LES RESURRECTIONS DE "VIE" ET DE "JUGEMENT"

[12] Jésus dit: "Tous ceux qui sont dans les tombeaux commémoratifs entendront sa voix et sortiront, ceux qui ont fait des choses bonnes, pour une *résurrection de vie,* ceux qui ont pratiqué des choses mauvaises, pour une *résurrection de jugement.* (...) Je juge selon ce que j'entends; et le jugement que je rends est juste, car je cherche, non pas ma volonté, mais la volonté de celui qui m'a envoyé." (Jean 5:28-30). Qu'est-ce que la *"résurrection de vie"* et la *"résurrection de jugement"?* Et qui en bénéficie?

[13] Comme nous l'avons vu, les ressuscités seront jugés, non pas sur leurs actions passées, mais sur ce qu'ils feront au Jour du Jugement. Donc, quand Jésus parle de "ceux qui ont fait des choses bonnes" et de "ceux qui ont pratiqué des choses mauvaises", il fait allusion aux bonnes et aux mauvaises choses qui sont faites *pendant le Jour du Jugement.* Parce qu'ils feront le bien, beaucoup de ressuscités progresseront vers la perfection qu'ils atteindront à la fin des mille ans. Ainsi, leur retour à la vie aura été une "résurrection de vie", car ils parviendront à la *vie parfaite* exempte de péché.

[14] Qu'en sera-t-il de ceux "qui ont pratiqué des choses mauvaises" pendant le Jour du Jugement? Leur retour à la vie aura été une "résurrection de jugement". Qu'est-ce que cela signifie? La condamnation à mort. Ainsi, ils seront détruits pendant ou à la fin du Jour du Jugement. La raison en est qu'ils ont pratiqué le mal; ils ont obstinément refusé d'apprendre et de pratiquer la justice.

---

12. Selon Jean 5:28-30, qui aura part à une "résurrection de vie", et qui aura part à une "résurrection de jugement"?
13. Que signifie avoir part à une "résurrection de vie"?
14. Que signifie avoir part à une "résurrection de jugement"?

QUAND DEBUTE LE JOUR DU JUGEMENT?

15 L'apôtre Jean a vu en vision ce qui doit précéder le Jour du Jugement. "J'ai vu un grand trône blanc et celui qui était assis dessus. De devant lui *se sont enfuis le ciel et la terre.* (...) Et j'ai vu les morts, les grands et les petits, debout devant le trône. (...) Et les morts ont été jugés." (Révélation 20:11, 12). Donc, avant que ne commence le Jour du Jugement, le présent système formé du 'ciel et de la terre' doit disparaître. Seuls les serviteurs de Dieu survivront; tous les méchants seront détruits à Harmaguédon. — I Jean 2:17.

16 Seront jugés pendant le Jour du Jugement: les "morts" ressuscités, les "vivants" qui survivront à Harmaguédon et les enfants qui leur seront nés (II Timothée 4:1). Comment seront-ils jugés? Jean dit: "Des rouleaux ont été ouverts. (...) Et les morts ont été jugés d'après les choses qui étaient écrites dans les rouleaux, selon leurs actions. Et la mer a rendu les morts qui se trouvaient en elle, et la mort et l'Hadès ont rendu les morts qui étaient en eux, et ils ont été jugés chacun selon ses actions." — Révélation 20:12, 13.

17 Que sont ces "rouleaux" d'après lesquels "les morts" et "les vivants" sont jugés? Ce sont manifestement des écrits qui viendront s'ajouter à la Sainte Bible. Il s'agit de livres inspirés renfermant les lois et instructions de Jéhovah. En les lisant, tous les hommes seront informés de la volonté divine. Puis chacun sera jugé d'après les lois de ces "rouleaux". Ceux qui obéiront à ces directives recevront les bienfaits de la rédemption et progresseront vers la perfection humaine.

18 A la fin du Jour millénaire du Jugement, aucun humain ne sera plus menacé par la mort due au péché d'Adam. En vérité, chacun sera vraiment venu à la vie, selon ce que dit la Bible: "Le reste des morts [ceux qui n'appartiennent pas aux

---

15. Qu'est-ce qui doit précéder le Jour du Jugement?
16. a) Outre les "morts", qui d'autre sera jugé pendant le Jour du Jugement? b) D'après quoi seront-ils jugés?
17. Que sont les "rouleaux" d'après lesquels les "vivants" et les "morts" seront jugés?
18. a) Quelle sera la situation à la fin du Jour du Jugement? b) De quelle façon les "morts" viennent-ils à la vie à la fin des mille ans?

144 000 qui vont au ciel] ne vinrent pas à la vie jusqu'à ce que les mille ans fussent terminés." (Révélation 20:5). L'expression "le reste des morts" signifie, non pas que d'autres personnes seront ressuscitées à la fin du Jour du Jugement de mille ans, mais plutôt que tous seront venus à la vie en ce sens qu'ils auront finalement atteint à la perfection qu'avaient Adam et Eve. Que se passera-t-il alors?

CE QUI SUIVRA LE JOUR DU JUGEMENT

[19] S'étant acquitté de la tâche que Dieu lui avait confiée, Jésus Christ "remettra le royaume à son Dieu et Père". Cela aura lieu à la fin de la période judiciaire de mille ans. A ce moment-là, tous les ennemis auront été supprimés. Le dernier d'entre eux, la mort adamique, sera détruit. Alors, le Royaume deviendra la propriété de Jéhovah qui en sera l'unique Roi. — I Corinthiens 15:24-28.

[20] Par quel moyen Jéhovah déterminera-t-il qui doit être inscrit dans "le rouleau de vie" ou "le livre de vie"? (Révélation 20:12, 15.) Par une épreuve imposée à l'humanité. Souvenons-nous qu'Adam et Eve ont échoué dans l'épreuve, tandis que Job, lui, est resté intègre. La foi de la plupart des humains en vie à la fin des mille ans n'aura encore jamais été éprouvée. Avant leur résurrection, ils ignoraient les desseins de Jéhovah; c'étaient des "injustes", qui appartenaient au système de Satan. Après leur résurrection, ils n'auront pas eu de mal à servir Jéhovah dans des conditions paradisiaques, sans aucune opposition de la part du Diable. Mais ces milliards d'humains parvenus à la perfection continueront-ils à servir Jéhovah si l'occasion est offerte à Satan de les en empêcher? Satan arrivera-t-il à les détourner de Dieu?

[21] Pour régler ces questions, Jéhovah libérera Satan et ses démons de l'abîme où ils auront été enfermés pendant mille

---

19. Que fera Christ à la fin du Jour du Jugement?
20. a) Comment Jéhovah déterminera-t-il qui doit être inscrit dans "le livre de vie"? b) Pourquoi convient-il d'imposer une épreuve ultime à l'humanité?
21. a) Comment Jéhovah éprouvera-t-il l'humanité? b) Une fois l'épreuve terminée, qu'arrivera-t-il à ceux à qui elle aura été imposée?

ans. Que se passera-t-il? Satan parviendra à détourner des hommes de Jéhovah. Leur nombre sera "comme le sable de la mer", autrement dit indéterminé. Après cette épreuve, Satan et ses démons ainsi que ceux qui les auront suivis seront jetés dans le "lac de feu" symbolique qui est la seconde mort ou mort éternelle (Révélation 20:7-10, 15). Quant à ceux dont le nom est trouvé écrit dans "le livre de vie", ils jouiront du glorieux paradis. Le fait que leur nom est porté sur ce livre signifie que Jéhovah les juge parfaitement justes de cœur, d'esprit et de corps, donc dignes de vivre éternellement dans le paradis en récompense de leur intégrité.

L'ACTUEL JOUR DE JUGEMENT

[22] Ainsi, la Bible annonce des événements pour les mille ans à venir et nous rassure quant à l'avenir. Mais une question se pose: Profiterez-vous des bienfaits que Dieu tient en réserve pour les hommes? Cela dépendra de votre survie à un jugement qui a lieu plus tôt: *l'actuel* "jour de jugement et de destruction des hommes impies". — II Pierre 3:7.

[23] Depuis que Christ est revenu et s'est assis sur son trône céleste, il juge l'humanité. Ce "jour de jugement" précède le Jour du Jugement de mille ans. Durant l'actuel jugement, les hommes sont séparés: les "chèvres" à la gauche du Christ et les "brebis" à sa droite. Les "chèvres" seront détruites parce qu'elles n'ont pas aidé les "frères" oints du Christ dans leur service divin. Ces "chèvres" se révèlent finalement des pécheurs impénitents, des méchants endurcis dans la pratique de l'injustice. En revanche, les "brebis" recevront la vie sous le Royaume parce qu'elles ont fidèlement soutenu les "frères" du Christ. — Matthieu 25:31-46.

---

22. Pour voir le Jour du Jugement et subir l'épreuve finale imposée à l'humanité, à quoi faut-il survivre maintenant?

23. a) Les hommes sont actuellement séparés en deux classes; quelles sont-elles? b) Qu'arrivera-t-il à chacune de ces classes, et pourquoi?

Chapitre 22

Comment identifier la vraie religion

IL EST à coup sûr aisé d'identifier ceux qui pratiquaient la vraie religion au premier siècle. C'étaient les disciples de Christ. Ils appartenaient tous à la seule organisation chrétienne de l'époque. Qui pratique aujourd'hui la vraie religion?

[2] Jésus a dit: "A leurs fruits vous les reconnaîtrez. (...) Tout bon arbre produit de beaux fruits, mais tout arbre pourri produit des fruits sans valeur (...). C'est à leurs fruits que vous reconnaîtrez ces hommes-là." (Matthieu 7:16-20). Quels fruits de qualité doivent produire les vrais adorateurs de Dieu? Que devraient-ils être en train de faire?

LA SANCTIFICATION DU NOM DE DIEU

[3] Les vrais adorateurs de Dieu agissent en harmonie avec la prière modèle que Jésus a apprise à ses disciples. Elle commence ainsi: "Notre Père qui es dans les cieux, que ton nom soit sanctifié!" Une autre traduction dit: "Que la sainteté de ton nom soit reconnue." (Matthieu 6:9, *Le Nouveau Testament en français courant*). Que signifie sanctifier le nom de Dieu? Comment Jésus sanctifia-t-il ce nom?

[4] Dans une prière adressée à son Père, Jésus déclara: "J'ai manifesté ton nom aux hommes que tu m'as donnés du milieu du monde." (Jean 17:6). Oui, Jésus fit connaître à tous le nom de Dieu, savoir Jéhovah. Il ne manqua pas d'utiliser ce nom. Il savait que le dessein de Dieu est que son nom soit

---

1. Qui pratiquait la vraie religion au premier siècle?
2. Comment identifier ceux qui pratiquent la vraie religion?
3, 4. a) Qu'est-ce que Jésus a d'abord demandé dans sa prière modèle? b) Comment Jésus sanctifia-t-il le nom de Dieu?

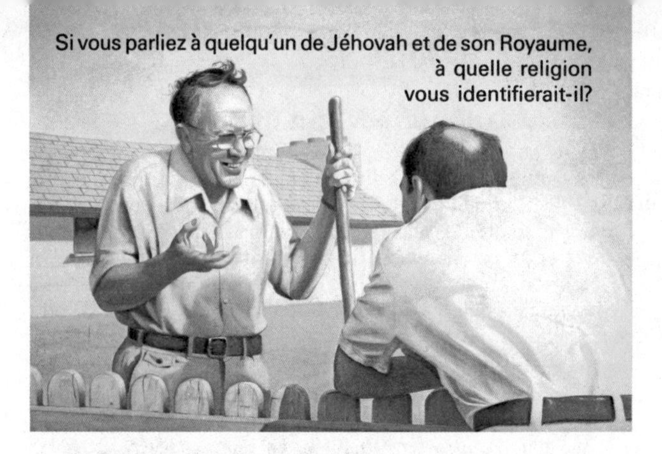

glorifié par toute la terre; aussi donna-t-il l'exemple en proclamant et en sanctifiant ce nom. — Jean 12:28; Esaïe 12:4, 5.

[5] La Bible montre que l'existence même de la vraie congrégation chrétienne est liée au nom de Dieu. L'apôtre Pierre dit que Dieu a "tourné son attention vers les nations pour en tirer un *peuple pour son nom*". (Actes 15:14.) Ainsi, le peuple de Dieu doit sanctifier son nom et le faire connaître par toute la terre. En fait, le salut dépend de la connaissance de ce nom, car, selon la Bible, "quiconque invoque le nom de Jéhovah sera sauvé". — Romains 10:13, 14.

[6] Qui, aujourd'hui, sanctifie le nom de Dieu et le fait connaître par toute la terre? La plupart des Eglises évitent d'employer le nom de Jéhovah. Certaines sont même allées jusqu'à l'éliminer de leurs traductions des Ecritures. Si vous parliez souvent de Jéhovah à vos voisins, à quelle religion vous identifieraient-ils? Il n'y a qu'un seul peuple qui se distingue en suivant l'exemple de Jésus sous ce rapport. Son but dans la vie est de servir Dieu et de rendre témoignage à son nom, comme l'a fait Jésus. Aussi ce peuple a-t-il pris le nom biblique de "Témoins de Jéhovah". — Esaïe 43:10-12.

---

5. a) Comment la congrégation chrétienne est-elle liée au nom de Dieu? b) Que devons-nous faire pour obtenir le salut?

6. a) Les Eglises en général sanctifient-elles le nom de Dieu? b) Y en a-t-il une qui rende témoignage au nom de Dieu?

LA PROCLAMATION DU ROYAUME DE DIEU

[7] Dans sa prière modèle, Jésus souligna aussi l'importance du Royaume de Dieu. Il dit de demander: “Que ton royaume vienne!” (Matthieu 6:10). Sans cesse, Jésus mit l'accent sur le Royaume comme le seul remède aux maux de l'humanité. Ses apôtres et lui prêchèrent le Royaume “de village en village” et de “maison en maison”. (Luc 8:1; Actes 5:42; 20:20.) Le Royaume de Dieu était le thème de leur prédication et de leur enseignement.

[8] Et aujourd'hui, quel est l'enseignement fondamental de l'organisation de Dieu? Dans sa prophétie sur les “derniers jours”, Jésus dit: “Cette bonne nouvelle du royaume sera prêchée par toute la terre habitée, en témoignage pour toutes les nations; et alors viendra la fin.” (Matthieu 24:14). Ainsi, le Royaume est ce message fondamental.

[9] Lorsque quelqu'un vient à votre porte pour vous parler du Royaume de Dieu comme du seul espoir pour l'humanité, à quelle religion identifiez-vous ce visiteur? A part les Témoins de Jéhovah, qui d'autre vous a parlé du Royaume de Dieu? Les membres des autres religions, pour la plupart, ignorent

7. Comment Jésus montra-t-il l'importance du Royaume de Dieu?
8. Selon Jésus, quel serait le message fondamental enseigné par ses vrais disciples dans les “derniers jours”?
9. Qui aujourd'hui prêche le message du Royaume?

Respecte-t-on la Parole de Dieu quand on ne s'y conforme pas?

même ce qu'est ce Royaume. Pourtant, le gouvernement de Dieu doit secouer le monde. Le prophète Daniel a prédit que ce Royaume 'écrasera et mettra fin à tous les autres gouvernements et que lui seul dominera la terre'. — Daniel 2:44.

LE RESPECT DE LA PAROLE DE DIEU

[10] Une autre marque qui identifie les pratiquants de la vraie religion est leur attitude à l'égard de la Bible. En tout temps Jésus montra un grand respect pour les Ecritures. Maintes fois, il les cita comme l'autorité suprême (Matthieu 4:4, 7, 10; 19:4-6). Il prouva encore combien il respectait la Bible en se conformant à ses préceptes. Bien loin de dénigrer la Bible, Jésus condamna ceux dont les enseignements étaient en désaccord avec elle et qui essayaient de la rendre nulle par leurs propres doctrines. — Marc 7:9-13.

[11] Et les Eglises de la chrétienté, montrent-elles le plus grand respect pour la Bible? Bon nombre d'ecclésiastiques n'ont pas foi dans les récits bibliques relatifs au péché d'Adam, au déluge, etc. Ils prétendent que l'homme n'est pas une création directe de Dieu, mais plutôt le produit d'une évolution. Est-ce ainsi qu'ils encouragent le respect de la Parole de Dieu? Certains d'entre eux estiment que les relations sexuelles en dehors du mariage ne sont pas blâmables, et que même l'homosexualité et la polygamie peuvent être regardées comme convenables. Incitent-ils ainsi les gens à prendre la Bible comme guide? Non, ils ne suivent pas l'exemple du Fils de Dieu et de ses apôtres. — Matthieu 15:18, 19; Romains 1:24-27.

[12] Il est des croyants qui possèdent la Bible et l'étudient même, mais leur mode de vie atteste qu'ils ne la suivent pas. Voici ce que la Bible dit à leur sujet: "Publiquement ils déclarent connaître Dieu, mais ils le renient par leurs œuvres." (Tite 1:16; II Timothée 3:5). Si des croyants qui se

---

10. Comment Jésus montra-t-il son respect pour la Parole de Dieu?

11. Quelle est souvent l'attitude des Eglises à l'égard de la Parole de Dieu?

12. a) Pourquoi le culte d'un grand nombre de croyants qui possèdent la Bible ne plaît-il pas à Dieu? b) Si des croyants qui pratiquent volontairement le mal sont autorisés à demeurer au sein de leur Eglise, que faut-il en conclure?

livrent au jeu, à la boisson, etc., sont autorisés à demeurer au sein de leur Eglise, c'est que celle-ci n'est pas approuvée par Dieu. — I Corinthiens 5:11-13.

[13] Si vous avez étudié les précédents chapitres et examiné les références bibliques citées, vous avez appris les enseignements élémentaires de la Parole de Dieu. Qu'en est-il maintenant si les enseignements de votre Eglise ne sont pas en harmonie avec ceux de la Parole de Dieu? La question est grave. Une décision s'impose: soit accepter la véracité de la Bible, soit la rejeter en faveur de doctrines non bibliques. Il va de soi que la décision vous appartient. Toutefois, considérez bien la question, car de votre décision dépendent votre position devant Dieu et vos perspectives de vie éternelle dans le paradis terrestre.

ILS SE TIENNENT SEPARES DU MONDE

[14] Un autre trait caractéristique des pratiquants de la vraie religion c'est, comme l'a dit Jésus, "qu'ils ne font pas partie du monde". (Jean 17:14.) Autrement dit, les vrais adorateurs de Dieu se tiennent séparés du monde corrompu et de ses affaires. Jésus refusa de devenir un chef politique (Jean 6:15). Quand on se souvient que Satan le Diable est le chef du monde, on comprend à quel point il est important de s'en tenir séparé (Jean 12:31; II Corinthiens 4:4). La gravité de la question ressort encore de cette déclaration biblique: "Quiconque donc veut être ami du monde se constitue ennemi de Dieu." — Jacques 4:4.

[15] Les Eglises que vous connaissez remplissent-elles cette condition? Peut-on dire que le clergé et ses ouailles ne font vraiment "pas partie du monde"? Ou, au contraire, sont-ils profondément mêlés aux affaires du monde, à son nationalisme, à sa politique et à ses luttes de classe? Inutile de vous

---

13. Quelle grave décision faut-il prendre lorsqu'on a constaté que les enseignements de son Eglise ne sont pas conformes à ceux de la Bible?

14. a) Citez un autre trait caractéristique de la vraie religion. b) Pourquoi est-il si important que les vrais adorateurs remplissent cette condition?

15. a) Les Eglises que vous connaissez se tiennent-elles vraiment à l'écart du monde? b) Connaissez-vous une religion qui ne fait pas partie du monde?

Jésus refusa de devenir un chef politique.

souffler la réponse, car les activités des Eglises sont bien connues. Il est aussi aisé d'examiner les activités des Témoins de Jéhovah; vous découvrirez qu'ils suivent réellement l'exemple du Christ et de ses premiers disciples en se tenant séparés du monde, de ses affaires politiques, de ses voies égoïstes et immorales, et de sa violence. — I Jean 2:15-17.

ILS ONT DE L'AMOUR ENTRE EUX

16 La marque la plus caractéristique des vrais disciples du Christ est l'amour qu'ils ont entre eux. Jésus a dit: "A ceci tous reconnaîtront que vous êtes mes disciples: si vous avez de l'amour entre vous." (Jean 13:35). Les religions que vous connaissez possèdent-elles cette marque distinctive? Par exemple, que font-elles lorsque les rapports entre les nations dégénèrent en guerre?

17 Vous savez bien ce qui se passe généralement. Sur l'ordre des chefs de ce monde, les membres des différentes Eglises vont massacrer d'autres croyants de nationalités différentes. Ainsi, on se tue mutuellement entre catholiques, protestants et musulmans. Pensez-vous qu'un tel comportement soit conforme à la Parole divine et reflète l'esprit de Dieu? — I Jean 3:10-12.

18 Les Témoins de Jéhovah ont-ils de l'amour entre eux? Ils ne suivent pas l'exemple des religions de ce monde. Ils ne

16. Quelle est la marque la plus caractéristique des vrais disciples du Christ?
17. Les Eglises et leurs membres montrent-ils de l'amour entre eux?
18. Les Témoins de Jéhovah ont-ils de l'amour entre eux?

Vous êtes chaleureusement invité
à assister aux réunions des Témoins de Jéhovah

s'entre-tuent pas et ne mentent pas en disant: "J'aime Dieu", tout en haïssant leurs frères d'autres nationalités, tribus ou races (I Jean 4:20, 21). Mais ils montrent aussi de l'amour dans d'autres domaines. Comment? Dans leur façon d'agir à l'égard de leurs voisins et en s'efforçant d'aider leurs semblables à connaître Dieu. — Galates 6:10.

UNE SEULE VRAIE RELIGION

[19] Logiquement, il ne doit y avoir qu'une seule vraie religion. Cela est conforme au fait que le vrai Dieu est un Dieu, "non pas de désordre, mais de paix". (I Corinthiens 14:33.) D'ailleurs, il n'y a qu'"une seule foi", selon la Bible (Ephésiens 4:5). Qui donc, de nos jours, sont les vrais adorateurs de Dieu?

[20] Nous répondons sans hésiter: les Témoins de Jéhovah. Pour vous en convaincre, il vous suffit de faire plus ample connaissance avec eux. Le mieux serait d'assister aux réunions qu'ils tiennent dans leurs Salles du Royaume. Puisque la pratique de la vraie religion procure dès maintenant le contentement et mène à la vie éternelle dans le paradis terrestre, ne vaut-il pas la peine de faire cet effort (Deutéronome 30:19, 20)? Nous vous y encourageons chaleureusement. Commencez dès aujourd'hui.

---

19. Pourquoi est-il logique et biblique de dire qu'il n'y a qu'une seule vraie religion?
20. a) A la lumière des faits, qui le présent ouvrage désigne-t-il comme étant les vrais adorateurs de Dieu aujourd'hui? b) Etes-vous de cet avis? c) Quel est le meilleur moyen de bien connaître les Témoins de Jéhovah?

Chapitre 23

L'organisation visible de Dieu

DIEU possède-t-il une organisation visible? Certes, puisqu'il en a une invisible. Jéhovah a créé des chérubins, des séraphins et d'autres anges pour exécuter sa volonté dans les cieux (Genèse 3:24; Esaïe 6:2, 3; Psaume 103:20). Jésus est l'Archange, autrement dit il est placé au-dessus de tous ces anges (I Thessaloniciens 4:16; Jude 9; Révélation 12:7). Selon la Bible, l'organisation des anges est soit "trônes, ou seigneuries, ou gouvernements, ou autorités". (Colossiens 1:16; Ephésiens 1:21.) Tous sont aux ordres de Jéhovah, accomplissant dans l'unité la tâche qui leur est confiée. — Daniel 7:9, 10; Job 1:6; 2:1.

[2] Les créations matérielles de Dieu disent toute l'importance qu'il attache à l'organisation. L'univers comprend des milliers de milliards d'étoiles organisées en énormes ensembles appelés galaxies. Ces galaxies se meuvent avec ordre dans l'espace, et les étoiles et les planètes qu'elles renferment font de même. Ainsi, notre planète Terre fait chaque année une révolution autour du soleil, l'étoile la plus proche de nous, exactement en 365 jours, 5 heures, 48 minutes et 45,51 secondes. Quelle organisation!

[3] Quelle leçon tirer de la merveilleuse organisation qui règne dans la création invisible de Dieu et dans son univers matériel? Celle-ci: Jéhovah est un Dieu d'organisation. Il est donc impensable qu'un tel Dieu laisse les humains qui l'aiment sans direction ni organisation.

---

1. Que dit la Bible à propos de l'organisation invisible de Dieu?
2. Comment l'univers matériel dit-il toute l'importance que Dieu attache à l'organisation?
3. Quelle leçon tirer de la merveilleuse organisation qui règne dans la création invisible de Dieu et dans son univers matériel?

Au temps du déluge,
Dieu avait-il plus d'une organisation?

L'ORGANISATION VISIBLE DE DIEU — PASSEE ET PRESENTE

[4] La Bible montre que Jéhovah a toujours guidé ses serviteurs de façon organisée. Par exemple, des hommes de foi, tel Abraham, commandaient à leur famille et à leurs serviteurs en ce qui concerne le culte de Jéhovah. Celui-ci révélait sa volonté à Abraham (Genèse 12:1) et le chargeait d'instruire les siens. Dieu dit: "Je suis entré en relations avec lui [Abraham] pour qu'il donne ordre à ses fils et à sa maisonnée après lui, afin qu'ils gardent la voie de Jéhovah." (Genèse 18:19). Cette disposition ordonnée permettait à un groupe d'humains d'adorer Jéhovah comme il convient.

[5] Plus tard, quand les Israélites devinrent des millions, Jéhovah ne les laissa pas adorer chacun à sa façon, sans organisation. Non, ils furent constitués en une nation d'adorateurs organisés. La nation d'Israël était appelée la "congrégation de Jéhovah". (Nombres 20:4; I Chroniques 28:8.) Si vous aviez été un véritable adorateur de Jéhovah à l'époque, il vous aurait fallu appartenir à cette congrégation et ne pas vous en séparer. — Psaume 147:19, 20.

[6] Et au premier siècle? La faveur de Jéhovah reposait sur les disciples du Christ. Jéhovah répandit son esprit saint sur

---

4, 5. Comment savons-nous que Dieu a guidé son peuple de façon organisée à l'époque d'Abraham et de la nation d'Israël?
6. a) Comment Dieu montra-t-il qu'il approuvait les disciples du Christ? b) Quelle preuve avons-nous que les chrétiens étaient organisés pour le culte?

eux. Pour prouver qu'il employait désormais cette organisation chrétienne plutôt que la nation d'Israël, il accorda à certains de ces chrétiens le pouvoir de guérir les malades, de ressusciter les morts, etc. La lecture des Ecritures grecques vous révélera que les premiers chrétiens étaient organisés pour le culte. En fait, ils avaient reçu l'ordre de s'assembler pour adorer Dieu (Hébreux 10:24, 25). Ainsi, si vous aviez été un véritable adorateur de Jéhovah à l'époque, il vous aurait fallu appartenir à son organisation chrétienne.

[7] Jéhovah a-t-il jamais utilisé plus d'une organisation? Au temps de Noé, seuls le patriarche et ceux qui étaient avec lui dans l'arche ont été protégés par Dieu et ont survécu au déluge (I Pierre 3:20). Au premier siècle, Dieu n'avait de relations qu'avec une seule organisation. Il n'y avait qu'"un seul Seigneur, *une seule foi,* un seul baptême". (Ephésiens 4:5.) Et selon Jésus, à notre époque, il n'y aurait qu'une seule source d'instruction spirituelle pour le peuple de Dieu.

[8] Parlant de sa présence en tant que Roi régnant, Jésus dit: "Quel est vraiment l'esclave fidèle et avisé que son maître a établi sur ses domestiques, pour leur donner leur nourriture en temps voulu? Heureux cet esclave, si son maître, en arrivant, le trouve faisant ainsi! En vérité je vous le dis: Il l'établira sur tout son avoir." (Matthieu 24:45-47). Quand il revint en tant que Roi en 1914, Christ trouva-t-il cette classe de "l'esclave" occupée à dispenser la "nourriture" ou instruction spirituelle? Oui, il s'agissait du reste de ses 144 000 "frères". (Révélation 12:10; 14:1, 3.) Depuis 1914, des millions de gens ont accepté la "nourriture" fournie par cet esclave et se sont mis à pratiquer la vraie religion avec lui. Cette organisation composée de serviteurs de Dieu est connue sous le nom de Témoins de Jéhovah.

[9] Les Témoins de Jéhovah se tournent vers Dieu et sa

---

7. Comment savons-nous que Jéhovah n'a jamais utilisé plus d'une organisation?
8. Comment Jésus montra-t-il qu'il n'y aurait qu'une seule organisation visible divine sur la terre à notre époque?
9. a) Pourquoi les serviteurs de Dieu portent-ils le nom de Témoins de Jéhovah? b) Pourquoi appellent-ils leurs lieux de culte Salles du Royaume?

Parole pour être instruits en toutes choses. Leur nom même atteste que leur principale activité est de rendre témoignage au nom et au Royaume de Jéhovah, à l'exemple de Christ (Jean 17:6; Révélation 1:5). Ils appellent Salles du Royaume leurs lieux de culte, parce que le Royaume de Dieu et de son Christ est le thème de la Bible. Il ne fait aucun doute que le christianisme du premier siècle ait eu l'approbation divine; aussi les Témoins de Jéhovah se sont-ils organisés d'après son modèle. Considérons quelques similitudes entre ces deux organisations.

LE MODELE DU PREMIER SIECLE

[10] Au premier siècle, les chrétiens formaient des congrégations qui se réunissaient régulièrement pour adorer, pour fraterniser et pour étudier les Ecritures (Hébreux 10:24, 25). Leur principale activité consistait à prêcher et à enseigner le Royaume de Dieu, à l'exemple de Jésus (Matthieu 4:17; 28: 19, 20). Si un membre de la congrégation se mettait à faire le mal, il en était exclu. — I Corinthiens 5:9-13; II Jean 10, 11.

[11] Ces congrégations du premier siècle agissaient-elles indépendamment les unes des autres? Non, elles étaient unies dans la seule foi chrétienne. Toutes recevaient leurs directives de la même source. Ainsi, lorsqu'une grave discussion s'éleva à propos de la circoncision, ce ne furent ni les congrégations ni des individus qui tranchèrent la question. Il fut décidé que Paul, Barnabas et quelques autres “monteraient à Jérusalem auprès des apôtres et des aînés, à propos de cette discussion”. Une fois que ces hommes mûrs eurent pris leur décision avec l'aide de la Parole de Dieu et de “l'esprit saint”, ils envoyèrent des hommes fidèles pour en informer les congrégations. — Actes 15:2, 27-29.

[12] Comment les congrégations accueillirent-elles ces instruc-

---

10. Quelles sont quelques-unes des caractéristiques de l'organisation chrétienne du premier siècle?

11, 12. a) Qu'est-ce qui prouve que les premières congrégations chrétiennes recevaient aide et direction des apôtres et des “aînés” de Jérusalem? b) Qu'entendons-nous par direction “théocratique”? c) Les congrégations ont-elles accepté une telle direction, et quels en furent les résultats?

tions théocratiques (ou venant de Dieu)? La Bible dit: "Or, comme ils [l'apôtre Paul et ses compagnons] passaient par les villes, ils remettaient à ceux qui se trouvaient là, pour qu'ils les observent, les décrets arrêtés par les apôtres et les aînés qui étaient à Jérusalem. Ainsi les congrégations s'affermissaient dans la foi et croissaient en nombre de jour en jour." (Actes 16:4, 5). Oui, toutes les congrégations suivaient la décision de ce collège d'anciens de Jérusalem, et elles s'affermissaient dans la foi.

LA DIRECTION THEOCRATIQUE DE NOS JOURS

[13] Aujourd'hui, l'organisation visible de Dieu reçoit, elle aussi, des directives théocratiques. Au siège central des Témoins de Jéhovah à Brooklyn (New York), il y a un collège d'anciens originaires de différents pays, qui supervisent comme il convient les activités mondiales du peuple de Dieu. Ce Collège central est composé de membres appartenant à "l'esclave fidèle et avisé". Il est le porte-parole de cet "esclave" fidèle.

[14] Tout comme les apôtres et les anciens de Jérusalem, les hommes de ce collège ont des années d'expérience dans le service de Dieu. Mais ils ne fondent pas leurs décisions sur la sagesse humaine. Non, gouvernés théocratiquement, ils suivent l'exemple du collège central de Jérusalem dont les décisions étaient basées sur la Parole de Dieu et prises sous la direction de l'esprit saint. — Actes 15:13-17, 28, 29.

LA DIRECTION D'UNE ORGANISATION MONDIALE

[15] Jésus donna une idée de l'étendue de l'organisation de Dieu en ce temps de la fin quand il dit: "Cette bonne nouvelle du royaume sera prêchée *par toute la terre habitée,* en témoignage pour *toutes les nations;* et alors viendra la fin."

---

13. a) D'où et de qui l'organisation visible de Dieu reçoit-elle aujourd'hui ses directives? b) Quel lien y a-t-il entre le collège central et "l'esclave fidèle et avisé"?
14. Sur quoi le collège central du peuple de Dieu fonde-t-il ses décisions?
15. Pourquoi les paroles de Jésus consignées en Matthieu 24:14 montrent-elles que Dieu aurait une grande organisation sur terre au temps de la fin?

WATCHTOWER
Les
BUREAUX ADMINISTRATIFS
SIEGE MONDIAL DES TEMOINS DE JEHOVAH
Ordinateurs
Rotatives
Reliure
Expédition
IMPRIMERIE DE BROOKLYN

UELQUES-UNES DES NOMBREUSES
IPRIMERIES DE LA SOCIETE WATCH TOWER

Brésil

Angleterre

(Matthieu 24:14). Songez à la somme de travail que représente l'annonce de l'établissement du Royaume de Dieu aux milliards d'habitants de la terre. L'organisation chrétienne des temps modernes, guidée par son Collège central, est-elle équipée pour accomplir cette grande œuvre?

[16] Les Témoins de Jéhovah prêchent actuellement le message du Royaume dans plus de 200 pays et îles. En vue d'aider les quelque 2 300 000 proclamateurs du Royaume (en 1981) à accomplir cette œuvre, de grandes imprimeries ont été installées dans de nombreux pays. On y produit des Bibles et des ouvrages bibliques. Chaque jour, on imprime et expédie en moyenne plus d'un million de périodiques *La Tour de Garde* et *Réveillez-vous!*.

Afrique du Sud

Etats-Unis (Wallkill)

Canada

[17] Toutes ces publications bibliques ont pour but d'aider les gens à connaître les grands desseins de Jéhovah. En fait, l'expression "annonce le Royaume de Jéhovah" est incluse dans le titre de *La Tour de Garde*. Nous vous invitons à diffuser ces écrits et à expliquer à vos semblables les vérités bibliques qu'ils renferment. Par exemple, y a-t-il une personne à qui vous pourriez communiquer les connaissances vitales que vous avez apprises dans le présent ouvrage?

---

16. a) Pourquoi les Témoins de Jéhovah ont-ils installé de grandes imprimeries? b) Que produisent-elles?
17. a) Quel est le but de ces écrits bibliques? b) Qu'êtes-vous invité à faire?

Assemblée des Témoins de Jéhovah à New York — 253 922 assistants

[18] Tout comme au premier siècle, l'organisation divine aujourd'hui est *une organisation de prédicateurs du Royaume voués et baptisés.* Elle a été établie pour encourager et affermir spirituellement tous ses membres; ils en ont grand besoin, car Satan et ses agents s'opposent au message du Royaume qu'ils prêchent. Ce sont eux qui ont fait tuer Jésus à cause de la prédication, et la Bible dit que ses disciples seront également persécutés. — Jean 15:19, 20; II Timothée 3:12.

[19] Tout comme au premier siècle, de même aujourd'hui des "aînés" ou anciens sont établis pour affermir chaque congrégation. Ils peuvent vous donner, à vous aussi, les conseils bibliques qui vous permettront de régler vos problèmes. Ces anciens protègent également "le troupeau de Dieu". Ainsi, dans le cas où un chrétien se met à faire le mal et refuse d'y

18. a) Quelle sorte d'organisation est l'organisation de Dieu aujourd'hui? b) Pourquoi le peuple de Dieu a-t-il actuellement besoin d'être encouragé?
19. a) Qui a été établi aujourd'hui pour affermir le peuple de Dieu? b) Comment la congrégation est-elle protégée contre les mauvaises influences qui pourraient la corrompre?

renoncer, les aînés l'excluront de la congrégation pour préserver la santé et la pureté spirituelles de celle-ci. — Tite 1:5; I Pierre 5:1-3; Esaïe 32:1, 2; I Corinthiens 5:13.

[20] Le collège central de Jérusalem envoyait des représentants spéciaux, comme Paul et Silas, pour instruire et encourager le peuple de Dieu; le Collège central d'aujourd'hui fait de même en ce temps de la fin (Actes 15:24-27, 30-32). Environ deux fois l'an, un ministre expérimenté appelé surveillant de circonscription passe une semaine avec chaque congrégation de sa circonscription.

[21] Il y a plus de 43 000 congrégations de Témoins de Jéhovah dans le monde; elles sont réparties en circonscriptions de 20 congrégations chacune. Lorsqu'il visite les congrégations, le surveillant de circonscription édifie les témoins du Royaume en participant avec eux à l'activité de prédication et d'enseignement. Outre qu'il les stimule ainsi, il leur offre des suggestions qui les aideront à améliorer leur ministère. — Actes 20:20, 21.

[22] Deux fois l'an en général, les congrégations de chaque circonscription se réunissent pour une assemblée de circonscription qui dure deux jours; ce sont là d'autres occasions d'être encouragé et affermi. Ces assemblées rassemblent de 200 à 2 000 personnes. Nous vous invitons à assister à celle qui aura lieu dans votre région. Nous sommes certains qu'elle vous affermira spirituellement.

[23] Une fois l'an, une assemblée de district est tenue pendant plusieurs jours. Faites un effort spécial pour y assister, car vous en retirerez des bienfaits spirituels. Certaines années, au lieu d'assemblées de district, nous avons eu des assemblées nationales ou internationales. La plus grande jamais organisée en un seul endroit fut celle de 1958, au Yankee Stadium et

---

20. a) Au premier siècle, qui le collège central de Jérusalem envoyait-il, et dans quel but? b) Qui le Collège central d'aujourd'hui envoie-t-il?

21. Comment les surveillants de circonscription aident-ils les congrégations du peuple de Dieu?

22. a) Deux fois l'an, quelles autres occasions le peuple de Dieu a-t-il de s'affermir? b) Quelle invitation vous est faite?

23. a) Une fois l'an, quelles autres assemblées sont tenues? b) De quelle importance fut l'une de ces assemblées?

aux Polo Grounds de New York; elle dura huit jours. En cette occasion, 253 922 personnes écoutèrent le discours public intitulé “Le Royaume de Dieu est entré dans son règne — La fin du monde est-elle proche?”. Depuis lors, les assemblées se tiennent dans des villes importantes, car il n’y a plus d’endroit assez vaste pour accueillir de telles foules.

LES REUNIONS DANS LES CONGREGATIONS

[24] Le Collège central des Témoins de Jéhovah veille aussi à ce qu’un programme d’instruction biblique unifié soit présenté dans toutes les congrégations du peuple de Dieu. Chacune d’elles tient cinq réunions par semaine: l’Ecole du ministère théocratique, la réunion de service, la réunion publique, l’étude de *La Tour de Garde* et l’étude de livre de la congrégation. Décrivons-les une à une.

[25] L’Ecole du ministère théocratique aide les élèves inscrits à parler plus efficacement du Royaume de Dieu. De temps à autre, ils prononcent de courtes allocutions sur des sujets bibliques devant tout l’auditoire, et un ancien compétent leur fait des suggestions pour les aider à s’améliorer.

[26] Généralement dans la même soirée a lieu la réunion de service, dont le programme est publié dans *Le ministère du Royaume,* feuillet mensuel de quatre pages ou plus édité par le Collège central. Lors de cette réunion sont proposées des suggestions pratiques et des démonstrations de méthodes efficaces pour présenter le message du Royaume. Christ a lui aussi instruit ses disciples sur la façon de remplir leur ministère. — Jean 21:15-17; Matthieu 10:5-14.

[27] La réunion publique et l’étude de *La Tour de Garde* ont généralement lieu le dimanche. Les nouveaux sont invités à la réunion publique où un ministre qualifié prononce un discours biblique. L’étude de *La Tour de Garde* est une discussion par questions et réponses d’un article biblique publié dans un récent numéro du périodique en question.

---

24. Quelles sont les cinq réunions hebdomadaires tenues par les congrégations du peuple de Dieu?

25, 26. Quel est le but de l’Ecole du ministère théocratique et de la réunion de service?

27, 28. Quel genre de réunions sont la réunion publique, l’étude de *La Tour de Garde* et l’étude de livre de la congrégation?

Programme d'instruction biblique aux réunions des Témoins de Jéhovah

[28] Tandis que la congrégation tout entière se rassemble à la Salle du Royaume pour les réunions précitées, des groupes plus petits se réunissent dans des foyers privés pour l'étude de livre. Un manuel biblique, semblable au présent ouvrage, sert de base à la discussion qui dure environ une heure.

[29] Outre ces réunions hebdomadaires, les Témoins de Jéhovah se réunissent chaque année au jour anniversaire de la mort de Jésus. Lorsqu'il institua le Repas commémoratif de sa mort, Jésus a dit: "Continuez à faire ceci en souvenir de moi." (Luc 22:19, 20). Jésus utilisa alors du vin et du pain non fermenté pour symboliser la vie qu'il s'apprêtait à sacrifier pour l'humanité. Ainsi, à l'occasion de ce repas, le reste des 144 000 disciples oints du Christ proclament leur espérance céleste en participant au pain et au vin.

[30] Des millions de gens assistent à ce Mémorial en tant qu'observateurs. Cela leur rappelle, à eux aussi, ce que Jéhovah et Jésus Christ ont fait pour les affranchir du péché

---

29. a) Quel mémorial les vrais chrétiens célèbrent-ils chaque année? b) Qui participe, comme il convient, au pain et au vin?
30. a) Qui d'autre assiste au Mémorial, et quelle est leur espérance? b) Comment Jésus a-t-il décrit ces personnes?

et de la mort. Ils espèrent vivre, non pas au ciel, mais éternellement dans le paradis terrestre. Ils sont comme Jean le baptiseur, qui se présenta comme "l'ami de l'époux" et non comme un élément de son épouse collective composée de 144 000 membres (Jean 3:29). Ces millions de personnes font partie des "autres brebis", non du "petit troupeau". Toutefois, comme l'a dit Jésus, elles servent dans l'unité avec les membres du "petit troupeau", afin que tous deviennent "un seul troupeau". — Jean 10:16; Luc 12:32.

SERVONS DIEU AVEC SON ORGANISATION

[31] Comme autrefois, Jéhovah a aujourd'hui une organisation visible. Grâce à cet instrument, il éduque son peuple pour la vie dans l'ordre nouveau et juste. Mais on ne peut à la fois appartenir à l'organisation divine et à la fausse religion. La Bible dit: "Ne formez pas avec les incroyants un attelage mal assorti. En effet, quels rapports y a-t-il entre la justice et le mépris de la loi? Ou (...) entre la lumière et les ténèbres? (...) Ou quelle part a le fidèle avec l'incroyant?" Et Jéhovah ordonne: "C'est pourquoi sortez du milieu d'eux, et séparez-vous." — II Corinthiens 6:14-17.

[32] Que signifie 'sortir du milieu d'eux'? On ne pourrait obéir à ce commandement en continuant à faire partie d'une autre Eglise que celle dont Jéhovah se sert ou à lui donner son soutien. Si donc l'un de nous appartient encore à une telle Eglise, il lui faut signaler son retrait. Quiconque se sépare maintenant des pratiquants de la fausse religion pour servir activement Dieu avec son organisation théocratique visible, celui-là se place parmi ceux dont Dieu a dit: "Je résiderai parmi eux et je marcherai parmi eux, et je serai leur Dieu, et ils seront mon peuple." — II Corinthiens 6:16.

---

31. Qu'est-ce qui montre que Dieu désapprouve ceux qui restent dans une fausse religion et cependant essaient de faire partie de son organisation?

32. a) Que faut-il faire pour 'sortir du milieu d'eux'? b) Quels bienfaits reçoit celui qui décide de servir Dieu avec son organisation théocratique visible?

Chapitre 24

Sommes-nous sous les Dix Commandements?

A QUELLES lois Jéhovah Dieu veut-il que nous obéissions? Devons-nous observer ce que la Bible appelle "la loi de Moïse" ou "la Loi" ou encore "la loi de Jéhovah", parce que c'est lui qui l'a donnée (I Chroniques 16:40; I Rois 2:3; Tite 3:9)? Moïse n'a fait que transmettre la Loi au peuple.

[2] La loi de Moïse comprend plus de 600 lois individuelles ou commandements, y compris les 10 principaux. Comme l'a dit Moïse, "il [Jéhovah] vous ordonna d'observer, savoir les dix commandements, et il les écrivit sur deux tables de pierre". (Deutéronome 4:13; Exode 31:18; *Crampon* 1905.) Mais à qui Jéhovah donna-t-il la Loi, y compris les Dix Commandements? A toute l'humanité? Quel était le but de la Loi?

A ISRAEL DANS UN DESSEIN PARTICULIER

[3] La Loi ne fut pas donnée à toute l'humanité. Jéhovah fit

1. Quelle loi Moïse donna-t-il au peuple?
2. Que comprend cette loi?
3. Comment savons-nous que la Loi ne fut donnée qu'à Israël?

LES DIX COMMANDEMENTS

1. "Je suis Jéhovah, ton Dieu (...). Tu ne dois pas avoir d'autres dieux contre ma face.
2. "Tu ne dois pas te faire d'image sculptée, ni de forme qui ressemble à une chose quelconque qui est dans les cieux en haut, ou qui est sur la terre en bas, ou qui est dans les eaux sous la terre. Tu ne dois pas te prosterner devant eux, ni (...) les servir.
3. "Tu ne dois pas prendre le nom de Jéhovah, ton Dieu, d'une manière futile (...).
4. "Te souvenant du jour du sabbat afin de le tenir pour sacré, tu dois servir et tu dois faire tout ton travail pendant six jours. Mais le septième jour est un sabbat pour Jéhovah, ton Dieu. Tu ne dois faire aucun travail, ni toi, ni ton fils, ni ta fille (...).
5. "Honore ton père et ta mère, afin que tes jours se prolongent sur le sol que te donne Jéhovah, ton Dieu.
6. "Tu ne dois pas assassiner.
7. "Tu ne dois pas commettre d'adultère.
8. "Tu ne dois pas voler.
9. "Tu ne dois pas déposer de faux témoignage contre ton semblable.
10. "Tu ne dois pas désirer [convoiter] la maison de ton semblable. Tu ne dois pas désirer [convoiter] la femme de ton semblable, ni son esclave mâle, ni son esclave femelle, ni son taureau, ni son âne, ni rien de ce qui appartient à ton semblable." — Exode 20:2-17.

une alliance ou pacte avec les descendants de Jacob, qui devinrent la nation d'Israël. C'est à cette nation *seule* qu'il donna ses lois. La Bible l'établit clairement en Deutéronome 5:1-3 et en Psaume 147:19, 20.

[4] L'apôtre Paul souleva cette question: "Alors pourquoi la Loi?" Oui, dans quel dessein Jéhovah la donna-t-il à Israël? Paul le dit: "Pour rendre les transgressions manifestes, jusqu'à ce que vienne la postérité à qui la promesse avait été faite (...). Ainsi donc, la Loi est devenue notre tuteur [ou enseignant] menant à Christ." (Galates 3:19-24). Le but particulier de la Loi était de protéger et de guider les Israélites afin qu'ils soient prêts à accepter le Christ. Les nombreux sacrifices exigés par la Loi leur rappelaient qu'ils étaient pécheurs et avaient besoin d'un Sauveur. — Hébreux 10:1-4.

"CHRIST EST LA FIN DE LA LOI"

[5] Manifestement, Jésus Christ était ce Sauveur promis, selon ce que dit l'ange à sa naissance (Luc 2:8-14). Aussi, lorsqu'il donna sa vie parfaite en sacrifice, qu'arriva-t-il à la Loi? Elle fut ôtée. Paul dit: "Nous ne sommes plus sous un tuteur." (Galates 3:25). La suppression de la Loi fut un soulagement pour les Israélites. Elle avait révélé leur état de pécheurs,

---

4. Pourquoi la Loi fut-elle donnée à la nation d'Israël?
5. Quand Christ mourut pour nous, qu'arriva-t-il à la Loi?

La Loi était un mur qui séparait les Israélites des autres nations.

aucun d'eux n'étant capable de l'observer parfaitement. Paul dit: "Christ nous a, par achat, libérés de la malédiction de la Loi." (Galates 3:10-14). Et encore: "Christ est la fin de la Loi." — Romains 10:4; 6:14.

6 La Loi était un "mur" entre les Israélites et les autres nations qui n'y étaient pas soumises. Or, par son sacrifice, Christ "a aboli (...) la Loi des commandements consistant en décrets, afin de créer (...) les deux peuples [Israélites et non-Israélites], (...) en union avec lui-même, un seul homme nouveau". (Ephésiens 2:11-18.) Quant à la mesure que Jéhovah prit à l'égard de la Loi, nous lisons: "Il a bien voulu nous pardonner toutes nos fautes et effacer le document manuscrit qui était contre nous, document qui consistait en décrets [y compris les Dix Commandements] et qui nous était opposé [parce qu'il condamnait les Israélites comme pécheurs]; et Il l'a ôté du chemin en le clouant au poteau de supplice." (Colossiens 2:13, 14). Ainsi, le sacrifice parfait de Christ mit fin à la Loi.

7 Il en est qui prétendent néanmoins que la Loi se compose de deux parties: les Dix Commandements et le reste des lois. C'est cette seconde partie, disent-ils, qui a pris fin, mais les Dix Commandements ont subsisté. Or, il n'en est rien. Dans son Sermon sur la montagne, Jésus se référa tant aux Dix Commandements qu'aux autres parties de la Loi, sans faire de différence. Il montra ainsi que la loi de Moïse n'était pas divisée en deux parties. — Matthieu 5:21-42.

8 Notez ce que l'apôtre Paul écrivit sous l'inspiration divine: *"Maintenant nous avons été dégagés de la Loi."* Les chrétiens juifs avaient-ils été uniquement dégagés des lois autres que les Dix Commandements? Non, car Paul ajouta: "Vraiment, je n'aurais pas appris à connaître le péché, n'eût été la Loi; ainsi, je n'aurais pas appris à connaître la convoitise, si la Loi n'avait dit: 'Tu ne dois pas convoiter.'" (Romains 7:6, 27; Exode 20:17). Comme le dernier des Dix Commandements interdit la convoitise, les Israélites étaient également dégagés des Dix Commandements.

6. a) Quel effet eut sur les Israélites et les non-Israélites la fin de la Loi, et pourquoi? b) Quelle mesure Jéhovah prit-il à l'égard de la Loi?
7, 8. Qu'est-ce qui prouve que la Loi ne comprend pas deux parties?

[9] Est-ce à dire que la loi relative au sabbat hebdomadaire, le quatrième des Dix Commandements, fut également supprimée? Oui; selon Galates 4:8-11 et Colossiens 2:16, 17, les chrétiens ne sont pas sous la loi divine donnée aux Israélites, loi qui exigeait d'observer le sabbat hebdomadaire ainsi que d'autres jours particuliers de l'année. Le passage de Romains 14:5 établit aussi que le sabbat hebdomadaire n'est pas une exigence chrétienne.

LES LOIS QUI S'APPLIQUENT AUX CHRETIENS

[10] Les chrétiens n'étant pas sous les Dix Commandements, faut-il en déduire qu'ils n'ont aucune loi à observer? Non. Jésus a conclu une "nouvelle alliance" sur la base d'un sacrifice meilleur: sa vie humaine parfaite. Les chrétiens sont sous cette nouvelle alliance et soumis aux lois chrétiennes (Hébreux 8:7-13; Luc 22:20), lesquelles, pour la plupart, ont été empruntées à la loi de Moïse. Il en est souvent de même lorsqu'un pays change de gouvernement. La constitution de l'ancien régime est parfois annulée, mais la nouvelle constitution renferme souvent bon nombre des lois appartenant à l'ancienne. Pareillement, il a été mis fin à l'alliance de la Loi, mais beaucoup de ses lois et principes fondamentaux ont été inclus dans le christianisme.

[11] Lisez les Dix Commandements reproduits à la page 203 et comparez-les aux lois et enseignements chrétiens suivants: "C'est Jéhovah, ton Dieu, que tu devras adorer." (Matthieu 4:10; I Corinthiens 10:20-22). "Gardez-vous des idoles." (I Jean 5:21; I Corinthiens 10:14). "Notre Père qui es dans les cieux, que ton nom soit sanctifié [pas pris d'une manière futile]!" (Matthieu 6:9). "Enfants, obéissez à vos parents." (Ephésiens 6:1, 2). La Bible établit que l'assassinat, l'adultère, le vol, le mensonge et la convoitise sont contraires aux lois données aux chrétiens. — Révélation 21:8; I Jean 3:15;

---

9. Qu'est-ce qui montre que la loi sur le sabbat hebdomadaire a également été supprimée?
10. a) Les chrétiens sont sous quelles lois? b) D'où ont été tirées la plupart de ces lois, et pourquoi cela est-il raisonnable?
11. Quelles lois et quels enseignements donnés aux chrétiens ressemblent beaucoup aux Dix Commandements?

Hébreux 13:4; I Thessaloniciens 4:3-7; Ephésiens 4:25, 28; I Corinthiens 6:9-11; Luc 12:15; Colossiens 3:5.

[12] Bien que les chrétiens ne soient pas tenus d'observer un sabbat hebdomadaire, ils ont une leçon à tirer de cette ancienne loi. Si les Israélites se reposaient physiquement, les chrétiens, eux, se reposent spirituellement. En raison de leur foi et de leur obéissance, ils renoncent aux œuvres égoïstes, entre autres établir leur propre justice (Hébreux 4:10). Ce repos spirituel est quotidien et non hebdomadaire. La loi du sabbat qui prescrivait de réserver une journée aux intérêts spirituels empêchait les Israélites de consacrer tout leur temps aux choses matérielles. L'observation quotidienne de ce principe est une protection plus efficace contre le matérialisme.

[13] Ainsi, les chrétiens sont exhortés à 'accomplir la loi du Christ', plutôt qu'à observer les Dix Commandements (Galates 6:2). Comment? En suivant les commandements du Christ. Il a particulièrement mis l'accent sur l'amour (Matthieu 22:36-40; Jean 13:34, 35). Oui, l'amour du prochain est une loi chrétienne. C'est le fondement de la loi de Moïse tout entière, comme le dit la Bible: "La Loi tout entière se trouve accomplie dans une seule parole, savoir: 'Tu devras aimer ton prochain comme toi-même.'" — Galates 5:13, 14; Romains 13:8-10.

[14] La loi de Moïse, y compris les Dix Commandements, était un ensemble de règles justes venant de Dieu. Bien que nous ne soyons pas sous cette Loi, les principes divins qui s'en dégagent sont importants pour nous. L'étude et l'application de ces principes feront croître notre amour pour Jéhovah. Mais nous sommes particulièrement tenus d'étudier et d'observer les lois et les enseignements chrétiens. L'amour pour Jéhovah nous incitera à nous soumettre à toutes ses exigences. — I Jean 5:3.

---

12. Comment le principe du sabbat se retrouve-t-il dans le système chrétien?

13. a) Quelle loi les chrétiens sont-ils exhortés à accomplir, et comment le font-ils? b) Sur quelle loi Jésus mit-il l'accent? c) Quelle loi est le fondement de la loi de Moïse tout entière?

14. a) Quel profit retirerons-nous de l'étude et de l'observation des principes de la loi de Moïse? b) Que nous incitera à faire l'amour?

Chapitre 25

Etes-vous pour le monde de Satan ou pour le Royaume de Dieu?

ETES-VOUS pour le nouveau système juste de Dieu et contre Satan, et souhaitez-vous la fin de son monde? Oui, répondrez-vous peut-être. Mais est-ce suffisant? Un vieux proverbe dit que les actes sont plus éloquents que des paroles. Si vous avez foi dans le nouveau système de Dieu, démontrez-le par votre mode de vie. — Matthieu 7:21-23; 15:7, 8.

[2] Votre mode de vie ne peut plaire qu'à un seul maître. Ou vous servez Jéhovah, ou vous servez Satan le Diable. Le principe biblique suivant est net à ce sujet: "Ne savez-vous pas que si vous continuez à vous présenter à quelqu'un comme esclaves pour lui obéir, vous êtes ses esclaves parce que vous lui obéissez?" (Romains 6:16). A qui obéissez-vous? Quelle que soit votre réponse, si vous suivez les voies injustes du monde, vous ne pouvez servir le vrai Dieu Jéhovah.

QU'EST-CE QUE LE MONDE DE SATAN?

[3] Jésus appela Satan "le chef de ce monde". Et l'apôtre Jean dit que "le monde entier gît au pouvoir du méchant". (Jean 12:31; I Jean 5:19.) Notez que dans sa prière à Dieu Jésus n'inclut pas ses disciples dans le monde de Satan. Il dit: "Je fais requête à leur sujet [c'est-à-dire ses disciples]; je fais requête, *non pas au sujet du monde* (...). Ils ne font pas partie du monde, comme je ne fais pas partie du monde."

1. Qu'est-ce qui prouve vraiment que vous êtes pour le nouveau système de Dieu?
2. a) Quels sont les deux maîtres que l'on peut choisir de servir? b) Comment prouver que vous êtes l'esclave ou le serviteur de l'un ou de l'autre?
3. a) Selon la Bible, qui est le chef du monde? b) Dans sa prière, comment Jésus montra-t-il qu'il existe une différence entre le monde et ses disciples?

(Jean 17:9, 16; 15:18, 19). Il est donc clair que les vrais chrétiens doivent se tenir séparés du monde.

[4] Qu'entendait Jésus par *"le monde"?* Dans la Bible, cette expression désigne parfois l'humanité en général. Dieu envoya son Fils pour sauver le monde des hommes (Jean 3:16). Or, Satan a dressé la majorité des humains contre Dieu. Aussi, *le monde de Satan est la société humaine organisée qui existe indépendamment de l'organisation visible de Dieu.* C'est de ce monde-là que les vrais chrétiens doivent se séparer. — Jacques 1:27.

[5] Le monde de Satan, autrement dit sa société humaine organisée, se compose d'éléments divers étroitement reliés entre eux. L'un d'eux est la fausse religion, que la Bible dépeint comme une "grande prostituée" appelée "Babylone la Grande". Il s'agit d'un empire universel, puisqu'elle a la royauté sur les rois de la terre (Révélation 17:1, 5, 18). Comment Babylone la Grande est-elle un empire universel *religieux?*

[6] Puisque "les rois de la terre" 'commettent la fornication' avec elle et que "les marchands itinérants" de la terre se tiennent à distance et se lamentent au sujet de sa destruction, Babylone la Grande n'est ni un empire politique ni un empire commercial (Révélation 17:2; 18:15). Qu'elle soit vraiment un empire religieux, cela ressort de ce que, "par ses pratiques spirites, toutes les nations ont été égarées". — Révélation 18:23.

[7] Ses relations avec la "bête sauvage" attestent aussi que Babylone la Grande est

Quel est le monde pour lequel Jésus n'a pas prié et dont ses disciples ne font pas partie?

---

4. a) Que désigne l'expression "le monde" citée en Jean 3:16? b) Quel est "le monde" dont les disciples du Christ doivent se séparer?

5. Quel est un élément important du monde, et comment est-il représenté dans la Bible?

6, 7. a) Comment prouver que Babylone la Grande est un empire religieux? b) Quelles relations la fausse religion entretient-elle avec les gouvernements politiques?

un empire religieux. Dans la Bible, de telles bêtes représentent des gouvernements politiques (Daniel 8:20, 21). Babylone la Grande est “assise sur une bête sauvage de couleur écarlate (...) qui avait sept têtes et dix cornes”. Autrement dit, elle a essayé d’influencer la “bête sauvage” ou les gouvernements du monde (Révélation 17:3). De tout temps, la religion s’est mêlée de politique. Elle a vraiment exercé la royauté sur les rois de la terre. — Révélation 17:18.

[8] Ces gouvernements sont eux aussi un élément important du monde de Satan. Rappelons qu’ils sont représentés dans la Bible par des bêtes (Daniel 7:1-8, 17, 23). Ils reçoivent leur puissance de Satan, selon la vision de Jean: “J’ai vu une bête sauvage monter de la mer, avec dix cornes et sept têtes (...). Et le dragon a donné à la bête sa puissance.” (Révélation 13: 1, 2; 12:9). Une autre preuve attestant que ces royaumes ou gouvernements appartiennent au monde de Satan est le fait que celui-ci les offrit à Jésus. Satan n’aurait pu faire une telle proposition s’il n’avait été lui-même le chef de ces royaumes. — Matthieu 4:8, 9.

[9] Un autre élément du monde de Satan est le système commercial cupide et oppresseur que la Révélation (18:11) appelle “les marchands itinérants”. Ce système encourage chez les hommes le désir égoïste d’acquérir ses produits, même sans nécessité et à leur détriment. Il accumule les denrées alimentaires tout en laissant des milliers de gens mourir de faim, parce qu’ils n’ont pas de quoi payer leur nourriture. D’autre part, on fabrique des armes capables de détruire la famille humaine tout entière, armes que l’on vend pour le profit. Ainsi, les systèmes commercial, religieux et politique de Satan favorisent l’égoïsme, le crime et la guerre.

[10] En vérité, la société humaine soumise à Satan est méchante et corrompue. Elle s’oppose aux justes lois divines

8. Quel est un autre élément important du monde de Satan, et comment est-il représenté dans la Bible?

9. a) Comment un autre élément du monde de Satan est-il décrit en Révélation 18:11? b) A quoi encourage-t-il les hommes, montrant ainsi qu’il est soutenu par Satan?

10, 11. a) Quelle est encore une autre caractéristique du monde de Satan? b) Comment la Bible nous met-elle en garde contre le mode de vie du monde?

La Bible représente la fausse religion comme une prostituée ivre, et les gouvernements du monde qu'elle chevauche comme une bête sauvage.

et se livre à toutes sortes de pratiques immorales. Ainsi, une autre caractéristique du monde de Satan est son mode de vie dissolu. Rien d'étonnant que les apôtres Paul et Pierre aient exhorté les chrétiens à se garder de l'immoralité des gens des nations. — Ephésiens 2:1-3; 4:17-19; I Pierre 4:3, 4.

[11] L'apôtre Jean a également exhorté les chrétiens à fuir les mauvais désirs et les voies immorales du monde. Il a écrit: "N'aimez pas le monde ni les choses qui sont dans le monde. Si quelqu'un aime le monde, l'amour du Père n'est pas en lui; car tout ce qui est dans le monde, — *le désir de la chair, le désir des yeux* et *l'exhibition de ses ressources,* — ne provient pas du Père, mais provient du monde." (I Jean 2:15, 16). Le disciple Jacques a dit: "Quiconque donc veut être ami du monde se constitue ennemi de Dieu." — Jacques 4:4.

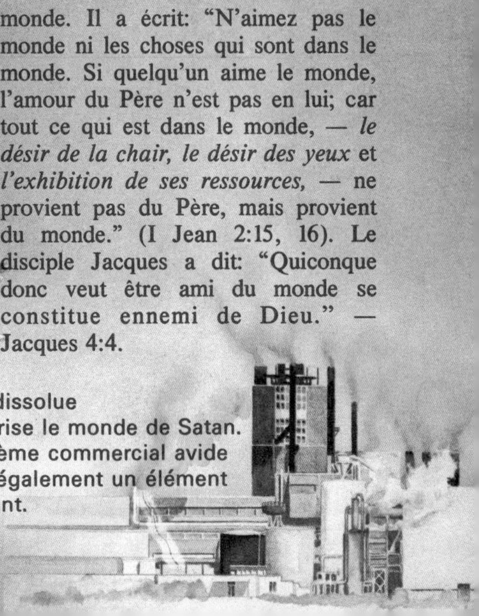

La vie dissolue caractérise le monde de Satan. Le système commercial avide en est également un élément important.

COMMENT EVITER DE FAIRE PARTIE DU MONDE

[12] Aussi longtemps que durera le monde de Satan, les chrétiens devront y vivre. Jésus dit: “Je te demande, non pas de les retirer du monde.” Mais il ajouta au sujet de ses disciples: “Ils ne font pas partie du monde.” (Jean 17:15, 16). Comment vivre *dans le monde de Satan sans en faire partie?*

[13] Nous vivons au milieu de gens qui composent la société humaine organisée; parmi eux, il y a des fornicateurs, des gens avides, etc. Il peut s’agir de collègues de travail ou de compagnons de classe (I Corinthiens 5:9, 10). Nous sommes même tenus de les aimer, à l’exemple de Dieu (Jean 3:16). Toutefois, un vrai chrétien n’aime pas le mal que font ces gens. Il n’adopte ni leur attitude ni leurs buts dans la vie. Il ne se mêle ni de leurs religions corrompues ni de leur politique. Et bien qu’il doive souvent travailler dans le monde des affaires pour subvenir à ses besoins, il n’a pas recours à des pratiques malhonnêtes; l’acquisition de biens matériels n’est pas non plus sa raison de vivre. Comme il a pris position pour le nouveau système de Dieu, il ne fréquente pas ceux qui vivent pour le monde de Satan (I Corinthiens 15:33; Psaumes 1:1; 26:3-6, 9, 10). Ainsi, le chrétien *vit dans le monde de Satan sans en faire partie.*

[14] Et vous? Etes-vous pour le monde de Satan ou pour le nouveau système de Dieu? Si vous avez opté pour le nouveau système de Dieu, il faut vous séparer du monde, y compris de sa fausse religion. Obéissez à ce commandement biblique: “Sortez d’elle [Babylone la Grande], mon peuple.” (Révélation 18:4). Toutefois, sortir de l’empire universel de la fausse religion, c’est non seulement rompre avec les fausses religions, mais aussi n’avoir aucune participation aux fêtes religieuses. — II Corinthiens 6:14-18.

[15] Noël est une importante fête religieuse aujourd’hui. Or,

12, 13. a) Comment Jésus montra-t-il que les chrétiens doivent vivre dans le monde? b) Comment est-il possible de vivre dans le monde sans en faire partie?

14. Si vous êtes pour le nouveau système de Dieu, à quel commandement biblique devez-vous obéir?

15. a) Au lieu de la naissance de Jésus, qu’est-ce que les chrétiens doivent observer? b) Pourquoi Jésus n’aurait-il pu naître en plein hiver? c) Pourquoi la date du 25 décembre a-t-elle été choisie comme jour anniversaire de la naissance de Jésus?

A la naissance de Jésus, les bergers se trouvaient dans les champs, la nuit, avec leurs troupeaux; Jésus n'a donc pu naître le 25 décembre.

l'Histoire démontre que les tout premiers chrétiens n'observaient pas cette fête. Jésus dit à ses disciples de célébrer la Commémoration de sa mort et non de sa naissance (I Corinthiens 11:24-26). En fait, le 25 décembre n'est pas la date de la naissance de Jésus. Cela est impossible puisque, selon la Bible, à l'époque de sa naissance les bergers veillaient dans les champs. Ils ne seraient pas restés dehors en plein hiver, saison froide et pluvieuse (Luc 2:8-12). En réalité, la date du 25 décembre a été choisie "parce que les habitants de Rome l'observaient déjà comme fête de Saturne, célébrant l'anniversaire du Soleil". — *The World Book Encyclopedia.*

[16] Pâques, ou la semaine sainte dans certains pays d'Amérique latine, est aussi une importante fête religieuse. Toutefois, les premiers chrétiens ne la célébraient pas. Comme les autres fêtes, Pâques a une origine païenne. Voici ce que dit l'*Encyclopédie britannique:* "On ne trouve dans le Nouveau Testament aucune trace de l'observance de la fête de Pâques." Quelle importance cela a-t-il que Noël et Pâques ont leur origine chez les adorateurs de faux dieux? L'apôtre Paul dit qu'on ne peut mélanger le vrai et le faux, car "un peu de levain fait fermenter toute la masse". (Galates 5:9.) Il

---

16. a) Quelle autre fête religieuse célèbre a une origine non chrétienne? b) Pour quelles excellentes raisons les vrais chrétiens ne célèbrent-ils ni Noël ni Pâques?

reprocha à des chrétiens d'observer les jours célébrés sous la loi de Moïse, mais supprimés par Dieu à l'intention des chrétiens (Galates 4:10, 11). A combien plus forte raison les vrais chrétiens aujourd'hui doivent-ils éviter de célébrer des fêtes que Dieu n'a jamais prescrites et qui proviennent de la fausse religion!

[17] D'autres fêtes honorent des hommes célèbres, des nations ou des institutions. Or, la Bible interdit de vénérer des humains et de se confier en des organisations pour la réalisation de choses que Dieu seul peut faire (Actes 10:25, 26; 12:21-23; Révélation 19:10; Jérémie 17:5-7). Ainsi, les fêtes qui exaltent l'homme ou les institutions humaines ne sont pas en harmonie avec la volonté de Dieu, et les vrais chrétiens n'y participent pas. — Romains 12:2.

[18] Les hommes ont fabriqué de nombreux objets de dévotion; certains sont en bois, d'autres en métal ou en tissu sur lequel

17. a) Pourquoi les fêtes qui honorent des hommes éminents ou des nations sont-elles mauvaises? b) Selon la Bible, quelle doit être l'attitude des chrétiens dans ce domaine?
18. a) Quels objets d'adoration les hommes ont-ils fabriqués? b) Que disent les lois de Dieu au sujet du culte rendu à de tels objets?

Les serviteurs de Dieu refusèrent d'adorer l'idole dressée par le roi. Que feriez-vous en pareil cas?

on a cousu ou peint une représentation de choses qui sont dans le ciel ou sur la terre. Il arrive parfois que la loi d'un pays exige que chacun rende un culte à un tel objet. Or, Dieu l'interdit à ses serviteurs (Exode 20:4, 5; Matthieu 4:10). Que font-ils donc en pareil cas?

[19] Dans l'antique Babylone, le roi Nébucadnezzar fit élever une statue d'or géante et ordonna que chacun se prosterne devant elle. 'Quiconque ne l'adorera pas, dit-il, sera jeté dans la fournaise de feu ardent.' Or, trois jeunes Hébreux, nommés Schadrach, Méschach et Abednégo, refusèrent d'obéir à l'ordre du roi. Pourquoi? Parce qu'il impliquait un acte d'adoration et que leur adoration n'appartenait qu'à Jéhovah. Dieu les approuva et les sauva de la colère du roi. En fait, Nébucadnezzar se rendit compte que ces hommes ne constituaient pas un danger pour l'Etat; aussi émit-il un ordre protégeant leur liberté (Daniel 3:1-30). La fidélité de ces jeunes hommes n'est-elle pas louable? Montrerez-vous que vous êtes, vous aussi, pour le nouveau système de Dieu en obéissant à toutes ses lois? — Actes 5:29.

[20] Satan veut que nous le servions, lui, et non Jéhovah. Il s'efforce donc de nous amener à faire sa volonté, sachant que nous devenons les esclaves de celui à qui nous obéissons (Romains 6:16). Par différents moyens, y compris la télévision, le cinéma, certaines danses et les lectures immorales, Satan encourage l'adultère et les relations sexuelles entre personnes non mariées, choses qui sont généralement acceptées. Pourtant, elles constituent une violation des lois de Dieu (Hébreux 13:4; Ephésiens 5:3-5). Quiconque s'y adonne prend en fait position pour le monde de Satan.

[21] D'autres pratiques que le monde de Satan a rendues populaires sont contraires aux lois divines; l'ivrognerie en est une (I Corinthiens 6:9, 10). Citons encore l'usage de la

19. a) Quel ordre le roi de Babylone donna-t-il autrefois? b) Quel exemple les chrétiens feront-ils bien de suivre?
20. Quels différents moyens Satan utilise-t-il pour essayer de nous amener à transgresser les lois divines sur la moralité sexuelle?
21. En se livrant à quelles autres pratiques montre-t-on que l'on est pour le monde de Satan?

drogue, comme la marijuana et l'héroïne, pour le plaisir, sans oublier le tabac. Ce sont là des pratiques impures qui nuisent au corps et vont à l'encontre de l'exhortation divine 'à se purifier de toute souillure de la chair et de l'esprit'. (II Corinthiens 7:1.) Le fumeur nuit également à la santé de son entourage, transgressant ainsi la loi divine qui ordonne au chrétien d'aimer son prochain. — Matthieu 22:39.

[22] Une autre pratique répandue dans le monde consiste à manger du sang. Ainsi, on sert à table des animaux qui n'ont pas été convenablement saignés ou des plats qui ont été confectionnés avec du sang. Pourtant, la Parole de Dieu interdit de manger le sang (Genèse 9:3, 4; Lévitique 17:10). Et les transfusions sanguines? Certains diront que recevoir une transfusion sanguine n'est pas "manger" du sang. Mais quand un malade ne peut se nourrir par voie orale, ne le nourrit-on pas par voie intraveineuse? La Bible dit qu'il faut *"s'abstenir* (...) du sang". (Actes 15:20, 29.) Qu'est-ce que cela signifie? Si votre médecin vous conseillait de vous abstenir d'alcool, cesseriez-vous d'en boire pour en introduire directement dans vos veines par transfusion? Non, évidemment! De même, 's'abstenir (...) du sang' signifie refuser de l'absorber de quelque façon que ce soit.

[23] Il vous faut prouver à Jéhovah que vous avez opté pour son nouveau système et que vous ne faites pas partie du présent monde. Une décision s'impose, celle de servir Jéhovah et de faire sa volonté. Vous ne pouvez être indécis comme le furent certains Israélites de l'Antiquité (I Rois 18:21). Rappelez-vous que si vous ne servez pas Jéhovah, c'est Satan que vous servez. Que prouve votre *conduite?* Prendre position pour Dieu signifie éviter toutes les pratiques qu'il condamne et qui n'auront pas cours dans son nouveau système juste.

---

22. a) Que dit la Bible sur le sang? b) Pourquoi n'y a-t-il, en fait, aucune différence entre recevoir une transfusion sanguine et "manger" du sang? c) Qu'est-ce qui montre que 's'abstenir du sang' signifie ne pas en introduire du tout dans le corps?
23. a) Quelle décision vous faut-il prendre? b) Comment le démontrerez-vous?

Chapitre 26

Le combat pour ce qui est juste

AUSSI longtemps que subsistera le monde de Satan, les chrétiens auront à combattre pour se soustraire à sa mauvaise influence. L'apôtre Paul écrivit: "Revêtez l'armure complète de Dieu pour pouvoir tenir ferme contre les [ruses] du Diable." (Ephésiens 6:11-18). Outre Satan et son monde, il nous faut aussi combattre contre nos mauvais penchants. La Bible dit: "L'inclination du cœur de l'homme est mauvaise dès sa jeunesse." — Genèse 8:21; Romains 5:12.

[2] A cause du péché hérité d'Adam, notre cœur peut nous inciter à faire le mal. Céder à cette invitation signifierait perdre la vie éternelle. Il nous faut donc *combattre* pour ce qui est juste. Même l'apôtre Paul dut mener ce combat, comme il le dit: "Quand je souhaite faire ce qui est juste, ce qui est mauvais est présent chez moi." (Romains 7:21-23). Pour vous aussi, la lutte peut être difficile. Il vous arrivera d'être en proie à un grave conflit intérieur. Que déciderez-vous alors?

[3] Vous connaissez maintenant les merveilleuses promesses divines relatives à la vie éternelle dans la perfection sur la terre. Vous y croyez et vous souhaitez y avoir part. Vous admettez que votre intérêt *éternel* est de servir Dieu. Mais il peut arriver que votre cœur suscite en vous le désir de commettre de mauvaises actions comme la fornication, le vol, etc. Certains qui étudient ce manuel se livrent peut-être à des pratiques mauvaises, tout en sachant que Dieu les condamne. Le fait qu'ils font le mal quand ils souhaitent faire le bien

---

1. Quelles sont les deux choses contre lesquelles le chrétien doit combattre?

2. a) Pourquoi avons-nous souvent le puissant désir de faire le mal? b) Pourquoi devons-nous combattre nos mauvais désirs?

3. a) A quel conflit intérieur beaucoup sont-ils en proie? b) Le fait que beaucoup font le mal quand ils souhaitent faire ce qui est juste vient appuyer quelle vérité biblique?

atteste la justesse de cette vérité biblique: “Traître est le cœur, plus que toute autre chose, et il est incurable.” — Jérémie 17:9.

LE COMBAT PEUT ETRE GAGNE

[4] N’en déduisez toutefois pas qu’il est impossible de maîtriser ses mauvais désirs. Si vous le voulez vraiment, vous pouvez affermir votre cœur afin qu’il vous guide sur la bonne voie, mais cela dépend de vous (Psaume 26:1, 11). Personne ne peut gagner le combat pour vous. Il vous faut donc continuer d’acquérir la connaissance biblique qui donne la vie (Jean 17:3). Celle-ci doit non seulement toucher l’esprit, mais aussi le cœur, de sorte que vous soyez poussé à l’action.

[5] Comment apprendre à aimer les lois de Dieu? En les méditant. Demandez-vous: Quelle importance cela a-t-il d’obéir à Dieu? Voyez ce que récoltent ceux qui n’ont pas tenu compte de ses lois, telle cette jeune fille de 19 ans qui écrivit: “A trois reprises, j’ai contracté une maladie vénérienne. La dernière fois, j’ai perdu tout espoir d’être mère puisque j’ai dû subir une hystérectomie.” Lorsqu’on désobéit aux lois de Dieu, on s’attire bien des tourments (II Samuel 13:1-19). Une femme qui avait commis la fornication déclara avec tristesse: “Cela ne vaut pas le chagrin et la dépression morale qui accompagnent la désobéissance. J’en souffre maintenant.”

[6] Pourtant, selon certains, la fornication, l’abus d’alcool et les drogues procurent du plaisir; mais ce prétendu plaisir n’est que temporaire. Ne vous laissez pas entraîner vers une voie qui vous privera du bonheur véritable et durable. Souvenez-vous de Moïse, qui fut élevé comme le “fils de la fille de Pharaon”. Il vécut dans l’opulence de la maison royale d’Egypte. Toutefois, la Bible dit qu’une fois devenu grand, il choisit “d’être maltraité avec le peuple de Dieu plutôt que d’avoir *la jouissance temporaire du péché*”. (Hébreux 11:24,

---

4. a) De quoi dépend la victoire ou la défaite dans ce combat? b) Qu’est-ce qui est nécessaire pour gagner le combat pour ce qui est juste?
5. Comment apprendre à aimer les lois de Dieu?
6. a) Pourquoi le plaisir que l’on peut éprouver à faire le mal ne vaut-il pas la peine? b) Quel genre de vie Moïse aurait-il pu connaître en Egypte?

25.) Le mode de vie dissolu et immoral qui semblait être celui de la maison royale d'Egypte devait procurer du plaisir. Pourquoi, alors, Moïse s'en détourna-t-il?

[7] Parce qu'il croyait en Jéhovah et qu'il connaissait quelque chose de bien plus estimable que la jouissance temporaire du péché. La Bible dit: *"Il avait les regards fixés vers le paiement de la récompense."* Moïse méditait sur les promesses divines. Il croyait au dessein de Dieu de créer un nouveau système juste. Le grand amour de Jéhovah et ses bontés pour l'humanité avaient touché son cœur. Moïse n'avait pas simplement *lu* à propos de Jéhovah ou *entendu* parler de lui. Il "demeura ferme *comme s'il voyait Celui qui est invisible*". (Hébreux 11:26, 27.) Jéhovah était réel pour Moïse et ses

7. Pourquoi Moïse se détourna-t-il de "la jouissance temporaire du péché" dans la maison royale d'Egypte?

Puisque le mode de vie de l'Egypte antique flattait les sens, pourquoi Moïse le rejeta-t-il?

promesses de vie éternelle ne l'étaient pas moins.

[8] Et vous, voyez-vous en Jéhovah un Etre réel, un Père qui vous aime? Quand vous songez aux promesses divines, vous représentez-vous dans le paradis, jouissant des bienfaits promis? (Voir pages 156 à 162.) Pour gagner le combat contre les incitations au mal, il nous faut entretenir d'étroites relations avec Jéhovah. A l'exemple de Moïse, nous devons également avoir “les regards fixés vers le paiement de la récompense”. Tenté de commettre la fornication, un jeune homme de 20 ans suivit l'exemple de Moïse; il dit: “Mon espérance de vie éternelle était bien trop précieuse pour être échangée contre quelques instants d'immoralité.” N'est-ce pas là la bonne attitude?

David continua à regarder; il n'évita pas la situation qui le conduisit à l'immoralité.

COMMENT TIRER LEÇON DES ERREURS DES AUTRES

[9] Contrairement à David, ne relâchez jamais votre vigilance. Un jour qu'il se tenait sur le toit en terrasse, il aperçut la belle Bath-Schéba qui se baignait. Au lieu de se détourner avant que des pensées inconvenantes ne naissent dans son cœur, il continua à la contempler. Son désir devint si fort qu'il la fit amener à son palais. Plus tard, comme elle était enceinte et que David se trouvait dans l'impossibilité de dissimuler leur adultère, il s'arrangea pour faire tuer son mari dans une bataille. — II Samuel 11:1-17.

8. a) De quoi avons-nous besoin pour gagner le combat pour ce qui est juste? b) Quel point de vue exprimé par un jeune homme devrions-nous avoir?
9. Comment le roi David a-t-il failli dans le combat pour ce qui est juste?

[10] C'était là un terrible péché, qui plongea David dans une grande douleur. Outre qu'il souffrit, Jéhovah le punit en jetant le trouble dans sa maison pour le restant de ses jours (Psaume 51:3, 4; II Samuel 12:10-12). Le cœur de David était plus traître qu'il ne le pensait; ses mauvais désirs l'emportèrent. Il dit ensuite: "Voici, avec douleur j'ai été enfanté dans la faute, et dans le péché ma mère m'a conçu." (Psaume 51:5). Mais ce péché avec Bath-Schéba n'était pas inévitable. Tout est venu de ce que David a continué à la regarder. Il n'a rien fait pour éviter la situation qui ferait croître son désir pour la femme d'un autre.

[11] Quelle leçon peut-on tirer de ce récit? Celle-ci: Il faut fuir les situations qui excitent les désirs sexuels indécents. Par exemple, qu'arrivera-t-il si vous lisez des livres ou regardez des films qui mettent le sexe en évidence? Vos désirs sexuels seront vraisemblablement stimulés. Evitez donc les activités et les distractions qui aiguisent "l'appétit sexuel". (Colossiens 3:5; I Thessaloniciens 4:3-5; Ephésiens 5:3-5.) Ne vous exposez pas à la fornication. Un adolescent de 17 ans fit cette remarque: "Il est facile de dire: 'Je sais quand il faut s'arrêter.' On peut en effet le *savoir,* mais combien s'arrêtent à temps? Il est préférable d'éviter toute situation compromettante."

[12] Si David avait gardé

10. a) Comment David fut-il puni pour son péché? b) Qu'est-ce qui aurait pu l'empêcher de commettre l'adultère?
11. a) Quelle leçon tirer de l'exemple de David? b) Quelles sortes d'activités peuvent, selon vous, aiguiser "l'appétit sexuel"? c) Comme l'a dit un adolescent, qu'évitera celui qui fait preuve de sagesse?
12. Quel exemple laissé par Joseph garderons-nous présent à l'esprit?

présent à l'esprit l'exemple de Joseph, il n'aurait jamais péché contre Dieu. En Egypte, Joseph avait été mis en charge de la maison de Potiphar. Quand celui-ci était absent, sa femme, obsédée par le sexe, essayait de séduire Joseph, qui était bel homme. "Couche avec moi!", disait-elle à Joseph, qui refusait. Mais un jour, elle le saisit et tenta de vaincre sa résistance. Joseph se libéra et s'enfuit. Il affermit son cœur en songeant, non à la satisfaction de ses propres désirs sexuels, mais à ce qui est juste aux yeux de Dieu. Il dit: "Comment donc pourrais-je commettre ce grand mal et pécher bel et bien contre Dieu?" — Genèse 39:7-12.

UNE AIDE INDISPENSABLE POUR REMPORTER LA VICTOIRE

[13] Pour gagner ce combat, il faut que la connaissance biblique touche votre cœur

---

13, 14. a) Qu'est-ce qui est nécessaire pour remporter la victoire? b) Quels changements ont opérés ceux qui sont devenus chrétiens à Corinthe, et avec quelle aide? c) Quel genre de personnes Paul et Tite avaient-ils été?

Joseph repoussa les avances indécentes de la femme de Potiphar.

et vous pousse à l'action. La fréquentation du peuple de Dieu est aussi nécessaire pour devenir membre de son organisation visible. Grâce à elle, quelle qu'ait été votre conduite passée, vous en changerez. Paul écrivit à propos des Corinthiens: "Ne vous laissez pas égarer. Ni fornicateurs, ni idolâtres, ni adultères, ni hommes qu'on entretient pour assouvir sur eux des appétits contre nature, ni hommes qui couchent avec des hommes, ni voleurs, ni gens avides, ni ivrognes, ni insulteurs, ni extorqueurs n'hériteront le royaume de Dieu. *Et pourtant c'est là ce qu'étaient certains d'entre vous.* Mais vous avez été lavés." — I Corinthiens 6:9-11.

[14] Songez un peu! Parmi ces premiers chrétiens il y avait d'anciens fornicateurs, adultères, homosexuels, voleurs et ivrognes. Mais avec l'aide de l'organisation chrétienne, ils avaient changé. L'apôtre Paul lui-même avait fait le mal (I Timothée 1:15). A Tite, son compagnon, il écrivit: "Nous aussi, autrefois, nous étions insensés, désobéissants, égarés, *esclaves de désirs et de plaisirs divers.*" — Tite 3:3.

[15] Devenu chrétien, Paul a-t-il eu du mal à faire ce qui est juste? Oui. Toute sa vie, il a combattu les désirs mauvais dont il avait été l'esclave. Il écrivit: "Mon corps, je le bourre de coups et je l'emmène comme esclave, de peur qu'après avoir prêché aux autres, je ne devienne moi-même, d'une façon ou d'une autre, un homme désapprouvé." (I Corinthiens 9:27). Paul s'obligeait à faire le bien, même lorsque son corps l'incitait au mal. Si vous imitez Paul, vous aussi vous remporterez ce combat.

[16] Si vous avez du mal à vous défaire d'une mauvaise habitude, rendez-vous à une assemblée des Témoins de Jéhovah. Vous y rencontrerez des gens joyeux, qui ont une conduite pure. Pourtant, ils faisaient autrefois partie du présent monde dans lequel la fornication, l'adultère, l'ivrognerie, l'homosexualité, le tabac, la drogue, le vol, la fraude, le mensonge et le jeu sont choses courantes (I Pierre 4:3, 4).

---

15. a) Qu'est-ce qui montre qu'il ne fut pas facile pour Paul de faire ce qui est juste? b) Comment pouvons-nous tirer profit de son exemple?

16. Quels exemples modernes vous aideront à remporter le combat pour ce qui est juste?

Egalement, en fréquentant les Témoins de Jéhovah dans les réunions de la congrégation, ce que vous devriez faire sans tarder, vous vous trouverez parmi des gens qui ont lutté pour se défaire de pratiques et de désirs mauvais contre lesquels vous combattez peut-être vous-même. Prenez courage! Ils ont vaincu, et avec l'aide de Dieu vous vaincrez, vous aussi.

[17] Si vous étudiez la Bible depuis quelque temps déjà, vous assistez certainement aux réunions des Témoins de Jéhovah. Continuez à le faire régulièrement. L'aide et l'encouragement spirituels d'autres chrétiens nous sont nécessaires (Hébreux 10:24, 25). Faites la connaissance des "aînés" ou anciens de la congrégation, dont la responsabilité est de faire "paître le troupeau de Dieu". (I Pierre 5:1-3; Actes 20:28.) N'hésitez pas à vous adresser à eux si vous avez besoin d'aide pour renoncer à une mauvaise habitude. Ils sont pleins d'amour, de bonté et de considération. — I Thessaloniciens 2:7, 8.

[18] Nous avons à combattre le monde de Satan, mais aussi notre chair pécheresse. La fidélité à Dieu est donc un combat de chaque jour, mais qui aura une fin. Bientôt, Satan disparaîtra et son monde méchant sera détruit. Alors, dans le nouveau système de Dieu maintenant proche, des conditions justes rendront notre course plus facile. Finalement, il ne subsistera plus aucune trace du péché, et nous n'aurons plus à mener un dur combat pour faire ce qui est juste.

[19] Ne perdons pas de vue le nouveau système. Prenons "pour casque l'espérance du salut". (I Thessaloniciens 5:8.) Imitons cette jeune femme qui a dit: "Je pense à tout ce que Jéhovah m'a donné et aux promesses qu'il m'a faites. Loin de m'abandonner, il m'a bénie de nombreuses manières. Je sais qu'il ne me veut que du bien et je souhaite lui plaire. La vie éternelle vaut tous les efforts pour Jéhovah." Poursuivons la justice pour voir se réaliser 'toutes les bonnes promesses que Jéhovah a faites' à ceux qui l'aiment. — Josué 21:45.

---

17. a) Quelle fréquentation est nécessaire pour gagner le combat? b) De qui pouvez-vous recevoir de l'aide pour régler vos problèmes?
18. Quelle perspective d'avenir peut nous affermir en vue de mener le combat?
19. Pourquoi devrions-nous être prêts à faire le maximum d'efforts pour plaire à Jéhovah?

Chapitre 27

Comment trouver de l'aide grâce à la prière

POUR se garder de l'influence du monde, les chrétiens ont besoin de la prière. Jésus a dit: "Le Père qui est au ciel donnera de l'esprit saint à ceux qui le lui demandent." (Luc 11:13). L'esprit saint de Dieu nous est tout aussi nécessaire que l'étude de sa Parole et la fréquentation de son organisation visible. Or, l'esprit saint s'obtient par la prière.

[2] La prière est un entretien respectueux avec Dieu. Elle peut avoir pour objet une requête, ou bien être une expression de gratitude ou de louange à Dieu (I Chroniques 29:10-13). Pour cultiver de bonnes relations avec notre Père céleste, il nous faut nous entretenir régulièrement avec lui par la prière (Romains 12:12; Ephésiens 6:18). Sa force active, qu'il nous accorde sur notre requête, nous affermira pour accomplir sa volonté en dépit des difficultés et des tentations suscitées par Satan et son monde. — I Corinthiens 10:13; Ephésiens 3:20.

[3] Si vous avez à mener un dur combat pour vous défaire d'une habitude ou pratique qui déplaît à Dieu, recherchez son aide. Priez-le. L'apôtre Paul le fit et il écrivit: "J'ai de la force pour tout grâce à celui qui me donne de la puissance." (Philippiens 4:13; Psaumes 55:22; 121:1, 2). Voici ce que dit une femme qui a renoncé à une conduite immorale: "Lui seul a le pouvoir de vous aider à sortir de cette situation. Il vous faut entretenir des relations personnelles avec Jéhovah, et le seul moyen d'y arriver est la prière."

---

1. De quelle aide divine avons-nous besoin, et comment la recevons-nous?
2. a) Qu'est-ce que la prière? b) Citez différentes formes de prières. c) Pourquoi la prière est-elle importante?
3. a) Quelle force pouvons-nous recevoir de la part de Dieu? b) A quelle condition unique pouvons-nous entretenir de bonnes relations avec Dieu?

[4] "Mais, dira quelqu'un, j'ai prié Dieu bien des fois, et pourtant je continue à faire le mal." Des fumeurs se sont exprimés ainsi. Quand on demanda à l'un d'eux: "Quand priez-vous?", il répondit: "Le soir avant de me coucher, le matin en me levant, et après avoir succombé au désir de fumer; je dis à Jéhovah combien je suis peiné de ce que j'ai fait." Un ami lui dit alors: "N'est-ce pas lorsque tu t'apprêtes à prendre une cigarette que tu as vraiment besoin de l'aide de Dieu? C'est à ce moment-là qu'il faut demander à Jéhovah de t'affermir." Cet homme suivit ce conseil, et réussit à renoncer au tabac.

[5] N'en déduisez toutefois pas que la prière, l'étude de la Parole de Dieu et la fréquentation de son organisation visible vous permettront de faire le bien avec facilité. Non, il vous faudra faire des efforts, mener un dur combat (I Corinthiens 9:27). Les mauvaises habitudes peuvent susciter un désir avide pour le mal. *Ainsi, renoncer au péché entraîne généralement une souffrance.* Etes-vous prêt à souffrir pour faire ce qui est bien? — I Pierre 2:20, 21.

LES PRIERES QUE DIEU ENTEND

[6] Beaucoup pensent qu'il est difficile de prier. "J'ai du mal à prier quelqu'un que je ne vois pas", avoua une jeune femme. Comme aucun homme n'a jamais vu Dieu, il faut avoir la foi pour le prier et être entendu par lui. Il faut croire que Jéhovah existe réellement et qu'il peut accorder ce qu'on lui demande (Hébreux 11:6). Quiconque a une telle foi et s'approche de Dieu avec un cœur sincère sera exaucé (Marc 9:23). Ainsi, bien qu'il ne fît pas partie de l'organisation divine, l'officier romain Corneille fut exaucé lorsqu'il pria sincèrement Dieu de le guider. — Actes 10:30-33.

[7] Certains trouvent difficilement leurs mots. Que cela ne les empêche pas de parler à Dieu! Il connaît nos besoins et

---

4. Comment un homme fut-il affermi pour rompre avec l'habitude de fumer?
5. a) Qu'est-ce qui est requis pour servir Dieu comme il convient? b) Pourquoi peut-on dire que renoncer au péché entraîne généralement une souffrance?
6. a) Pourquoi beaucoup pensent-ils qu'il est difficile de prier? b) Qu'est-ce qui est indispensable pour que nos prières soient entendues?
7. a) Quel genre de prière plaît à Dieu? b) Quel genre de prière Dieu n'écoutera-t-il pas?

comprendra ce que nous voulons lui dire (Matthieu 6:8). Voyons, qu'est-ce que vous appréciez le plus chez un enfant: ses remerciements simples et sincères ou bien une grande phrase que quelqu'un lui aura soufflée? Pareillement, notre Père céleste apprécie notre sincérité et notre simplicité (Jacques 4:6; Luc 18:9-14). Point n'est besoin de mots spéciaux ni d'un langage religieux. Dieu n'écoutera même pas ceux qui prient en faisant des phrases ronflantes pour impressionner les autres ou qui rabâchent les mêmes choses en manquant totalement de sincérité. — Matthieu 6:5, 7.

[8] Même lorsqu'on prie en silence, Dieu peut entendre. C'est ce que fit Néhémie, et Dieu répondit à sa requête sincère. Il en fut de même pour Hannah (Néhémie 2:4-8; I Samuel 1:11-13, 19, 20). L'important n'est pas non plus l'attitude corporelle. On peut prier dans n'importe quelle position, à tout moment et en tout lieu. Toutefois, la Bible montre qu'une attitude

8. a) Qu'est-ce qui montre que Jéhovah entend les prières faites en silence? b) La Bible indique-t-elle une position ou un lieu pour prier?

Que faire lorsqu'on est tenté de fumer: prier ou succomber?

humble, consistant à courber la tête et à s'agenouiller, par exemple, est appropriée (I Rois 8:54; Néhémie 8:6; Daniel 6:10; Marc 11:25; Jean 11:41). Jésus dit qu'il est bien de prier loin des regards. — Matthieu 6:6.

[9] La prière faisant partie de notre culte, elle ne devrait être adressée qu'à Jéhovah (Matthieu 4:10). Selon la Bible, les chrétiens doivent s'approcher de Dieu par l'intermédiaire de Jésus, qui donna sa vie pour que soient ôtés nos péchés. Cela signifie que nous devrions prier au nom de Jésus. — Jean 14:6, 14; 16:23; Ephésiens 5:20; I Jean 2:1, 2.

[10] Toutes les prières plaisent-elles à Jéhovah? La Bible dit: "Celui qui détourne son oreille pour ne pas entendre la loi — sa prière même est quelque chose de détestable." (Proverbes 28:9; 15:29; Esaïe 1:15). Aussi, si nous voulons que nos prières plaisent à Dieu, il est impératif que nous fassions sa volonté et obéissions à ses lois. Autrement, Dieu ne nous écoutera pas. La Bible dit: "Quoi que nous demandions, nous le recevons de lui, *parce que nous observons ses commandements et que nous pratiquons les choses qui sont agréables à ses yeux."* — I Jean 3:22.

[11] Nos actions doivent donc être conformes à nos prières. Par exemple, il serait mal de demander à Dieu de nous aider à renoncer au tabac ou à la marijuana, puis d'aller en acheter, ou bien à fuir l'immoralité, tout en lisant des livres ou en regardant des films et des programmes de télévision immoraux. Ou encore, celui qui a un penchant pour le jeu ne peut demander à Dieu de l'aider à rompre avec cette pratique, et en même temps fréquenter les champs de courses et les maisons de jeu. Pour que Dieu écoute nos prières, il nous faut montrer par nos actes que nous pensons vraiment ce que nous disons.

[12] Quelles sont quelques-unes des questions personnelles qui

9. a) A qui toutes nos prières doivent-elles être adressées, et pourquoi? b) Pour que nos prières soient agréées par Dieu, au nom de qui doivent-elles être présentées?
10. a) Quelles prières ne plaisent pas à Dieu? b) A quelle exigence fondamentale nos prières doivent-elles satisfaire pour être écoutées par Dieu?
11. En quel sens nos actions doivent-elles être conformes à nos prières?
12. a) Quelles sont quelques-unes des choses qui peuvent faire l'objet de nos prières? b) Pour que nos prières soient agréables à Dieu, que devons-nous apprendre?

Priez-vous pour être aidé, puis vous mettez-vous dans une situation qui peut vous amener à mal faire?

peuvent faire l'objet de nos prières? Tout ce qui touche nos relations avec Dieu, y compris notre santé et l'éducation de nos enfants (II Rois 20:1-3; Juges 13:8). L'apôtre Jean écrivit: "*Quoi que nous demandions selon sa volonté, il nous écoute.*" (I Jean 5:14). L'important est que nos requêtes soient en harmonie avec la volonté de Dieu; il faut donc commencer par apprendre ce qu'est cette volonté (Proverbes 3:5, 6). Alors, si nous tenons compte de la volonté et des desseins divins dans nos prières au lieu de nous soucier essentiellement de nos propres intérêts, celles-ci plairont à Jéhovah. Il convient de remercier Jéhovah chaque jour pour ses bontés à notre égard. — Jean 6:11, 23; Actes 14:16, 17.

[13] Jésus donna à ses disciples un modèle de prière qui plaît à Dieu (Matthieu 6:9-13). Selon ce modèle, le nom, le Royaume et la volonté de Dieu viennent en premier lieu. Puis on peut prier pour ses besoins personnels comme la nourriture quotidienne, le pardon des péchés et la protection contre la tentation et contre Satan.

LES PRIERES EN FAVEUR DU PROCHAIN

[14] Jésus démontra l'importance de prier pour son prochain

---

13. a) Selon Jésus, qu'est-ce qui doit occuper la première place dans nos prières? b) Pour quelles choses d'importance secondaire pouvons-nous prier?
14. Comment la Bible souligne-t-elle l'importance de prier pour notre prochain?

(Luc 22:32; 23:34; Jean 17:20). L'apôtre Paul connaissait le mérite de telles prières; aussi demanda-t-il souvent aux chrétiens de prier pour lui (I Thessaloniciens 5:25; II Thessaloniciens 3:1; Romains 15:30). En prison, il écrivit: "J'espère que pour vous je serai relâché, grâce à vos prières." (Philémon 22; Ephésiens 6:18-20). Peu après il était libéré, ce qui atteste l'efficacité des prières dites pour lui.

[15] Paul aussi pria en faveur des autres. Il écrivit: "Nous prions toujours pour vous, *pour que notre Dieu vous juge dignes de son appel.*" (II Thessaloniciens 1:11). A une autre congrégation, il dit: "Nous prions Dieu *pour que vous ne fassiez aucun mal (...), mais pour que vous, vous fassiez ce qui est excellent.*" (II Corinthiens 13:7). Il convient de suivre son exemple et de faire des requêtes précises pour ceux que nous aimons. En vérité, "la supplication d'un juste, quand elle est à l'œuvre, a beaucoup de force". — Jacques 5:13-16.

[16] Un ministre chrétien a l'habitude de demander à l'étudiant de la Bible: "Priez-vous à d'autres moments qu'à l'occasion de notre étude biblique hebdomadaire?" Pour être aidés selon nos besoins, nous devons prier Dieu souvent (I Thessaloniciens 5:17; Luc 18:1-8). Il faut apprendre à lui parler humblement comme à un ami cher en qui on a confiance. Quel privilège de pouvoir prier le Souverain de l'univers avec l'assurance qu'il prête une oreille attentive! — Psaume 65:2.

---

15. Quel genre de requêtes pouvons-nous faire en faveur de ceux que nous aimons?
16. a) Pour obtenir l'aide nécessaire, quand faut-il prier? b) Pourquoi la prière est-elle un si grand privilège?

Chapitre 28

Vivez en bonne intelligence, dans l'amour

PLUS grande sera votre connaissance de Jéhovah et de ses desseins, plus vif sera votre désir de fréquenter régulièrement ceux qui partagent votre foi. Vous deviendrez alors membre de l'organisation visible de Dieu, où règne la véritable fraternité chrétienne, et il vous faudra obéir à ce commandement: *"Aimez toute la famille des frères."* — I Pierre 2:17; 5:8, 9.

[2] Jésus mit ses disciples dans l'obligation de s'aimer les uns les autres. Il leur dit: "Je vous donne un commandement nouveau: que vous vous aimiez *les uns les autres* (...). A ceci tous reconnaîtront que vous êtes mes disciples: si vous avez de l'amour *entre vous."* (Jean 13:34, 35). Les expressions "les uns les autres" et "entre vous" indiquent que les vrais chrétiens ne formeraient qu'un seul groupe ou organisation (Romains 12:5; Ephésiens 4:25), lequel serait identifiable à l'amour que ses membres ont les uns pour les autres. Sans l'amour, nous ne sommes rien. — I Corinthiens 13:1-3.

[3] Il a souvent été dit aux premiers chrétiens: "Ayez une tendre affection les uns pour les autres." "Accueillez-vous les uns les autres." "Servez-vous les uns les autres." "Devenez bons les uns pour les autres, pleins d'une tendre compassion." "Continuez à vous supporter les uns les autres et à vous pardonner volontiers les uns aux autres." "Continuez à vous

---

1. a) Comment peut-on devenir membre de l'organisation de Dieu? b) A quel commandement faut-il alors obéir?
2. a) Quel nouveau commandement Jésus donna-t-il à ses disciples? b) Qu'indiquent clairement les expressions "les uns les autres" et "entre vous"? c) Quelle est l'importance de l'amour?
3. Comment la Bible met-elle l'accent sur l'importance d'aimer nos frères dans la foi?

consoler mutuellement et à vous édifier l'un l'autre." "Vivez en paix entre vous." "Ayez surtout un profond amour les uns pour les autres." — Romains 12:10; 15:7; Galates 5:13; Ephésiens 4:32; Colossiens 3:13, 14; I Thessaloniciens 5:11, 13; I Pierre 4:8; I Jean 3:23; 4:7, 11.

[4] Mais n'en concluez pas que les vrais chrétiens ne doivent aimer que les membres de l'organisation de Dieu. L'apôtre Paul les exhorta à croître "dans l'amour [qu'ils ont] les uns pour les autres *et pour tous*". (I Thessaloniciens 3:12; 5:15.) Et il dit: "Faisons le bien à l'égard de tous, *mais surtout envers ceux qui sont nos parents dans la foi.*" (Galates 6:10). Ainsi, les chrétiens doivent aimer tous les hommes, y compris leurs ennemis, mais ils sont surtout tenus d'aimer leurs frères spirituels. — Matthieu 5:44.

[5] Les premiers chrétiens étaient bien connus pour leur amour mutuel. Selon Tertullien, écrivain du deuxième siècle, les gens disaient à leur sujet: 'Voyez comme ils s'aiment les uns les autres, et comme ils sont prêts à mourir les uns pour les autres.' Un tel amour existe aujourd'hui parmi les vrais chrétiens. Est-ce à dire qu'il n'y a jamais de problèmes entre eux?

LES CONSEQUENCES DE L'IMPERFECTION

[6] L'étude de la Bible vous a appris que nous avons tous hérité l'imperfection d'Adam et Eve (Romains 5:12). Nous sommes donc portés à faire le mal. "Nous trébuchons bien des fois", dit la Bible (Jacques 3:2; Romains 3:23). Les membres de l'organisation de Dieu sont eux aussi imparfaits, et il leur arrive de mal agir. En conséquence, des difficultés surgissent parfois entre vrais chrétiens.

[7] Considérons le cas d'Evodie et de Syntyche de la congré-

---

4. a) Qu'est-ce qui montre que les chrétiens ne doivent pas seulement s'aimer "les uns les autres"? b) Qui les chrétiens doivent-ils particulièrement aimer?

5. Qu'est-ce qui montre que les vrais chrétiens, d'autrefois et d'aujourd'hui, ont été notés pour leur amour mutuel?

6. Pourquoi même les vrais chrétiens pèchent-ils parfois les uns contre les autres?

7. a) Pourquoi Evodie et Syntyche ont-elles été encouragées "à être bien d'accord"? b) Qu'est-ce qui montre que c'étaient d'excellentes femmes?

Quelle leçon pouvons-nous tirer
du différend qui opposa Evodie à Syntyche?

gation de Philippes. L'apôtre Paul écrivit: "J'exhorte Evodie et j'exhorte Syntyche à être bien d'accord dans le Seigneur." Pourquoi Paul encourageait-il ces deux femmes "à être bien d'accord"? De toute évidence, parce qu'il y avait un problème entre elles. La Bible ne le dit pas, mais il se peut qu'elles se jalousaient l'une l'autre. Pourtant, c'étaient d'excellentes femmes. Ce n'étaient pas de nouvelles converties; des années avant de travailler avec Paul, elles étaient déjà chrétiennes. Aussi l'apôtre écrit-il à la congrégation: "Continue à aider ces femmes qui ont lutté côte à côte avec moi, dans la bonne nouvelle." — Philippiens 4:1-3.

[8] Un jour, un désaccord surgit entre l'apôtre Paul et son compagnon de voyage, Barnabas. Ils s'apprêtaient à partir pour leur deuxième voyage missionnaire, quand Barnabas décida d'emmener son cousin Marc. Paul s'y opposa, car Marc les avait quittés pour rentrer chez lui lors de leur premier voyage (Actes 13:13). La Bible dit: "Alors il se produisit *un violent mouvement de colère,* de sorte qu'ils se séparèrent l'un de l'autre." (Actes 15:37-40). Vous rendez-vous compte? Si vous aviez été témoin de ce "violent mouvement de colère", en auriez-vous conclu que Paul et Barnabas ne faisaient pas partie de l'organisation divine?

[9] En une autre occasion, l'apôtre Pierre cessa de fréquenter

---

8. a) Quel désaccord surgit entre Paul et Barnabas? b) Si vous aviez été témoin de la scène, quelle aurait pu être votre conclusion?
9. a) Quel péché Pierre commit-il, et qu'est-ce qui l'amena à agir ainsi? b) Que fit Paul lorsqu'il l'apprit?

étroitement les chrétiens gentils par crainte de s'attirer la défaveur de quelques chrétiens juifs, qui méprisaient à tort leurs frères gentils (Galates 2:11-14). Quand l'apôtre Paul vit ce que Pierre faisait, il condamna sa mauvaise conduite devant tous. Si vous aviez été à la place de Pierre, quelle aurait été votre réaction? — Hébreux 12:11.

COMMENT REGLER LES DIFFERENDS DANS L'AMOUR

[10] Pierre aurait pu s'offenser de ce que Paul l'avait corrigé devant tous. Mais il n'en fit rien (Ecclésiaste 7:9). Pierre était humble. Il accepta la correction et ne permit pas que celle-ci refroidisse son amour pour Paul (I Pierre 3:8, 9). Notez comment Pierre parla plus tard de Paul dans l'une de ses lettres: "Tenez la patience de notre Seigneur pour salut, comme vous l'a aussi écrit, selon la sagesse qui lui a été donnée, *notre bien-aimé frère Paul.*" (II Pierre 3:15). Pierre laissa l'amour couvrir la difficulté qui avait eu pour cause sa mauvaise conduite. — Proverbes 10:12.

[11] Qu'en est-il du différend qui opposa Paul à Barnabas? Il fut réglé dans l'amour. Par la suite, dans sa lettre aux Corinthiens, Paul parla de Barnabas comme d'un proche collaborateur (I Corinthiens 9:5, 6). Et bien que Paul semble avoir eu de bonnes raisons de se défier de Marc comme compagnon de voyage, après que celui-ci fut devenu un jeune homme mûr, il dit de lui à Timothée: "Prends Marc et amène-le avec toi, car il m'est utile pour le service." (II Timothée 4:11). Tirons une leçon de cette façon de régler les différends.

[12] Et Evodie et Syntyche, ont-elles permis à l'amour de couvrir les péchés qu'elles avaient peut-être commis l'une à l'égard de l'autre? La Bible est muette là-dessus. Toutefois, comme c'étaient d'excellentes femmes qui avaient lutté côte à

---

10. a) Comment Pierre réagit-il quand il fut corrigé? b) Quelle leçon pouvons-nous tirer de l'exemple de Pierre?

11. a) Malgré leur mouvement de colère, comment Paul et Barnabas montrèrent-ils qu'ils étaient de vrais chrétiens? b) Comment leur exemple peut-il nous être profitable?

12. a) Pourquoi pouvons-nous penser qu'Evodie et Syntyche réglèrent leur différend? b) Selon Galates 5:13-15, pourquoi est-il vital que les chrétiens règlent leurs différends dans l'amour?

côte avec Paul dans le ministère chrétien, il est raisonnable de penser qu'elles ont humblement accepté le conseil donné. Au reçu de la lettre de Paul, nous les imaginons très bien aller l'une vers l'autre en vue de régler leur problème dans un esprit d'amour. — Galates 5:13-15.

[13] Et vous, avez-vous du mal à supporter certaines personnes dans la congrégation? Peut-être leur faut-il du temps pour cultiver les qualités chrétiennes. Réfléchissez bien à ceci: Jéhovah ne s'attend pas à ce que les hommes aient vaincu toutes leurs mauvaises habitudes avant de les aimer. La Bible dit: "Dieu nous recommande son propre amour en ce que Christ est mort pour nous *alors que nous étions encore pécheurs.*" (Romains 5:8). Imitons donc l'exemple de Dieu et suivons son amour. — Ephésiens 5:1, 2; I Jean 4:9-11; Psaume 103:10.

[14] Du fait de notre imperfection, nous n'avons pas à critiquer nos semblables. S'ils ont des défauts, nous en avons aussi. "Pourquoi donc regardes-tu la paille qui est dans l'œil de ton frère, alors que tu ne considères pas la poutre qui est dans ton œil à toi?", dit Jésus (Matthieu 7:1-5). N'oublions jamais ce sage conseil, et nous vivrons en paix avec nos frères.

---

13. Quel exemple d'amour Jéhovah nous donne-t-il?
14. Quel conseil Jésus donna-t-il en rapport avec la tendance à critiquer?

Le désaccord qui surgit entre Paul et Barnabas signifie-t-il qu'ils ne faisaient pas partie de l'organisation de Dieu?

Les vrais chrétiens permettent à l'amour de couvrir les sujets de plainte.

[15] Etre miséricordieux et prêt à pardonner est une absolue nécessité. Avez-vous vraiment un sujet de plainte contre quelqu'un? Alors, songez à ce conseil: "Continuez à vous supporter les uns les autres et à vous pardonner volontiers les uns aux autres, *si quelqu'un a un sujet de plainte* contre un autre." Pourquoi pardonner quand on a un sujet de plainte? Parce que "Jéhovah vous a pardonné volontiers". (Colossiens 3:13.) Et, pour recevoir le pardon divin, il *faut* pardonner aux autres (Matthieu 6:9-12, 14, 15). A l'exemple du roi de l'une des paraboles de Jésus, Dieu nous a pardonné des milliers de fois. Ne pouvons-nous pas pardonner quelques fois à nos frères? — Matthieu 18:21-35; Proverbes 19:11.

[16] On ne peut à la fois pratiquer la vérité et manquer d'amour et de miséricorde à l'égard de ses frères (I Jean 4:20, 21; 3:14-16). Donc, s'il arrivait qu'un différend vous oppose à un autre chrétien, ne cessez pas de lui parler. Ne lui gardez pas rancune, mais réglez l'affaire dans un esprit d'amour. Si vous avez offensé votre frère, soyez prompt à vous excuser et à demander pardon. — Matthieu 5:23, 24.

[17] Et lorsqu'on est injurié ou lésé? La Bible conseille: "Ne dis pas: 'Comme il m'a fait, ainsi je vais lui faire.'" (Proverbes 24:29; Romains 12:17, 18). Et Jésus dit: "A celui

---

15. a) Pourquoi importe-t-il de pardonner même lorsqu'on a un sujet de plainte contre quelqu'un? b) Dans son illustration rapportée en Matthieu 18, comment Jésus souligna-t-il la nécessité de pardonner?
16. a) Selon I Jean 4:20, 21, comment l'amour de Dieu est-il lié à l'amour de nos compagnons chrétiens? b) Qu'est-il nécessaire de faire si notre frère a quelque chose à nous reprocher?
17. Quelle attitude convient-il d'avoir lorsqu'on est injurié?

qui te gifle sur la joue droite, présente-lui aussi l'autre." (Matthieu 5:39). Une gifle ne vise pas à blesser physiquement, mais plutôt à insulter ou à provoquer. Ainsi, Jésus enseignait à ses disciples de ne pas se laisser entraîner dans une dispute. Au lieu de 'rendre le mal pour le mal ou l'insulte pour l'insulte', 'cherchez plutôt la paix et poursuivez-la'. — I Pierre 3:9, 11; Romains 12:14.

[18] Souvenez-vous qu'il faut *'aimer toute la famille des frères'*. (I Pierre 2:17.) Jéhovah donne l'exemple. Il n'est pas partial. Toutes les races sont égales à ses yeux (Actes 10:34, 35; 17:26). Les survivants de la "grande tribulation" à venir seront issus de "toutes nations et tribus et peuples et langues". (Révélation 7:9, 14-17.) Donc, à l'exemple de Dieu, aimons tous les hommes sans distinction de race, de nationalité, de rang social ou de couleur.

[19] Apprenez à connaître *tous* ceux qui fréquentent la congrégation chrétienne et vous les aimerez. Considérez les personnes âgées comme des pères et des mères, les jeunes comme des frères et sœurs (I Timothée 5:1, 2). Appartenir à la grande famille ou organisation visible de Dieu est un privilège. Quel bonheur ce sera de vivre éternellement dans le paradis, entouré d'une telle famille! — I Corinthiens 13:4-8.

---

18. Quelle leçon tirer de l'amour impartial de Dieu?

19. a) Comment devrions-nous considérer et traiter nos frères dans la foi? b) Quel grand privilège s'offre à nous?

Dans l'organisation de Dieu, l'amour incite les chrétiens à se considérer comme égaux.

Chapitre 29

Comment s'assurer une vie de famille heureuse

QUAND Jéhovah créa l'homme et la femme, il les unit pour qu'ils engendrent une famille (Genèse 2:21-24; Matthieu 19: 4-6). Le dessein divin était que ce couple se multiplie, qu'il ait des enfants. Une fois adultes, ces enfants se marieraient à leur tour pour fonder leur propre famille. Avec le temps, et conformément au dessein de Dieu, la terre serait peuplée de familles heureuses qui en feraient un merveilleux paradis. — Genèse 1:28.

[2] Or, les familles se déchirent et beaucoup de celles qui subsistent encore ne sont pas heureuses. "Mais, dira-t-on, si Jéhovah est vraiment l'Auteur de la famille, cette institution ne doit-elle pas produire de meilleurs résultats?" L'échec de la vie de famille ne peut être imputé à Dieu. Par exemple, un fabricant fournit toujours un mode d'emploi avec l'article qu'il propose. Mais est-ce sa faute si l'article en question ne donne pas satisfaction parce que l'acheteur n'a pas suivi ces instructions? Il en va de même pour la famille.

[3] La Bible renferme des instructions divines sur la vie de famille, mais si elles ne sont pas appliquées, que se passe-t-il? L'institution même de la famille a beau être parfaite, celle-ci se brisera et ses membres seront malheureux. En revanche, ceux qui suivent les directives des Ecritures ont une vie de famille heureuse. Par conséquent, il est vital de bien comprendre comment Dieu a fait l'homme et la femme, et quel rôle il a donné à chacun.

---

1. a) Quelle est l'origine de la famille? b) Quel était le dessein divin relatif à la famille?
2, 3. a) Pourquoi l'échec de la famille ne peut-il être imputé à Dieu? b) Qu'est-ce qui est nécessaire à la réussite de la vie de famille?

COMMENT DIEU CREA L'HOMME ET LA FEMME

[4] Il va sans dire que Jéhovah a fait l'homme distinct de la femme. Certes, ils sont semblables sous de nombreux rapports, mais il existe des différences évidentes dans leur apparence physique et leurs caractères sexuels. Leurs réactions émotives ne sont pas non plus les mêmes. Pourquoi ces particularités? Parce que leur rôle est différent. Après qu'il eut créé l'homme, Dieu dit: "Il n'est pas bon que l'homme reste seul. Je vais lui faire une aide qui soit son complément." — Genèse 2:18.

[5] Un complément, c'est ce qui s'harmonise avec une chose et s'ajoute à celle-ci pour la compléter. Dieu a fait la femme de telle sorte qu'elle s'accorde avec l'homme en vue de l'aider à remplir le mandat divin relatif au peuplement et à l'entretien de la terre. Ainsi, après avoir créé la femme à partir de l'homme, Dieu institua le premier mariage dans le jardin d'Eden en 'l'amenant vers l'homme'. (Genèse 2:22; I Corinthiens 11:8, 9.) Le mariage peut apporter le bonheur, car l'homme et la femme ont été dotés de la faculté de combler mutuellement leurs besoins. Leurs qualités différentes s'équilibrent merveilleusement bien. Quand un mari et une femme se comprennent, s'apprécient et coopèrent, la famille est heureuse.

LE ROLE DU MARI

[6] Un couple ou une famille a besoin d'un chef. L'homme a été doté dans une large mesure des qualités et de la force nécessaires pour assumer le rôle de chef. C'est pourquoi la Bible dit: "Le mari est chef de sa femme, tout comme le Christ est chef de la congrégation." (Ephésiens 5:23). C'est là une disposition pratique, car lorsqu'il n'y a pas de direction la confusion règne. Une famille sans chef peut être comparée à

---

4. a) En quoi l'homme et la femme diffèrent-ils? b) Pourquoi Dieu a-t-il prévu ces différences?

5. a) En quel sens la femme est-elle le "complément" de l'homme? b) Où eut lieu le premier mariage? c) Pourquoi le mariage peut-il vraiment apporter le bonheur?

6. a) Qui a été désigné pour être le chef de la famille? b) Pourquoi cette disposition est-elle convenable et pratique?

une automobile sans volant de direction. Une famille où la femme est en compétition avec son mari est comparable à une voiture où deux conducteurs se disputent le volant.

[7] Beaucoup de femmes, cependant, sont hostiles à l'idée que l'homme doit être le chef de la famille. L'une des principales raisons est que de nombreux maris n'ont pas suivi les instructions divines quant à la façon d'exercer l'autorité. Ce fait est néanmoins reconnu: pour qu'une organisation fonctionne convenablement, elle a besoin d'un chef qui la dirige et décide en dernier ressort. Ainsi, la Bible dit avec sagesse: 'Le chef de tout homme, c'est le Christ; le chef de la femme, c'est l'homme; le chef du Christ, c'est Dieu.' (I Corinthiens 11:3). Dieu est donc le seul à ne pas avoir de chef. Quant aux autres, qu'il s'agisse de Jésus, des maris et des femmes, tous doivent se soumettre à un chef.

[8] Pour assumer le rôle de mari, les hommes doivent donc accepter l'autorité du Christ et suivre son exemple dans la manière d'exercer leur autorité sur leurs femmes. Quelle fut l'attitude de Jésus à l'égard de sa congrégation? Il s'est montré bon et plein de considération. Il n'a été ni dur ni prompt à s'emporter, même lorsque ses disciples étaient lents à accepter sa direction (Marc 9:33-37; 10:35-45; Luc 22: 24-27; Jean 13:4-15). En fait, il a volontairement donné sa vie pour eux (I Jean 3:16). Les maris chrétiens étudieront l'exemple de Jésus afin de diriger leur foyer comme il convient. Ils ne seront ainsi ni dominateurs ni égoïstes, et ne manqueront pas d'égards envers leur famille.

[9] Maris, posez-vous ces questions: Ma femme se plaint-elle de ce que je ne remplis pas mon rôle de chef? Dit-elle que je n'assume pas la direction du foyer, que je n'organise pas les

7. a) Pourquoi certaines femmes sont-elles hostiles à l'idée que l'homme est le chef? b) Chacun a-t-il un chef, et pourquoi la disposition divine relative à l'autorité est-elle sage?
8. a) Quel exemple les maris suivront-ils pour ce qui est de l'exercice de l'autorité? b) Quelle leçon les maris tireront-ils de cet exemple?
9. a) De quoi beaucoup de femmes se plaignent-elles? b) Qu'est-ce que les maris garderont présent à l'esprit pour ce qui est de l'exercice de l'autorité?

activités familiales et que je manque de décision? Bien sûr, la sagesse veut que vous soyez ouverts aux suggestions et aux préférences des membres de votre famille, et que vous en teniez compte dans l'exercice de votre autorité. Le rôle de mari est le plus difficile à assumer. Mais si vous vous efforcez de bien le remplir, il n'est pas douteux que votre femme vous accorde son aide et son soutien. — Proverbes 13:10; 15:22.

LE ROLE DE LA FEMME

[10] Selon la Bible, la femme doit être une aide pour son mari (Genèse 2:18). En conformité avec ce rôle, il est dit: "Que les femmes soient soumises à leurs maris." (Ephésiens 5:22). Aujourd'hui, les femmes se montrent agressives et cherchent à concurrencer les hommes. Or, quand une épouse essaie d'usurper la position de chef au sein du foyer, il en résulte souvent des difficultés. Bien des maris ont cette réaction: 'Si elle veut diriger la maison, qu'elle le fasse!'

[11] Vous sentez-vous obligée de prendre la tête parce que votre mari ne le fait pas? Ne pourriez-vous pas plutôt l'encourager à assumer ses responsabilités de chef de famille? Lui faites-vous comprendre que vous comptez sur lui pour exercer l'autorité? Lui demandez-vous des directives? Evitez-vous de l'abaisser? Si vous vous efforcez d'assumer le rôle que Dieu vous a assigné, il est probable que votre mari se mettra à remplir le sien. — Colossiens 3:18, 19.

[12] N'en concluez pas qu'une épouse ne devrait pas exprimer son opinion si elle diffère de celle de son mari. Elle a peut-être raison, et l'écouter contribuerait au bien de tous. Sara, la femme d'Abraham, est donnée comme exemple de soumission (I Pierre 3:1, 5, 6). Or, elle proposa une solution à un problème familial qui ne reçut pas l'assentiment de son mari.

---

10. a) A quoi la Bible exhorte-t-elle les femmes? b) Qu'arrive-t-il lorsque la femme ne suit pas ce conseil biblique?
11. a) Comment une femme peut-elle aider son mari à assumer son rôle de chef? b) Si la femme assume le rôle que Dieu lui a assigné, quel effet cela peut-il avoir sur son mari?
12. Qu'est-ce qui montre que les femmes peuvent exprimer leur opinion, même si celle-ci diffère de celle de leurs maris?

Mais Dieu dit à Abraham: “Ecoute sa voix.” (Genèse 21: 9-12). Bien sûr, quand le mari prendra la décision finale, sa femme le soutiendra, à condition que cette décision soit conforme à la loi divine. — Actes 5:29.

[13] Si elle veut bien assumer son rôle, la femme peut faire beaucoup pour sa famille. Par exemple, elle préparera des repas nutritifs, veillera à la propreté du foyer et participera à l'éducation des enfants. La Bible exhorte les femmes mariées ‘à aimer leurs maris, à aimer leurs enfants, à être de bon sens, chastes, occupées dans la maison, bonnes, à se soumettre à leurs maris, pour qu'on ne parle pas en mal de la parole de Dieu’. (Tite 2:4, 5.) La femme qui remplit ces devoirs aura l'amour et le respect de sa famille. — Proverbes 31:10, 11, 26-28.

LA PLACE DES ENFANTS DANS LA FAMILLE

[14] Jéhovah dit au premier couple: “Soyez féconds, et devenez nombreux.” (Genèse 1:28). Les enfants devaient être une bénédiction (Psaume 127:3-5). Comme l'enfant est placé sous la loi et le commandement de ses parents, la Bible compare sa position à celle d'un esclave (Proverbes 1:8; 6:20-23; Galates 4:1). Même Jésus, quand il était enfant, fut soumis à ses parents (Luc 2:51). Autrement dit, il leur obéissait. En suivant son exemple, les enfants contribuent au bonheur familial.

[15] Malheureusement, loin d'être une bénédiction pour la famille, les enfants sont bien souvent une source de chagrin pour les parents. Pourquoi? Parce que parents et enfants n'appliquent pas les conseils de la Bible sur la vie de famille. Quels sont quelques-uns de ces principes divins? Examinons-les et vous conviendrez que leur mise en pratique peut apporter le bonheur.

---

13. Que fera la femme qui assume son rôle, et quel effet cela aura-t-il sur sa famille?
14. a) Quelle est la place qui revient aux enfants dans la famille? b) Quelle leçon les enfants tireront-ils de l'exemple de Jésus?
15. Pourquoi les enfants sont-ils bien souvent une source de chagrin pour les parents?

Aimez et honorez votre femme

[16] Exprimant la sagesse divine, la Bible dit: “Les maris doivent aimer leurs femmes, comme leurs propres corps.” (Ephésiens 5:28-30). Pour être heureuse, une femme a besoin de se sentir aimée. Ainsi, un mari accordera une attention particulière à sa femme; il sera tendre, compréhensif et réconfortant. Il doit lui ‘assigner de l’honneur’. Autrement dit, il lui témoignera de la considération en toutes choses. Il gagnera ainsi son respect. — I Pierre 3:7.

16. A quoi les maris sont-ils exhortés, et comment peuvent-ils obéir à ces commandements?

Respectez votre mari

[17] Qu’en est-il des femmes? La Bible dit: “La femme doit avoir un profond respect pour son mari.” (Ephésiens 5:33). C’est souvent l’inobservation de ce conseil qui dresse les maris contre leurs femmes. Une femme montre du respect envers son mari en soutenant ses décisions et en coopérant pleinement avec lui pour atteindre les objectifs familiaux. Si elle assume le rôle ‘d’aide et de complément’ qui lui est assigné, son mari ne pourra que l’aimer. — Genèse 2:18.

17. Quel commandement est donné aux femmes, et comment le mettent-elles en pratique?

Soyez fidèles l'un à l'autre

[18] La Bible dit: "Que les époux restent fidèles l'un à l'autre." (Hébreux 13:4, *Parole vivante,* transcription de Kuen). Et au mari: "Réjouis-toi avec l'épouse de ta jeunesse (...). Pourquoi (...) serais-tu grisé par une femme étrangère ou étreindrais-tu le sein d'une étrangère?" (Proverbes 5:18-20). L'adultère est contraire à la loi de Dieu; il met le mariage en péril. Selon la directrice d'une agence matrimoniale, "la plupart des gens pensent qu'un adultère donne du piment au mariage", mais elle ajoute qu'une telle aventure engendre toujours de "graves problèmes". — Proverbes 6:27-29, 32.

18. Pourquoi les conjoints doivent-ils être fidèles l'un à l'autre?

Cherchez le plaisir de votre conjoint

[19] Le bonheur ne procède pas de la recherche de son propre plaisir sexuel. Au contraire, il s'obtient en cherchant également le plaisir de son conjoint. La Bible dit: "Que le mari rende à la femme son dû; mais que la femme aussi agisse de même envers son mari." (I Corinthiens 7:3). Elle insiste sur la nécessité de *rendre* et de *donner.* Celui qui donne reçoit en retour le véritable plaisir, comme le dit Jésus: "Il y a plus de bonheur à donner qu'à recevoir." — Actes 20:35.

19. Comment les conjoints retireront-ils toute satisfaction des relations sexuelles?

Donnez de vous-même à vos enfants

20 Un enfant de huit ans fit cette remarque: “Papa travaille tout le temps. Il n’est jamais à la maison. Il me donne de l’argent et beaucoup de jouets, mais je le vois à peine. Je l’aime, et je voudrais qu’il travaille moins pour que je puisse le voir davantage.” Quel bonheur pour la famille lorsque les parents instruisent leurs enfants ‘quand ils sont assis dans la maison, quand ils marchent sur la route, quand ils se couchent et quand ils se lèvent’! Donnez de vous-même à vos enfants, et vous contribuerez au bonheur de la famille. — Deutéronome 11:19; Proverbes 22:6.

20. Pourquoi est-il très important de partager des activités avec ses enfants?

Administrez la discipline nécessaire

21 Notre Père céleste donne l’exemple aux parents: il discipline et instruit son peuple pour le corriger. Les enfants ont besoin d’être disciplinés (Hébreux 12:6; Proverbes 29:15). La Bible dit: ‘Vous, pères, continuez à élever vos enfants dans la discipline et l’éducation mentale de Jéhovah.’ L’application de la discipline, y compris la fessée ou la privation d’un plaisir, est une marque d’amour de la part des parents. Selon les Ecritures, “c’est celui qui l’aime [son fils] qui le cherche avec discipline”. — Ephésiens 6:4; Proverbes 13:24; 23:13, 14.

21. Que dit la Bible à propos de la discipline à administrer aux enfants?

Jeunes gens, résistez au monde

22 Le monde incite les jeunes gens à transgresser la loi de Dieu. Or, “la sottise est liée au cœur du garçon”. (Proverbes 22:15.) Il faut donc lutter pour faire ce qui est juste. Et la Bible dit: “Enfants, obéissez à vos parents en union avec le Seigneur, car cela est juste.” Enfants, faites preuve de sagesse et suivez ce conseil: “Souviens-toi donc de ton grand Créateur aux jours de ton jeune âge.” Résistez à la drogue, à l’ivrognerie, à la fornication, etc., ces choses étant contraires aux lois divines. — Ephésiens 6:1-4; Ecclésiaste 12:1; Proverbes 1:10-19.

22. Quel devoir les jeunes ont-ils, et qu’est-ce que cela implique?

Etudiez la Bible en commun

23 Lorsque l’un des membres de la famille étudie la Bible et applique ses enseignements, il contribue au bonheur de tous. Mais là où le mari, la femme et les enfants font cela ensemble, il se crée des relations étroites et chaleureuses, chacun aidant les autres à servir Jéhovah. Prenez donc l’habitude d’étudier la Bible en commun. — Deutéronome 6:4-9; Jean 17:3.

23. Quel profit les familles retireront-elles de l’étude biblique en commun?

COMMENT REGLER LES DIFFICULTES FAMILIALES

[24] Même dans les foyers heureux, des difficultés surgissent parfois en raison de l'imperfection humaine. "Tous, nous trébuchons bien des fois", dit la Bible (Jacques 3:2). Les conjoints n'exigeront donc pas la perfection l'un de l'autre. Au contraire, chacun passera sur les fautes de l'autre. Ainsi, nul ne s'attendra à avoir une union parfaitement heureuse, car ce n'est pas réalisable entre gens imparfaits.

[25] Il va de soi que le mari ou la femme s'efforcera de ne pas irriter son conjoint, mais il n'y parviendra pas toujours. A ce moment-là, comment faudra-t-il régler les difficultés? La Bible donne ce conseil: "L'amour couvre une multitude de péchés." (I Pierre 4:8). Cela veut dire que le conjoint qui pratique l'amour ne rappellera pas sans cesse la faute de l'autre. L'amour dit: 'Tu as fait une faute, mais j'en fais moi aussi; je passe donc sur ta faute, et toi, fais de même à mon égard.' — Proverbes 10:12; 19:11.

[26] Lorsque les conjoints sont prompts à reconnaître leurs fautes et à se corriger, bien des disputes et des chagrins sont évités. Leur objectif doit être de régler les problèmes et non de gagner des batailles. Votre conjoint a-t-il tort? Soyez bon et tout s'arrangera plus facilement. Est-ce vous qui êtes dans l'erreur? Demandez humblement pardon. "Que le soleil ne se couche pas sur votre irritation." — Ephésiens 4:26.

[27] Si vous êtes marié, il vous faut particulièrement veiller "non seulement par intérêt personnel à vos affaires à vous, mais encore, par intérêt personnel, à celles des autres". (Philippiens 2:4.) "Revêtez-vous donc (...) des tendres affections de la compassion, ainsi que de bonté, d'humilité d'esprit, de douceur et de longanimité. Continuez à vous supporter les uns les autres et à vous pardonner volontiers les uns aux autres, si quelqu'un a un sujet de plainte contre un autre. Tout comme

---

24. Pourquoi les conjoints devraient-ils passer sur leurs fautes mutuelles?
25. Comment les problèmes conjugaux devraient-ils être réglés dans l'amour?
26. Lorsque des difficultés surgissent, qu'est-ce qui favorisera le règlement de la situation?
27. La mise en pratique de quels conseils bibliques aidera les conjoints à régler leurs problèmes?

Jéhovah vous a pardonné volontiers, faites de même, vous aussi. Mais, en plus de tout cela, revêtez-vous de l'amour, car c'est un parfait lien d'union." — Colossiens 3:12-14.

[28] De nombreux couples, qui ne se laissent pas guider par la Parole de Dieu pour régler leurs problèmes, ont recours au divorce. Selon Dieu, le divorce est-il un moyen de régler les problèmes? Non (Malachie 2:15, 16). Son dessein était que le mariage dure toute la vie (Romains 7:2). La Bible n'autorise le divorce et le remariage que pour un seul motif: l'adultère. Dans ce cas, le conjoint innocent doit décider s'il veut ou non divorcer. — Matthieu 5:32.

[29] Et si votre conjoint refuse d'étudier la Parole de Dieu avec vous ou qu'il s'oppose à votre activité chrétienne? Même dans ce cas, la Bible vous conseille de rester avec lui et de ne pas envisager la séparation. Efforcez-vous d'améliorer la situation dans votre foyer en mettant en pratique les principes bibliques. Avec le temps, vous gagnerez peut-être votre conjoint par votre bonne conduite (I Corinthiens 7:10-16; I Pierre 3:1, 2). Quelle joie ce serait pour vous si par votre patience et votre amour, vous receviez cette récompense!

[30] Les enfants sont à l'origine de beaucoup de problèmes familiaux. Que faire en pareil cas? Tout d'abord, parents, donnez l'exemple. Les enfants sont davantage portés à imiter les actes qu'à suivre les paroles. Lorsque les actes ne sont pas en conformité avec les paroles, ils le remarquent immédiatement. Donc, si vous souhaitez que vos enfants se conduisent en chrétiens, montrez l'exemple. — Romains 2:21, 22.

[31] Raisonnez avec vos enfants; il ne suffit pas de leur dire: 'Je ne veux pas que tu commettes la fornication, car c'est très

---

28. a) Le divorce est-il la solution aux problèmes conjugaux? b) Selon la Bible, quel est le seul motif de divorce qui autorise le remariage?
29. a) Si votre conjoint ne se joint pas à vous dans le culte chrétien, que devez-vous faire? b) Quels résultats obtiendrez-vous peut-être?
30. Pourquoi est-il très important pour les parents de montrer le bon exemple aux enfants?
31. a) Quelle est la principale raison pour laquelle les enfants doivent obéir à leurs parents? b) Comment pouvez-vous montrer à un adolescent qu'il est sage d'obéir à la loi divine interdisant la fornication?

mal.' Ils doivent savoir que cela déplaît à Jéhovah (Ephésiens 5:3-5; I Thessaloniciens 4:3-7). Ils doivent aussi savoir pourquoi il faut obéir aux lois divines. Par exemple, vous pouvez attirer l'attention de l'adolescent sur le développement extraordinaire de l'enfant issu de l'union d'un spermatozoïde émis par l'homme et d'un ovule produit par la femme, et lui demander: 'Ne crois-tu pas que Celui qui a rendu possible le miracle de la naissance sait mieux que quiconque comment doivent être utilisés les organes de reproduction?' (Psaume 139:13-17). Ou encore: 'Penses-tu que notre Créateur ferait une loi pour nous priver des joies de la vie? Le bonheur ne découle-t-il pas plutôt de l'obéissance à ses lois?'

[32] De telles questions amèneront votre enfant à raisonner sur les lois divines relatives à la moralité sexuelle. Laissez-le s'exprimer. Si son opinion n'est pas celle que vous souhaitez, ne vous fâchez pas. N'oubliez pas que sa génération s'est beaucoup écartée des justes enseignements de la Bible; montrez-lui donc que la moralité actuelle ne reflète pas la sagesse. Au besoin, citez-lui des cas précis où l'immoralité sexuelle a eu pour conséquences des naissances illégitimes, des maladies vénériennes, etc. Vous l'aiderez ainsi à voir la sagesse des enseignements bibliques.

[33] L'espérance de vivre éternellement dans le paradis terrestre nous aidera à réussir notre vie de famille. Pourquoi? Parce qu'elle nous incitera à faire tout notre possible pour mener dès à présent la vie que nous espérons avoir alors. Nous suivrons donc les directives de Jéhovah. Quel en sera le résultat? Dieu ajoutera à notre bonheur présent la perspective de la vie éternelle et d'un bonheur parfait dans l'éternité qui s'offre à nous. — Proverbes 3:11-18.

---

32. a) Quelle sera votre attitude si l'opinion de votre enfant diffère de celle de Dieu? b) Comment aider l'enfant à voir la sagesse des enseignements de la Bible?

33. Comment l'espérance biblique de la vie éternelle dans le paradis terrestre nous aidera-t-elle à nous assurer une vie de famille heureuse?

Chapitre 30

Ce que vous devez faire pour vivre éternellement

LA VIE éternelle dans son nouveau système de choses juste, voilà ce que Jéhovah vous offre (II Pierre 3:13)! Mais pour la recevoir, il vous faut dès à présent faire la volonté de Dieu. L'actuel monde méchant est sur le point de disparaître, "mais celui qui fait la volonté de Dieu demeure pour toujours". (I Jean 2:17.) Il vous faut donc choisir entre deux voies: l'une conduit à la mort et l'autre à la vie éternelle (Deutéronome 30:19, 20). Laquelle choisirez-vous?

[2] Avez-vous choisi la vie? Prouvez-le par votre foi en Jéhovah et en ses promesses. Avez-vous la ferme conviction que Dieu existe "et qu'il se fait le *rémunérateur de ceux qui le cherchent réellement"?* (Hébreux 11:6.) Confiez-vous en Dieu comme en un père aimant et miséricordieux (Psaume 103:13, 14; Proverbes 3:11, 12). Animé d'une telle foi, vous ne douterez ni de la sagesse de ses conseils ni de la droiture de ses voies, même si vous ne les comprenez pas toujours pleinement.

[3] Mais la foi ne suffit pas. Elle doit se manifester par des œuvres (Jacques 2:20, 26). Qu'avez-vous fait pour montrer que vous regrettez vos manquements passés? Vous êtes-vous repenti ou avez-vous opéré les changements nécessaires pour conformer votre vie à la volonté de Jéhovah? Vous êtes-vous retourné, autrement dit avez-vous rejeté toute pratique mauvaise d'autrefois pour vous soumettre aux exigences divines

1. a) Quelles deux voies vous sont proposées? b) Comment pouvez-vous choisir la bonne voie?
2. a) Si vous avez la vraie foi, de quoi serez-vous convaincu? b) Comment le fait de vous confier en Dieu comme en un père aimant vous aidera-t-il à le servir?
3. a) Outre la foi, qu'est-ce qui est encore nécessaire? b) Quelles œuvres devez-vous accomplir pour montrer que vous avez choisi la vie?

Vouez-vous à Jéhovah et faites-vous baptiser.

(Actes 3:19; 17:30)? De telles œuvres démontrent que vous avez choisi la vie.

L'OFFRANDE DE SOI ET LE BAPTEME

[4] Qu'est-ce qui devrait vous inciter à faire la volonté de Dieu? La reconnaissance. Jéhovah a fait en sorte que vous puissiez être délivré de la maladie, de la souffrance et même de la mort. Grâce au précieux don de son Fils, il vous propose la vie éternelle dans un paradis terrestre (I Corinthiens 6:19, 20; 7:23; Jean 3:16). Que faire quand l'amour de Jéhovah vous incite à l'aimer en retour (I Jean 4:9, 10; 5:2, 3)? Vous approcher de Dieu au nom de Jésus et lui dire dans la prière que vous désirez le servir et lui appartenir. Voilà comment on se voue à Dieu. Ce vœu est strictement personnel.

[5] Dès que vous vous serez voué à Jéhovah, accomplissez votre vœu. Prouvez que vous êtes une personne de parole en vous acquittant fidèlement de votre vœu tant que vous vivrez (Psaume 50:14). Restez attaché à l'organisation visible de Dieu et vous bénéficierez des encouragements et du soutien fraternel de vos compagnons. — I Thessaloniciens 5:11.

[6] Mais il ne suffit pas de dire secrètement à Jéhovah que vous désirez lui appartenir. Il faut montrer à vos semblables

---

4. a) Qu'est-ce qui devrait vous inciter à faire la volonté divine? b) Une fois que vous avez décidé de servir Dieu, que convient-il de faire?

5. a) Après vous être voué à Dieu, que devez-vous faire? b) De quelle aide pouvez-vous bénéficier pour vous acquitter de votre vœu?

6. a) Une fois que vous vous êtes voué à Dieu, quelle étape devez-vous franchir? b) Quelle est la signification du baptême?

que vous vous êtes voué au service de Dieu. Comment? Par le baptême d'eau. Ce baptême est la démonstration publique attestant que le baptisé a voué sa vie à Jéhovah et qu'il se présente à lui pour faire Sa volonté.

7 Le baptême d'eau est une condition importante, comme en témoigne l'exemple de Jésus Christ. Il ne s'est pas contenté de dire à son Père qu'il était venu pour faire Sa volonté (Hébreux 10:7). Lorsqu'il commença son service de prédicateur du Royaume, Jésus se présenta à Jéhovah et il fut baptisé dans l'eau (Matthieu 3:13-17). Puisqu'il est notre modèle, les chrétiens qui se vouent à Dieu doivent, eux aussi, se faire baptiser (I Pierre 2:21; 3:21). En fait, Jésus ordonna de faire des disciples des gens de toutes les nations puis de les baptiser. Il ne s'agit donc pas de baptiser des nouveau-nés, mais des gens qui sont devenus *croyants* et qui ont décidé de servir Jéhovah. — Matthieu 28:19; Actes 8:12.

8 Si vous êtes bien décidé à servir Jéhovah et que vous vouliez être baptisé, faites-le savoir au surveillant-président de la congrégation des Témoins de Jéhovah que vous fréquentez. Il sera heureux, ainsi que d'autres anciens, de revoir avec vous les enseignements que vous devez connaître pour servir Jéhovah de façon acceptable. Des dispositions seront ensuite prises pour votre baptême.

CE QUE DIEU EXIGE DE VOUS AUJOURD'HUI

9 Avant le déluge, Jéhovah se servit de Noé, “prédicateur de justice”, pour annoncer la destruction universelle et indiquer l'unique moyen de salut, l'arche (Matthieu 24:37-39; II Pierre 2:5; Hébreux 11:7). Dieu veut que vous accomplissiez une œuvre de prédication analogue. Jésus a dit: “Cette bonne nouvelle du royaume sera prêchée par toute la terre habitée, en témoignage pour toutes les nations; et alors viendra la fin.” (Matthieu 24:14). Pour survivre à la fin du présent système et

---

7. a) Quel exemple Jésus donna-t-il aux chrétiens? b) Pourquoi le baptême institué par Jésus ne concerne-t-il pas les nouveau-nés?
8. Si vous voulez vous faire baptiser, à quel membre de la congrégation devez-vous le faire savoir, et pourquoi?
9. Que fit Noé avant le déluge, activité que Dieu veut vous voir accomplir maintenant?

vivre éternellement, il faut connaître les desseins de Dieu (Jean 17:3). Votre cœur vous incite-t-il à faire connaître le chemin de la vie?

[10] Voyez Christ, il n'a pas attendu que l'on vienne à lui; il est allé à la recherche de ceux qui écouteraient le message du Royaume. Il enseigna *tous ses disciples* à agir de même (Matthieu 28:19; Actes 4:13; Romains 10:10-15). Suivant en cela les ordres et l'exemple du Christ, les premiers chrétiens visitaient les gens chez eux, allant "de maison en maison". (Luc 10:1-6; Actes 20:20.) Aujourd'hui, les vrais chrétiens remplissent leur ministère de la même façon.

[11] Il faut du courage pour effectuer cette œuvre. Tout comme au premier siècle, Satan et son monde chercheront à vous en empêcher (Actes 4:17-21; 5:27-29, 40-42). Mais Jéhovah vous soutiendra et vous affermira, comme il l'a fait pour les premiers chrétiens (II Timothée 4:17). Prenez donc courage! Démontrez votre amour pour Jéhovah et pour vos semblables en participant pleinement à l'œuvre salvatrice de prédication et d'enseignement (I Corinthiens 9:16; I Timothée 4:16). Jéhovah vous bénira abondamment. — Hébreux 6:10-12; Tite 1:2.

"Souvenez-vous de la femme de Lot."

[12] Le monde n'a rien de vraiment valable à vous offrir; détournez-vous-en sans regret. Jésus a dit: "Souvenez-vous de la femme de Lot." (Luc 17:32). Après qu'elle eut fui Sodome avec sa famille, elle regarda avec regret ce qu'ils avaient laissé derrière eux; Dieu lut dans son cœur, et elle devint une colonne de sel (Genèse 19:26). N'imitez pas la femme de Lot! Gardez

10. a) Quel exemple de Jésus l'amour du prochain devrait-il nous inciter à suivre? b) Comment l'activité de prédication est-elle généralement accomplie?
11. a) Pourquoi faut-il du courage pour prêcher le Royaume de Dieu, mais pourquoi ne doit-on pas se laisser intimider? b) Comment Jéhovah considère-t-il l'œuvre que nous faisons?
12. Quelle leçon tirer de l'exemple de la femme de Lot?

Gardez présent à l’esprit
et dans le cœur
le nouveau système
promis par Dieu.

vos regards fixés sur "la vie véritable" dans l'ordre nouveau et juste de Dieu. — I Timothée 6:19.

CHOISISSEZ LA VIE ETERNELLE DANS LE PARADIS TERRESTRE

[13] Seulement deux voies s'offrent à vous. Christ les compara à deux routes. L'une, dit-il, est "large et spacieuse". Ceux qui l'empruntent agissent à leur guise. L'autre est "resserrée". Ceux qui la suivent doivent obéir aux instructions et aux lois divines. Selon Jésus, la majorité emprunte la route large; peu nombreux sont ceux qui choisissent la route resserrée. Quelle route allez-vous choisir? Avant de fixer votre choix, n'oubliez pas ceci: La route large aboutira soudainement à la destruction. Par contre, la route étroite vous mènera jusqu'au nouveau système de Dieu. Là, vous pourrez faire de la terre un paradis où vous vivrez éternellement dans le bonheur. — Matthieu 7:13, 14.

[14] N'en concluez pas que différentes routes vous mèneront à la vie dans l'ordre nouveau de Dieu. Il n'y en a qu'une seule. Une seule arche traversa le déluge. Une seule organisation — l'organisation visible de Dieu — traversera la "grande tribulation" imminente. Il est absolument faux de dire que toutes les religions mènent au même point (Matthieu 7:21-23; 24:21). Pour obtenir la vie éternelle, il vous faut appartenir à l'organisation de Jéhovah et faire la volonté divine. — Psaume 133:1-3.

[15] Gardez bien présent à l'esprit et dans le cœur le nouveau système promis par Dieu. Chaque jour, songez au prix que Jéhovah vous destine: la vie éternelle dans le paradis terrestre. Ce n'est pas un rêve, mais une réalité! Cette promesse se réalisera à coup sûr: "Les justes posséderont la terre, et sur elle ils résideront pour toujours. (...) Quand les méchants seront retranchés, tu le verras." — Psaume 37:29, 34.

13. Comment Jésus présenta-t-il le choix que nous avons tous à faire?
14. A quoi devez-vous appartenir pour entrer dans l'ordre nouveau de Dieu?
15. a) Que vous faut-il faire chaque jour? b) Quelle espérance est bien autre chose qu'un rêve?

“Demeure dans les choses que tu as apprises.”

Telles sont les paroles que l’apôtre Paul adressa au jeune Timothée (II Timothée 3:14). La lecture de ce livre vous a appris quels bienfaits Dieu tient en réserve pour ceux qui l’aiment. Mais il vous faut continuer de progresser spirituellement. Les Témoins de Jéhovah seront heureux de vous aider, au cas où ils ne le feraient pas déjà. Ecrivez à l’une des adresses suivantes, et demandez à recevoir régulièrement la visite d’un ministre Témoin de Jéhovah qui étudiera gratuitement la Bible avec vous.

Pour savoir comment obtenir d’autres exemplaires du présent livre ou pour recevoir *Les Saintes Ecritures — Traduction du monde nouveau,* veuillez écrire à l’une des adresses indiquées ci-dessous:

AFRIQUE DU SUD: Private Bag 2, Elandsfontein, 1406. **ANGLETERRE:** Watch Tower House, The Ridgeway, Londres NW7 1RN. **AUSTRALIE:** Box 280, Ingleburn, N.S.W. 2565; Zouch Road, Denham Court, N.S.W. 2565. **AUTRICHE:** Gallgasse 44, A-1130 Vienne. **BELGIQUE:** rue d’Argile 60, B-1950 Kraainem. **CANADA L7G 4Y4:** Box 4100, Halton Hills (Georgetown), Ontario. **CENTRAFRICAINE, REP.:** B.P. 662, Bangui. **COTE-D’IVOIRE:** 06 B.P. 393, Abidjan 06. **ESPAGNE:** Apartado postal 132, Torrejón de Ardoz (Madrid). **ETATS-UNIS D’AMERIQUE:** 25 Columbia Heights, Brooklyn, N.Y. 11201. **FRANCE:** 81 rue du Point-du-Jour, F-92100 Boulogne-Billancourt. **GRECE:** 77 Leoforos Kifisias, GR-151 24 Marousi. **GUADELOUPE:** B.P. 239, 97156 Pointe-à-Pitre Cédex. **HAITI:** Post Box 185, Port-au-Prince. **ISRAEL:** P. O. Box 961, 61-009 Tel-Aviv. **ITALIE:** Via della Bufalotta 1281, I-00138 Rome RM. **LUXEMBOURG:** 15, rue de l’Egalité, L-1456 Luxembourg, G D. **MARTINIQUE:** Cours Campeche, Morne Tartenson, 97200 Fort de France. **MAURICE (ILE):** 22 Dr. Roux St., Rose Hill. **NOUVELLE-CALEDONIE:** B.P. 787, Nouméa. **PAYS-BAS:** Noordbargerstraat 77, 7812 AA Emmen. **PORTUGAL:** Av. D. Nuno Álvares Pereira, 11, P-2765 Estoril. **SENEGAL:** B.P. 3107, Dakar. **SUISSE:** Ulmenweg 45; P.O. Box 225, CH-3602 Thoune. **TAHITI:** B.P. 518, Papeete. **ZAIRE, REP. DU:** B.P. 634, Limete, Kinshasa.